D0054249

H

Un tissu de mensonges

Jennifer Crusie

Un tissu de mensonges

FRANCE LOISIRS
123, boulevard de Grenelle, Paris

Titre original : *Tell me Lies*.
Traduit de l'anglais par Hélène Prouteau.

Une édition du Club France Loisirs, Paris,
réalisée avec l'autorisation des Presses de la Cité.

ISBN : 2-7441-2133-9.

Chapitre premier

Par un jeudi étouffant du mois d'août, Maddie Faraday passa la main sous le siège de la Cadillac de son mari et en retira une petite culotte en dentelle noire. Ce n'était pas la sienne.

Jusqu'à cet instant, la journée s'était plutôt bien passée. Le four à micro-ondes avait rendu son dernier soupir alors qu'elle voulait y réchauffer un croissant pour le petit déjeuner d'Em, mais le soleil brillait sur leur maison de bois peinte en bleu et jusqu'à midi la température était restée au-dessous de trente degrés. Em préparait ses achats de fournitures scolaires et tout le monde était content. Même Brent, qui râlait parce que sa voiture était sale, avait retrouvé sa bonne humeur quand Maddie lui avait proposé ses services. Plus par culpabilité que par sens du devoir. Normal qu'elle nettoie la voiture, l'été elle était en vacances et lui travaillait. Ces derniers temps, elle faisait des efforts pour être aimable. C'était tellement tentant de ne pas l'être...

— Puisque je ne t'aime pas, avait-elle envie de lui dire, je ne vois pas pourquoi je laverais ta voiture.

Mais Brent était un bon mari par défaut. Il ne criait pas, ne buvait pas, ramenait sa paye à la maison, ne battait pas sa femme, ne faisait pas ces vilaines choses dont on se plaignait dans les chansons country que Maddie aimait tant. Il jouait son rôle, et donc elle jouait le sien.

Il avait embrassé Em et Maddie l'avait rappelé alors qu'il s'apprêtait à partir.

— Cet après-midi, Em et moi on va nettoyer ta voiture. Appelle Howie et demande-lui de passer te prendre sur le chemin du bureau.

Surpris, Brent l'avait embrassée sur la joue.

À l'annonce de cette bonne nouvelle, Em, huit ans, roula des prunelles derrière ses lunettes. Puis elle prit un air calculateur, joua la Fille Idéale et, après le déjeuner, se dirigea sans protester vers la Cadillac de Brent, qui brillait au soleil. Ça cachait quelque chose. Maddie attendait de voir la suite. Elle attaqua le siège avant du conducteur en chantant sur une cassette de Roseanne Cash.

Em sortit suffisamment de saletés du siège arrière pour en remplir un carton.

— Je vais jeter ça, annonça-t-elle, le gros carton serré contre son cœur.

Maddie, qui nettoyait le plancher de la voiture, hocha la tête et la fillette s'enfuit vers la cuisine jaune vif à air conditionné.

Maddie passa la main sous le siège avant et attrapa un papier d'emballage d'Egg McMuffin[1]. Roseanne chantait un blues sur les peines de cœur, *Blue Moon with Heartache*. Bonne chanson, belle journée. À la droite de Maddie, une porte à claire-voie s'ouvrit dans un soupir asthmatique. Maddie tendit le cou et vit sa voisine Mme Crosby sortir sur sa véranda d'un blanc immaculé ; elle traînait les pieds et se pencha au-dessus de sa petite cour entourée de soucis, puis loucha en direction de la Cadillac de Brent, qui n'avait rien à faire dans l'allée un jour ouvrable.

1. NDT : Muffin anglais avec bacon et œuf au plat.

Mme Crosby était d'humeur folâtre aujourd'hui, vêtue d'un caleçon orange vif moulant ses petites cuisses maigres, assorti d'un tee-shirt dans les mêmes tons. On y lisait l'inscription « À la plus Formidable des Grand-Mères ». La preuve noir sur rouge qu'à Frog Point, Ohio, l'hypocrisie s'apprenait au berceau. Maddie agita la main et cria :

— Bonjour, madame Crosby ! On est juste en train de nettoyer la voiture...

Mme Crosby n'avait peut-être plus l'ouïe ni la vue de ses vingt ans, mais sa langue était toujours aussi acérée. Si vous ne lui prêtiez pas suffisament d'attention, elle était capable d'en faire des tonnes. Ça donnait :

— J'ai vu sa voiture qui me bouchait le paysage, là, au milieu du chemin. Et pourquoi n'est-il pas à son travail ?

Mieux valait s'incliner tout de suite plutôt que d'être obligée de s'expliquer plus tard.

Mme Crosby agita la main et rentra chez elle de son pas traînant, sûre qu'il ne se passait rien d'intéressant chez les voisins. Maddie fourra le papier d'emballage de l'Egg McMuffin dans un sac-poubelle, voulut vérifier qu'il ne restait rien sous le siège, et découvrit alors la petite culotte.

Mme Crosby avait fait erreur.

Maddie s'assit, regarda sans comprendre la dentelle et les élastiques qu'elle tenait devant elle. Il lui fallut une bonne minute pour réaliser qu'il y avait une pièce manquante, qu'il s'agissait d'un slip que composaient quatre triangles de dentelle reliés par des élastiques noirs. Avec un trou au milieu. Elle se dit *Ça recommence — Beth ?* et *Dieu merci, Em est à l'intérieur* et puis *Maintenant je peux le quitter.* Une portière claqua, elle sursauta et froissa dans son poing la dentelle, qui lui chatouillait la paume.

Gloria était là. Gloria avait l'habitude de lorgner par-dessus la palissade, il ne fallait pas qu'elle surprenne

Maddie assise sur le plancher de la voiture avec de la lingerie qui ne lui appartenait pas. Roseanne entonna *My baby thinks he's a train*. Maddie éteignit la radiocassette d'un doigt rageur. Elle luttait pour rester calme.

C'était sans doute de la paranoïa de penser que Gloria Meyer pourrait identifier le slip d'une autre à cinquante mètres... Mais on était à Frog Point, et il ne fallait pas prendre de risque. Si Gloria s'avisait de comprendre, elle froncerait le nez, en proie à une véritable tempête intérieure, et une heure plus tard la mère de Maddie l'appellerait pour avoir confirmation de la nouvelle parce qu'Esther lui en aurait parlé au rayon des grille-pain chez Kmart, et alors tout le monde à Frog Point se moquerait de cette pauvre Maddie, quelle honte pour Emily, et tout ça c'était sa faute à elle, la mère de Maddie, qui avait mal élevé sa fille.

Le paysage autour d'elle pencha dangereusement, comme si s'amorçait un virage. Son estomac suivit le mouvement. Comprenant qu'elle avait oublié de respirer, elle inspira à pleins poumons l'air brûlant et poussiéreux. Le sang lui martelait les tempes.

Elle entendit battre la porte à claire-voie. Gloria était rentrée chez elle.

Concentre-toi. Oublie tes vertiges. La première fois, ç'avait été épouvantable. Et Em était maintenant assez grande pour comprendre. Elle saurait.

Et puis il y avait sa mère. Oh, Dieu, sa mère !

Réfléchis. Pas d'affolement. Un, elle ne voulait plus qu'on la prenne pour une imbécile. Deux, elle pouvait toujours divorcer. Elle hocha la tête, comme une imbécile justement, assise toute seule sur le plancher de la voiture.

Prenant appui sur le siège en cuir beige brûlant, elle s'extirpa du véhicule. C'était fou comme tout avait l'air normal. La palissade en bois était à sa place... la table de pique-nique fendue, la bicyclette bleue déglinguée d'Em, et pourtant Maddie venait de trouver la petite culotte d'une étrangère, ici même, dans Linden Street, entre la maison de Gloria Meyer et celle de Leona Crosby, au beau milieu de sa vie.

Elle prit une profonde inspiration, contourna la maison, monta les marches de la véranda et retrouva la fraîcheur de la cuisine. Elle prit bien garde à refermer la porte, qui devenait poisseuse avec la chaleur. Il lui fallait se concentrer sur les détails. Inutile, par distraction, de laisser la porte ouverte et d'aller rafraîchir l'extérieur. Debout devant l'évier, elle regarda encore la petite culotte, essayant brièvement de l'intégrer dans la réalité de tous les jours. Un peu comme Em quand elle chantait *Sesame Street* : un de ces objets n'était pas à sa place, un de ces objets était égaré... Plan de travail en Formica jaune. Four à micro-ondes en panne. Torchon à carreaux bleus. Verre en grès avec un peu de lait. Casserole avec macaronis au fromage collés au fond, trempant dans l'eau. Manique marron avec « Maman je t'aime » brodé au point de croix. Slip noir avec un trou au milieu.

— Maman ?

Maddie laissa échapper la petite culotte dans les macaronis au fromage et l'enfonça pour la faire disparaître, éclaboussant son tee-shirt d'eau de vaisselle. Em se tenait dans l'encadrement de la porte, perdue dans un tee-shirt *Marvin le Martien* trop grand pour elle, ses cheveux châtains fins comme ceux d'un bébé auréolant son visage, vulnérable comme seule pouvait l'être une enfant de huit ans.

Maddie s'appuya contre l'évier.

— Oui, ma chérie ?

— C'est quoi ?

Em écarquillait ses yeux noisette derrière ses lunettes. Maddie la fixa d'un air stupide.

— Hein ?

— Ce truc, là.

Em glissa le long du plan de travail en Formica jaune, évitant d'un coup de hanche les poignées du placard.

— Ce truc noir.

— Ah...

Maddie cligna des yeux en regardant le slip qui flottait dans la casserole. Elle le fit disparaître sous l'eau.

— Un genre de grattoir.

Et elle se mit à récurer la casserole aux macaronis avec le slip réduit en boule, et sentit avec une certaine satisfaction le fromage blanchâtre qui obstruait la dentelle sous ses doigts.

— Un grattoir ? reprit Em.

Elle jeta un coup d'œil.

— Ça ne marche pas très bien, dit Maddie.

Elle laissa tomber le slip au fond de la casserole.

— Je vais m'en débarrasser... Où en es-tu ? Tu as tout jeté ?

— Oui, dit Em d'un ton vertueux. Et j'ai mis le carton à la cave, comme ça personne ne butera dessus.

Maddie sentit l'angoisse lui serrer la gorge. La vertu chez Em était le signe avant-coureur d'une de ses bêtises autorisées par son petit monde ordinaire, qui ne tarderait pas à lui exploser à la figure. Elle crut que le sol se dérobait sous ses pieds. Elle s'effondra sur une chaise pour ne pas perdre contenance devant sa fille.

— Maman ? dit Em.

Maddie lui tendit les bras et la serra contre elle.

— Je t'aime, ma chérie, murmura-t-elle dans ses cheveux en la berçant doucement. Je t'aime tant...

— Moi aussi, maman.

Em se renversa un peu en arrière.

— Tu vas bien ?

— Oui, oui.

Maddie la laissa s'échapper à regret.

— Je vais très bien.

— Super.

La fillette sortit de la cuisine en l'observant du coin de l'œil.

— Si tu as besoin de moi, tu m'appelles. Je vais vérifier que j'ai rien oublié sur ma liste. Cette année, elle est très longue. Le cours élémentaire, c'est plus dur.

— D'accord, dit Maddie.

Les projets d'Em, elle s'en occuperait plus tard, quand elle aurait retrouvé ses esprits. Avant cela, il fallait absolument qu'elle mette de l'ordre dans ce gâchis. Le plus important étant de ne pas perdre son calme. D'abord, penser à la vie quotidienne. Si elle n'avait pas trouvé ce slip, à quoi serait-elle donc en train de s'occuper ? Elle finirait de nettoyer cette casserole aux macaronis. Et elle irait vider la poubelle. Car aujourd'hui c'était la journée des ordures. Mais bien sûr ! la poubelle !

Elle se leva, voulut la tirer de dessous l'évier. Elle y était collée. Elle tira de toutes ses forces, les dents serrées, et comme la poubelle ne venait pas, elle s'acharna sauvagement jusqu'à ce qu'elle cède avec un bruit de succion. Il était temps, songea Maddie en reprenant sa respiration. Elle attrapa la casserole aux macaronis, en vida l'eau et la jeta avec la répugnante petite culotte pleine de fromage. Le cœur au bord des lèvres, elle attrapa ensuite la bombe de désinfectant et en arrosa les ordures jusqu'à ce que ses mains en dégoulinent et que le nez lui pique. Puis elle traîna la poubelle dehors et en déversa le contenu à l'intérieur de la benne à ordures dans un coin de la cour, en prenant bien garde à ne pas regarder la voiture de Brent. Elle était censée mettre les ordures dans des sacs en plastique, mais aujourd'hui serait un jour sans. Elle claqua le couvercle de la benne à ordures et se redressa au battement de la porte à claire-voie de la maison voisine. Revoilà Gloria, songea-t-elle.

— Heu... Maddie ?

La tête de Gloria apparut au-dessus de la palissade. Elle remettait en place une mèche de ses cheveux pâles. Maddie plissa les yeux pour la regarder dans le soleil. Gloria était jolie dans un registre blafard, flou, trop bien élevé. Peut-être bien que Brent la trompait avec Gloria. Elle était juste à côté, il n'avait qu'à tendre la main. Tout à fait Brent.

— Dis-moi, Maddie, que penses-tu de la pelouse ?

Maddie grinça des dents.

— Pas grand-chose, Gloria.

Elle reprit le chemin de la maison, consciente de sa grossièreté. Ça lui était égal. Enfin presque. À quoi bon rembarrer Gloria ? Ou lui donner l'occasion de médire ? Elle lui adressa au passage un sourire un peu forcé. *Tu peux faire mieux que ça, bon sang,* se dit-elle. De toute façon, Gloria n'avait rien remarqué.

— Écoute...

Gloria prit un air soucieux.

— Tu ne trouves pas que chez vous l'herbe est un peu haute ? J'aimerais bien en parler à Brent quand il rentrera.

Maddie eut envie de lui arracher les yeux. Gloria était une emmerdeuse finie, mais elle ne couchait sûrement pas avec Brent. D'abord elle n'était pas du genre à porter un slip à trou. Ensuite, si elle avait eu un peu de sexe dans sa vie elle n'aurait pas fait tant d'histoires à propos de la pelouse.

— La pelouse est très bien, Gloria.

— Tu crois ? J'aimerais vraiment en parler à Brent.

Gloria suivait Maddie en glissant le long de la clôture, un peu comme Em tout à l'heure le long du plan de travail de la cuisine.

Maddie grimpa les marches sans ralentir.

— Je suis pressée, dit-elle, et elle s'esquiva.

Elle dramatisait sûrement. Voilà, elle dramatisait. Elle

était prête à assassiner Brent, et pourquoi donc ? La présence d'une petite culotte, qui pouvait peut-être facilement s'expliquer... Non mais, est-ce qu'elle se croyait dans une dramatique télévisée ? Du genre qui commençait par un malentendu flagrant, se poursuivait avec les deux protagonistes qui intriguaient et se bagarraient pendant une demi-heure sans même prendre le temps de s'expliquer comme des gens raisonnables, jusqu'aux cinq dernières minutes, où ils se décidaient enfin à parler, et tout s'arrangeait juste à temps pour le message publicitaire. C'était ridicule. Il lui suffisait d'attendre et d'aborder le sujet avec Brent quand il rentrerait. En adultes rationnels.

Salut chéri. Peux-tu m'expliquer ce que fichait ce slip en dentelle noir sous le siège de ta voiture ?

Calme-toi. Sois rationnelle.

Mange du chocolat.

Ça, c'était une idée. Le chocolat accélérait la production d'endorphines, ce qui la calmerait, et il était plein de caféine, qui lui donnerait l'énergie nécessaire pour tuer son mari. Elle ferait d'une pierre deux coups.

Les placards étaient pleins de céréales et de conserves de légumes, mais dans le congélateur, derrière les petits pois congelés et le bouillon de poule de la semaine précédente, elle découvrit un gâteau au chocolat surgelé. Dieu soit loué ! Elle déchira maladroitement l'emballage en plastique et laissa choir la pâtisserie sur le plan de travail, où elle se mit à tourner sur elle-même comme un glaçon.

Génial. Et le micro-ondes qui était cassé. Une femme moins terre à terre aurait pu y voir le symbole d'une vie brisée. Heureusement qu'elle manquait d'imagination. Elle se contenterait de manger cette saleté de gâteau en l'état.

Elle essaya d'en croquer un bout, mais il était dur comme la pierre. Elle fonça sur un tiroir et en tira un grand couteau à découper la viande. Le gâteau la narguait sur le plan de travail, morne, gelé, insensible. Elle leva son couteau et visa le cœur mais la lame glissa et entama le Formica jaune. Brent serait furieux. Désolée. Ces derniers temps, il était à cran, elle ne pouvait rien faire sans qu'il se mette à hurler. Voilà pourquoi elle s'était retrouvée à nettoyer sa bon Dieu de bagnole par cette chaleur. Elle songea à la voiture et sentit le sang lui monter à la tête. Il avait recommencé. Avec Beth ? Des visions de la petite rousse piquante passèrent devant ses yeux. Maddie détestait ce genre-là. Qu'ils aillent tous les deux au diable.

Elle pointa le couteau sur le centre du gâteau. Du travail de haute précision. Serrant les dents, elle enfonça la lame, qui resta coincée. Le gâteau refusait de s'émietter. Maddie émit un sifflement. C'était bien l'assemblage de sucre et de corps gras le plus irritant qu'elle ait jamais rencontré. Et il fallait que ça tombe sur elle : le seul gâteau au chocolat de la maison était du genre masculin. Dur.

Elle saisit le couteau et regarda le gâteau empalé. Une image qui la remplissait de satisfaction vengeresse. Elle ouvrit le four, y dirigea le couteau, alluma le gril et commença à faire rôtir l'objet de sa convoitise. Une odeur de chocolat brûlé emplit la pièce.

C'était qui cette fois ? Beth ? Une nouvelle ? Elle passa en revue les suspectes habituelles.

Gloria, la voisine ?

Kristie, sa secrétaire ?

Une fille du bowling ?

Une femme pour qui il avait construit une maison avec Howie ?

Cela avait-il vraiment de l'importance ?

Maddie augmenta la flamme. Passé la première trahison, à quoi bon connaître le nom de la nouvelle conquête ? C'était Brent le coupable, lui qui les trompait, elle et Em. Mon Dieu, Em ! Pourvu que...

Le téléphone sonna. Maddie poussa un grognement de

frustration, éteignit le gaz et alla répondre, le couteau toujours à la main.

— Allô ?

— Maddie, chérie, c'est maman.

Elle ferma les yeux et attendit la suite : « Maddie, tu ne devineras jamais ce que j'ai appris au sujet de Brent. »

— Maddie ? Tu es sûre que tout va bien ? J'ai essayé de t'appeler il y a un quart d'heure.

Maddie avala sa salive.

— Nous étions dehors en train de nettoyer la voiture de Brent.

Et devine ce que nous avons trouvé. Elle alla dans le living et se laissa tomber sur le sofa à fleurs bleues si bien rembourré, en tirant au maximum sur le fil du téléphone. Peut-être bien que si elle laissait le couteau posé en équilibre au milieu du living Brent trébucherait sur le fil et irait s'empaler sur le couteau. Elle imagina la chute de son grand corps musclé et le chuintement de la lame pénétrant les chairs.

— Il fait trop chaud pour nettoyer cette voiture, disait sa mère. Reste à l'intérieur.

— J'y suis, dit Maddie.

Serrant le couteau à en briser le manche, elle grignota un bout du gâteau. Il était dur et glacé, mais c'était du chocolat. Elle le suça, le sentit fondre dans sa bouche pleine d'amertume et l'avala en s'étouffant un peu. Doucement, se dit-elle, et elle prit une profonde inspiration par le nez.

— C'est ton allergie ? demanda sa mère.

— Non.

— Prends un cachet de Benadryl. Au cas où. On dirait que tu as de l'asthme. Je ne te retiendrai pas longtemps, je voulais juste t'annoncer une visite imminente.

— Ah...

Maddie croqua un nouveau morceau de gâteau.

— Le neveu du shérif Henley, il était au lycée avec toi.
— Le neveu... ?
Il lui fallut un moment pour assimiler. Le couteau au gâteau glissa sur le tapis bleu marine. P.C. Sturgis. Sa première erreur. Si elle était restée vierge, rien de tout cela ne lui serait arrivé. Elle s'efforça de garder un ton neutre tout en tâtonnant à l'aveuglette pour récupérer le couteau.
— Je ne me souviens pas.
Sa mère, si. Rien d'étonnant à cela. La mémoire de sa mère était une banque de données où toutes les bêtises des habitants de cette ville étaient répertoriées. Elle avait donc forcément un dossier sur P.C. Sans compter qu'une nouvelle pièce allait être versée à celui de Maddie, déjà très épais à sa création.
— Je suis tombée sur lui devant le commissariat, disait sa mère. Il cherchait Brent. Je lui ai dit qu'il n'était pas chez lui cet après-midi. Il m'a alors annoncé qu'il passerait te voir.
Merci, maman. Où donc est passée cette saleté de gâteau au chocolat ?
— Et figure-toi, j'étais tellement gênée...
Elle baissa la voix.
— ... Je ne parvenais pas à me rappeler son nom. Je sais qu'il n'est pas un Henley puisqu'il est le fils de la sœur d'Anna, mais impossible de me souvenir de son nom. Au lycée, il était dans la classe au-dessous de la tienne. Toujours en train de se bagarrer, il conduisait comme un fou, tu ne te souviens pas ?
— Pas vraiment.
Maddie s'assit pour mieux réfléchir et retrouva le gâteau entre ses pieds, juste un peu poilu à cause du tapis. Alors comme ça, P.C. était revenu.
Maddie ramassa le couteau et se leva. Tiens donc, et dire que pas plus tard qu'hier elle trouvait sa vie

ennuyeuse et monotone. Hier. Le bon temps. Sa peau la picotait, elle recommençait à étouffer. Elle entreprit d'épiler le gâteau d'une seule main tout en arpentant la pièce.

— Il a épousé Sheila Bankhead et ils ont déménagé, mais quand elle l'a quitté, elle lui a pris tout ce qu'il avait. Tu ne te souviens pas ? Il est peut-être revenu parce qu'elle se remarie. Mais comment s'appelle-t-il déjà ? Un nom bizarre.

Maddie se coinça l'écouteur contre l'oreille et finit d'épiler le gâteau. Sa mère égrena toute une liste de noms erronés.

— P.C. Sturgis, laissa tomber Maddie alors qu'elle reprenait son souffle.

— C'est ça ! Le petit Sturgis. Il va arriver d'un moment à l'autre.

Sa mère changea de ton.

— Mais comment se fait-il que tu te rappelles son nom ?

— Un coup de chance.

Comme si elle pouvait l'oublier. Va au diable, P.C. Sturgis. Au diable tous les hommes. Brent le premier. Au diable. Elle se remit à marcher de long en large tout en croquant des morceaux du gâteau, qui fondait.

— En tout cas, Sheila se marie avec Stan Sawyer.

Sa mère poussa un soupir.

— Il est bête comme ses pieds, mais je suppose qu'elle en veut à son argent. Il vient de toucher l'héritage de sa tante. Un cancer. Foudroyant. Enfin, Sheila vaut quand même mieux que cette Beth qu'il fréquentait.

Maddie s'immobilisa et son estomac lui remonta à nouveau dans l'œsophage. Cette fois-ci, chargé de gâteau au chocolat. Elle attendit que se manifeste la colère que Beth éveillait en elle cinq ans auparavant. Mais non. Rien. Elle aurait dû être folle de rage. Elle ne pouvait pas la sentir.

Mais haïr Beth ne résoudrait rien. En tout cas, cela n'avait rien résolu il y a cinq ans. Le problème, ce n'était pas Beth, si même il s'avérait qu'elle était bien celle qui avait perdu son slip. Le problème, c'était Brent. Elle allait plaquer ce salopard. Comme ça, il serait enfin libre de se remarier. Une excellente façon de se venger de Beth.

Sa mère continuait à parler. Sa mère parlerait encore le jour du jugement dernier, qu'elle commenterait en direct. « Et maintenant les pécheurs sont plongés dans le lac de feu. Je vois Beth, la prostituée de cette ville. Il me semble... oui, elle nage le dos crawlé. » Maddie pouvait comprendre. Elle aussi se voyait nager dans le lac de feu. Elle disparaissait sous l'eau pour la troisième fois, les bras de Brent noués autour du cou. Elle appuya son front contre le mur, tandis que sa mère changeait de sujet.

— J'ai parlé à Candace Lowery, à la banque. Elle portait une très belle veste beige. À la voir, personne ne se douterait qu'elle est une Lowery.

— Maman.

L'émission en direct de Frog Point se poursuivait. *La première fois qu'il l'a trompée, elle est restée avec lui. Qu'est-ce qu'elle s'imaginait ? À la façon dont elle se conduit, on ne croirait jamais que c'est une Martindale.* Maddie fit volte-face, se retrouva le dos au mur, leva le couteau et mordit dans le gâteau au chocolat.

— J'ai rencontré Treva à Revco. Three est rentré de pension pour un mois. C'est long, non ?

— C'est super.

Elle irait peut-être rendre visite à Treva. Si elle lui disait à voix haute ce qui lui trottait par la tête, Treva se moquerait de sa paranoïa, et elles en riraient ensemble. Elles avaient beaucoup de temps à rattraper, elles ne s'étaient pas vues depuis la semaine dernière.

— Tu n'es pas au courant ? Elle est ta meilleure amie et tu ignorais que son fils était rentré ?

Sa mère avait haussé le ton.

— Nous avons été très occupées.

Maddie ne se souvenait plus pourquoi elle n'avait pas vu Treva. Un seul traumatisme à la fois. Elle décida de ne penser à rien et mangea ce qui restait du gâteau. Vu ce qu'elle lui avait fait subir, il était excellent.

— Occupées à quoi ? dit sa mère.

La sonnette retentit et Maddie leva les yeux au ciel. P.C.

— C'est l'été, disait sa mère. Les professeurs n'ont rien à faire en été...

Nouveau coup de sonnette. Maddie se redressa.

— Maman, on sonne à la porte.

— Le petit Sturgis. Tu ferais peut-être mieux de ne pas le faire entrer. Tu sais comment sont les gens. Je reste en ligne, tu me raconteras.

— Non, maman, il faut que j'y aille. Je t'embrasse.

Elle raccrocha, sa mère parlait toujours. Avec la chance qui était la sienne, Maddie allait se retrouver face à un tueur en série qui la poignarderait sur le seuil de la porte, et à l'enterrement sa mère gémirait : « Je lui avais dit de ne pas raccrocher, mais elle ne m'écoutait jamais. » Certaines épreuves vous poursuivaient par-delà la tombe. Et il fallait bien aller ouvrir cette porte.

Il ne manquait plus que P.C. Sturgis. Surtout en ce moment. À chaque fois que ça n'allait pas avec Brent, le souvenir de P.C. Sturgis refaisait surface. *Ça pourrait aller plus mal,* se dit-elle. *Tu aurais pu épouser P.C. Sturgis.* A ceci près qu'en ce moment les choses ne pouvaient pas aller plus mal, et qu'au fond P.C. lui avait laissé un assez bon souvenir. Et il avait pu s'améliorer au cours des vingt années qui s'étaient écoulées depuis qu'il l'avait piégée sur le siège arrière de sa voiture. Que Brent n'ait pas changé ne permettait en rien de préjuger de l'évolution de P.C.

Nouveau coup de sonnette. Maddie s'avança dans

l'entrée peinte en blanc cassé, et ouvrit la porte d'un geste brusque.

P.C. Sturgis se tenait là dans le soleil, téléguidé par sa mère et un destin malveillant. Il était pas permis d'être aussi beau après tout ce temps.

— Salut, Maddie.

Elle ajusta le souvenir de P.C. à dix-sept ans avec l'homme de trente-sept qu'elle avait sous le nez. Il était plus grand et plus large sous sa chemise à rayures bleues et son visage avait pris quelques rides, mais elle le reconnut à sa tignasse sombre, son côté coursier de Lucifer, ses sourcils en accent circonflexe, son regard brûlant et sexy, son large sourire idiot. C'était bien P.C. en personne. Rebelle comme d'autres ont les yeux bleus.

— Maddie ? Ta maman a dit que je pouvais passer te voir.

Le ton était léger et le sourire toujours en place. Mais les yeux de braise s'étaient refroidis. Il se méfiait. Qu'avait-elle fait pour mériter ça ? D'accord, elle l'avait laissé tomber après avoir passé la soirée sur le siège arrière de sa voiture. Vingt ans après, il ne pouvait quand même pas lui en tenir rigueur. P.C. recula d'un pas et le regard de Maddie se durcit. C'était sûrement ça. Vu l'époque où l'on vivait, un garçon qu'elle avait bousculé dans la cour de l'école maternelle pouvait bien être à sa recherche aujourd'hui une grenade à la main.

Il l'observait, tête baissée, et tout à coup elle le revit à dix-sept ans, perdant soudain son assurance. Ce qui le rendait d'autant plus dangereux. Rien de pis qu'un P.C. vulnérable, se rappela-t-elle, parce que cela lui arrivait rarement.

— Mauvaise journée ? demanda-t-il.

Génial. Lui aussi était au courant au sujet de Brent.

— Qu'est-ce qui te fait dire ça ?

Elle le fusilla du regard et il pointa un doigt dans sa direction.

— Le couteau. Bel instrument.

Elle baissa les yeux sur le couteau, qu'elle brandissait à bout de bras.

— Je mangeais un gâteau au chocolat.

P.C. hocha la tête mais il n'avait pas l'air rassuré pour autant.

— Bien sûr. Ça explique tout. Écoute, je ne veux pas te déranger.

Coup d'œil au couteau.

— Brent est ici ?

Non mais elle rêvait ! Il y a une heure, sa vie était un long fleuve tranquille et maintenant voilà qu'arrivait P.C. Sturgis qui voulait parler à l'infâme traître qui lui servait de mari.

— Tu sais, ma mère m'a dit que tu allais venir, mais je n'arrivais pas à le croire.

— Pourtant c'est bien moi. Est-ce que Brent...

Qu'il aille au diable, celui-là. Elle lui agita le couteau sous le nez.

— Écoute, P.C., pour le moment je suis occupée...

Cela se passa si vite qu'elle regarda sa main vide sans comprendre.

— Te frappe pas, Mad, mais ça fait un moment que ça dure, et qui me dit que tu n'as pas des intentions meurtrières à mon endroit ?

Il se retourna et lança le couteau, qui s'enfonça jusqu'au manche dans le parterre de fleurs près des marches. Maddie remarqua qu'il avait toujours la même magnifique paire de fesses qu'au temps du lycée et, vu l'état de son jean, on aurait pu croire qu'il n'en avait pas changé non plus. Il revint vers elle et elle reconnut alors son sourire, un cocktail explosif fait de joie de vivre et d'invitation au vertige. Impossible de rester de marbre quand on vous adressait un sourire pareil. Quelque chose chez P.C. vous obligeait malgré vous à lui rendre son sourire.

Elle se détendit, prit une profonde inspiration et la tension dans ses épaules se relâcha un peu.

— Désolée, dit-elle, mais la journée a été difficile.

Il hocha la tête, chaleureux et attentif, et elle se souvint de la raison qui l'avait fait échouer sur son siège arrière, vingt ans auparavant.

— C'est parce que tu vis à Frog Point, lui dit-il. Ici, chaque jour est une corvée. Mais tu as l'air en pleine forme.

Maddie regarda son vieux tee-shirt rose taché d'eau de vaisselle.

— Écoute, P.C., faudrait quand même pas pousser la courtoisie trop loin.

— Tu n'as pas changé. Tu es toujours aussi belle.

Il voulait quelque chose. Forcément. Personne ne pouvait la regarder en face et lui dire ça après vingt ans d'efforts, de larmes et de Brent. La méfiance reprit le dessus.

— Qu'est-ce que tu veux ?

P.C. parut surpris, mais pas pour longtemps.

— Bien. Maintenant que nous avons échangé les politesses d'usage et que nous avons surmonté le choc, Brent est-il ici ?

Brent. Ce fils de pute. Où qu'elle se tourne, il fallait qu'elle tombe sur lui. Elle toisa P.C.

— Non. Et je suis occupée. Essaie le bureau.

Elle voulut refermer la porte mais il avança un pied.

— Attends une minute. J'ai déjà essayé.

Il s'était rapproché, et elle réalisa qu'il était non seulement plus baraqué mais que sous la ligne épaisse de ses cils noirs son regard avait acquis de l'assurance. Il avait grandi.

Dommage qu'on ne puisse pas en dire autant de Brent.

Maddie prit une profonde inspiration.

— Écoute, aujourd'hui je ne suis pas d'humeur à me préoccuper de lui. J'ignore où il est. J'ai été ravie de te revoir mais il faut que j'y aille.

P.C. se rembrunit. Brusquement, il n'avait plus rien d'aimable et Maddie recula d'un pas.

— Personne ne peut disparaître de cette ville. Tu es sa femme. Tu dois savoir où il se trouve.

Il ne manquait plus que ça. Son premier désastre amoureux qui se permettait des commentaires sur son désastre actuel.

— Je te dis que je ne sais pas où il est. Et maintenant va-t'en.

— Bon. Très bien.

Il leva la main en signe d'apaisement.

— Il faut que je lui parle. Ça t'ennuie si je l'attends à l'intérieur ?

— Oui. Beaucoup.

Elle claqua la porte, surprise de ses réflexes et de sa violence. Il avait retiré son pied juste à temps. Deux hommes en tout et pour tout au cours de son existence, et ils la menaient tous les deux en bateau. Qu'ils aillent au diable.

— Maddie ? dit P.C. de l'autre côté de la porte.

— Pas maintenant, P.C. *Ni jamais*. Va-t'en.

Maddie attendit un instant pour s'assurer qu'il était parti. Elle sursauta en entendant Em.

— Maman ?

Elle se tenait là avec sa liste de fournitures scolaires.

— Je t'ai entendue parler à quelqu'un. Qui c'était ? Tu as l'air bizarre.

Em. À chaque fois qu'elle se disait *détends-toi, fais comme si tout cela n'était pas arrivé,* Em se chargeait de lui rafraîchir la mémoire.

— Personne. On va aller voir tante Treva et Mel.

— Très bien, répondit Em.

Mais la méfiance était visible dans son regard.

Dix minutes plus tard, Maddie arrivait chez sa meilleure amie, faisant de gros efforts pour avoir son air normal. En la voyant, Treva fronça les sourcils.

— Mel est dans le living, dit-elle à Em tout en gardant les yeux fixés sur Maddie.

Em n'était pas plus tôt sortie de la cuisine que Treva attrapait Maddie par le bras.

— Tu as une mine épouvantable. Ne me dis pas que c'est de ma faute. Je ne t'ai pas appelée, mais tout de même ! Que se passe-t-il ?

— Brent me trompe.

Maddie avala sa salive avec difficulté.

— Il est temps de réagir. Je vais demander le divorce.

Prononcer ces mots à voix haute fut encore plus épouvantable qu'elle ne l'avait imaginé. Elle recula d'un pas et courut vomir le gâteau au chocolat dans le jardin.

— Merde ! lança Treva.

En tant qu'adulte à peu près responsable, P.C. Sturgis savait qu'une passion qui remontait à l'école primaire et l'avait foudroyé à nouveau au lycée ne pouvait plus le troubler aujourd'hui. Mais depuis qu'il avait vu Maddie dans son tee-shirt mouillé, il roulait dans Linden Street sans même savoir où il allait. Son sens de la responsabilité venait d'en prendre un coup. Se rappelant que sa réputation en ville n'était pas des plus brillantes, il préféra garer sa décapotable avant de renverser un citoyen de Frog Point alors qu'il entretenait des pensées impures au sujet d'une femme mariée, ajoutant ainsi quelques péchés à la liste des bêtises-de-P.C.-qui-faisaient-honte-à-Henry-et-brisaient-le-cœur-de-cette-pauvre-Anna.

Il pianota sur le volant, tentant de mettre de l'ordre dans ses pensées. Elle avait beau être désirable, avec ses boucles brunes, ses courbes voluptueuses et ses yeux sévères qui l'avaient figé sur place, Maddie Martindale appartenait au passé. D'ailleurs, ils avaient juste échangé quelques mots sur le pas de sa porte, il n'y avait donc pas de quoi se sentir coupable, surtout maintenant qu'il ne conduisait plus dans un état d'hébétude provoqué par le désir charnel. Il était un adulte au volant d'une voiture de location, il avait parfaitement le droit d'aller où il voulait et d'engager la conversation avec n'importe quelle personne qu'il croiserait sur son chemin.

P.C. tourna la tête vers les vieilles maisons à étages, dont les fenêtres obscures semblaient épier la rue. Il se rencogna dans son siège au souvenir d'arbres enveloppés de papier toilette, de vitres savonnées, de pommes de terre enfoncées dans des tuyaux d'échappement et de boules puantes glissées dans des boîtes aux lettres. Puis il se ressaisit. Cela faisait une vingtaine d'années qu'il n'avait pas fait de bêtises. Il était innocent. Et rien ne l'empêchait de sortir de sa voiture s'il en avait envie. Au diable Frog Point ! Il mit le frein à main, descendit et claqua la portière.

Le bruit sembla se répercuter dans toute la rue. Il alluma une cigarette et s'appuya à la voiture. Pourquoi donc avait-il l'impression qu'il allait se faire engueuler parce qu'il fumait ? À trente-sept ans, il avait le *droit* de fumer en public.

De l'autre côté de la rue, une femme ouvrit sa porte d'entrée et sortit sur sa véranda. Elle regarda d'un air méfiant dans sa direction. Tirée par le bruit de sa salle de séjour moisie, elle s'interrogeait sans doute sur son identité et les raisons de sa présence ici à une heure où tout homme honnête était au travail. Mme Banister. Il réalisa brusquement qu'en se garant à cet endroit il avait obéi à un vieux réflexe. Quand il était en dernière année au lycée, il venait ici attendre Linda, sa fille, qu'il n'avait aucune peine à convaincre de le suivre. Il était revenu sur les lieux de son crime, trahi par ses instincts.

P.C. se redressa et lui adressa un signe de la main pour qu'elle ne le prenne pas pour un pervers ou, pis, un inconnu surveillant la maison pour préparer un cambriolage.

Elle lorgna dans sa direction, réintégra son antre d'un pas lourd et claqua la porte derrière elle. L'avait-elle reconnu ou nourrissait-elle des soupçons à son endroit ? Il s'en moquait.

La seule chose qui lui importait, c'était Maddie.

Elle lui avait d'abord semblé malheureuse, désorientée, en colère, puis elle s'était montrée ironique et mordante. Rien à voir avec la fille chaleureuse dont il avait gardé le souvenir. Au cours de ces dernières années, chaque fois qu'il pensait à Maddie, il revoyait son sourire. Ce sourire était maintenant effacé et l'identité du fautif était facile à deviner. Furieux, il se promit qu'un jour Brent Faraday paierait pour toute cette souffrance.

Le plus drôle c'était que son ex-femme, qui l'avait appelé la semaine dernière, lui avait fourni les armes pour l'atteindre.

— Il n'y a que toi qui puisses me sortir de là, lui avait dit Sheila. J'ai besoin d'une personne de confiance. Tu n'as qu'à prendre un week-end prolongé, ils t'adorent dans la boîte où tu travailles, tu peux t'absenter aussi longtemps que tu veux. Tu as été un mari déplorable, mais tu es un comptable hors pair.

Cet appel du pied l'avait laissé de marbre. Il avait répondu non quand elle lui avait expliqué que son fiancé était peut-être la victime d'une escroquerie, non quand elle avait pleuré, non quand elle lui avait proposé de renoncer avec un peu d'avance à sa pension alimentaire puisque de toute façon elle allait épouser Stan. Alors elle avait ajouté :

— *S'il te plaît,* P.C. Tu viens ici, tu jettes un coup d'œil aux livres de comptes et tu me dis si Brent Faraday veut arnaquer Stan en lui demandant deux cent quatre-vingt mille dollars pour le quart de l'entreprise. Tu me réponds oui ou non, c'est tout ce que je te demande.

Et il avait dit d'accord.

Il tira sur sa cigarette, aspirant la nicotine pour adoucir le souvenir du choc qui avait suivi :

— Cela m'étonnerait qu'il y ait un problème. Après tout, il s'agit de Brent Faraday.

Là, il avait su qu'il risquait d'y avoir un problème. Il détestait Faraday encore plus que Frog Point, dont Brent était l'idole. Celui-ci aurait pu commettre un meurtre qu'il s'en serait quand même sorti, et Maddie l'avait épousé pendant que P.C., lui, se faisait poursuivre sans relâche.

Dieu merci, cette époque était révolue. Il était un citoyen respectable avec un emploi correctement rémunéré et un bel avenir devant lui. Rien ne lui plairait plus que de prendre Brent la main dans le sac. Quant à lui, il n'y avait plus personne pour l'empoisonner.

P.C. finissait sa cigarette et s'apprêtait à partir, quand une voiture de police s'arrêta derrière sa Mustang. Un officier en descendit et s'avança à sa rencontre.

Chapitre 2

P.C. en resta les bras ballants.

— Non, mais je rêve...

— Pas du tout.

Le flic repoussa son chapeau en arrière, libérant une tignasse rousse, et un sourire éclaira son visage tavelé de taches de rousseur.

— Mme Banister a appelé pour se plaindre qu'un homme suspect s'était arrêté devant chez elle, et Henry m'a envoyé pour vérifier que c'était bien toi. Comme au bon vieux temps, mon pote.

— Vince, le bon vieux temps s'est fait la malle. Cela t'a peut-être échappé mais à cette époque tu fuyais les flics, tu n'étais pas de leur côté. Quand il t'a engagé, j'ai dit à Henry qu'il avait perdu la tête.

— Eh, oh ! protesta Vince. C'était une idée épatante, au contraire. Je connaissais la criminalité juvénile sur le bout des doigts. Henry savait qu'il engageait un expert. Et maintenant les mains sur le capot, P.C. Il faut que je vérifie que tu n'es pas armé.

— Mon cul, répondit P.C. Donnez un peu de pouvoir à un délinquant et il s'empresse d'en abuser. Henry savait vraiment que c'était moi, ou tu cherches à m'impressionner ?

Vince s'adossa à la voiture.

— Non seulement Henry a des yeux et des oreilles qui marchent au laser, mais en plus tu es le seul visiteur étranger que nous hébergions en ce moment. Ça rétrécit le champ des investigations. Tu me files un clope ?

— Tu m'arrêterais pour avoir soudoyé un officier de police en exercice. Fume les tiennes.

— Impossible.

Vince s'assombrit.

— Donna m'a obligé à arrêter.

— Elle te mène à la baguette !

— J'ai deux enfants et je n'ai pas envie d'avoir un cancer.

Le visage de Vince s'éclaira.

— Mais au moment où je te parle, ils sont tous les deux en train de tricher au base-ball. Je suppose qu'une de tes cigarettes ne peut pas leur faire de mal.

P.C. lui tendit son paquet.

— En train de tricher, hein ? Ça me rassure de savoir que tu leur donnes une bonne éducation.

— Je me contente de leur transmettre tout ce que tu m'as appris, P.C.

Vince tira sur sa cigarette avec délice.

— C'est sacrément bon. Pourquoi faut-il que tout ce qui est peu recommandable soit tellement bon ?

P.C. pensait à Maddie.

— Parce que Dieu a un sens de l'humour détestable, répondit-il.

— Je suis content que tu sois revenu, P.C.

Vince lui rendit son paquet.

— Ici, il n'y a pas beaucoup de gens qui font des plaisanteries sur Dieu. Et bien sûr, si la foudre te tombe dessus, c'est que tu l'auras mérité.

— Et bien sûr, si je devais tomber foudroyé, cela ne

pourrait m'arriver qu'ici. Je pose un pied dans cette ville et Dieu peint une cible sur mon front.

— Et toi, si innocent...

Vince se redressa.

— Bon, il faut que je retourne bosser. Je suis la seule personne à s'interposer entre Frog Point et le crime. Si tu es toujours dans le coin vers huit heures, arrête-toi au *Bowl-A-Rama,* je t'offrirai une bière.

P.C. se retint juste à temps de lui dire ce qu'il pensait du *Bowl-A-Rama*. Il aimait bien Vince, alors autant garder pour lui ses commentaires sur le plastique orange et les chaussures de bowling. Ça pourrait être sympa de boire un coup avec ce vieux Vince.

Sans compter qu'il en savait presque autant que Henry sur Frog Point.

— D'accord, dit P.C.

— Et n'oublie pas tes cigarettes.

Vince remonta dans sa voiture.

— Et essaie de ne pas faire de conneries. Ça me gênerait d'être obligé de t'arrêter.

— Encore faudrait-il que tu y arrives.

Vince éclata de rire et s'éloigna au volant de sa voiture.

C'était vraiment formidable d'être rentré au pays. Tous des citoyens responsables, mariés avec enfants. Tous sauf lui, marqué à vie. Le plus vieil adolescent de l'Ohio. Jolie distinction. De dépit, il avait bien envie de casser un carreau chez Mme Banister.

Et puis il irait voir Maddie pour parler du bon vieux temps. Il lui dirait :

— Oublie Brent. Tu te rappelles le siège arrière ?

Sauf qu'elle n'en gardait sûrement pas un bon souvenir. Lui non plus, d'ailleurs. Le lendemain, il l'avait attendue à son casier pour lui parler mais elle lui avait tourné le dos.

P.C. tressaillit au souvenir de l'humiliation, toujours aussi cuisante. Triple idiot. Qu'avaient donc de si particulier les peines d'adolescence pour durer la vie entière ? Comment expliquer que vingt ans plus tard cette douleur resurgisse, face à une Maddie alourdie de quelques kilos qui le fixait d'un air maussade sur le seuil de sa porte ? Comment expliquer qu'il soit resté là, les bras ballants, à la désirer comme autrefois ? *C'est sa fierté qui en avait pris un coup*, se dit-il. *Maddie, j'étais nul parce que j'étais un gamin. Donne-moi une seconde chance. Je suis bien meilleur aujourd'hui, ça ne se compare pas, je t'assure*. Sauf que si par miracle elle lui revenait, il bousillerait sa chance. Parce que c'était Maddie. De toute façon, il n'y aurait pas de miracle. Il y veillerait. Le passé était le passé. Il n'y avait qu'à Frog Point que des événements vieux de vingt ans étaient toujours d'actualité. Brent Faraday avait toujours toutes-les-chances-de-réussir, Maddie Faraday serait à jamais cette charmante-jeune-fille, et lui ce petit-Sturgis-qui-représentait-un-tel-fardeau-pour-son-oncle-et-sa-tante. Qu'ils aillent au diable !

P.C. se redressa, tira une dernière bouffée de sa cigarette, fit un geste vers le cendrier de la voiture pour y écraser son mégot puis s'immobilisa. Quel chef d'accusation trouveraient-ils pour l'arrêter s'il le jetait dans la rue ? Désordre sur la voie publique ?

D'une pichenette, il lança le mégot dans la rue et se figea en le voyant atterrir sur une feuille. Dans sa tête la feuille flamba, le feu se communiqua aux autres feuilles... maintenant le feu traversait la route, se lançait à l'assaut des voitures et des maisons, les cadres noircis des fenêtres s'écroulaient, les réservoirs d'essence explosaient et semaient la panique, et à l'autre bout de la rue, alors que la fumée se dissipait, il vit distinctement Henry dans son costume de shérif, l'air dégoûté.

Le mégot s'éteignit. P.C. remonta dans sa voiture, bien

décidé à fuir Frog Point avant que cette ville ne le rende complètement fou.

— Je ne pourrai plus jamais regarder les buissons de ton jardin du même œil, dit Maddie, attablée devant un thé au citron dans la cuisine de Treva.

C'était une charmante cuisine, pleine d'imprévus : casseroles en cuivre et dessins d'enfants sur le réfrigérateur, boîtes rutilantes qui proclamaient « Nouveau ! » et « Super croquant ! ». Howie l'avait entièrement refaite en brique, cuivre et bois vernis, mais comme c'était aussi la cuisine de sa femme, il y régnait un joyeux désordre dans lequel s'épanouissait Treva. En ce moment, elle était penchée sur un bol rempli de fromage blanc posé sur le plan de travail, et ses cheveux blonds et frisés, qui lui donnaient l'allure d'un pissenlit qui aurait poussé là par accident, faisaient d'elle un élément parfaitement intégré à ce chaos.

— Mes buissons eux aussi te considèrent différemment, j'en suis sûre, dit-elle.

Elle semblait tendue. Une assiette de cannellonis d'un côté et un bol rempli d'un magma blanchâtre de l'autre, elle essayait de farcir les cannellonis avec le magma. Ses mains tremblaient, elle appuyait trop fort et elle éclaboussa son débardeur moulant à rayures rouges.

— Non !

Elle voulut enlever les taches avec un torchon et ne réussit qu'à les étaler.

— Et merde !

— Qu'est-ce que tu fais avec ces cannellonis ? demanda Maddie pour éviter d'aborder le sujet qui lui brûlait les lèvres. Tu te lances dans la cuisine, maintenant ?

— J'en avais besoin.

Treva jeta le torchon et prit un nouveau cannelloni.

— Il ne t'arrive jamais de te sentir obligée de cuisiner ?

— Jamais. Et toi non plus. Qu'est-ce qui ne va pas ?
— Hein ?
Treva agita le cannelloni dans sa direction.
— Tu divorces et tu me demandes ce qui ne va pas ?
— Il se pourrait que je divorce. Il faut d'abord que j'y réfléchisse.
— Pas la peine.
Treva reprit sa cuillère et se remit au travail. La colère lui donnait soudain de l'assurance.
— Divorce de ce salopard. De toute façon, j'ai jamais pu le sentir.
Maddie releva brusquement la tête.
— Sans blague ! Tu étais témoin au mariage et tu as attendu seize ans pour m'annoncer ça ?
— Tu étais amoureuse. Ce n'était franchement pas le moment.
Elle abandonna ses pâtes un instant pour aller chercher un morceau de fromage décoloré dans le réfrigérateur et le tendit à Maddie.
— Maintenant que tu as fini de vomir, tu vas pouvoir te rendre utile. La râpe est dans le deuxième tiroir derrière toi.
Maddie fronça les sourcils.
— Il y a quelque chose qui cloche dans cette maison.
Treva reposa sa cuillère dans le saladier et s'appuya au plan de travail.
— Je suis très énervée, j'ai des tas d'embêtements et je déteste Brent, lança-t-elle.
Elle se tourna vers Maddie.
— Assez tourné autour du pot. Il a fait quoi, cette fois ?
Maddie se leva, prit la râpe, le fromage et un plat creux dans le placard de Treva, et se mit à râper avec vigueur pour éviter de la regarder dans les yeux.
— J'ai trouvé un slip en dentelle sans fond sous le siège de sa voiture. Ça m'a un peu décontenancée.

— Ah...

Treva cligna des paupières.

— Ben, oui. Moi aussi ça me décontenancerait. Un slip en dentelle ?...

Elle se mordit la lèvre.

— Beth ?...

— J'en sais rien, répondit Maddie.

Et elle râpa plus fort.

— Le nom n'était pas marqué dessus... Et puis je crois que je m'en fiche. Tu comprends, Beth ne m'a rien promis. Brent, si. Si j'étais sympa, je serais désolée pour Beth.

— Arrête.

Treva retourna à ses cannellonis.

— Je sais bien que tu es le modèle de la jeune femme idéale, mais là tu pousses un peu.

— D'accord, je ne l'aime pas. Elle a couché avec mon mari et j'ai toujours envie de cracher par terre quand je la croise. Mais elle ne s'en est pas si bien sortie. Elle pensait qu'elle prenait la bonne décision en venant tout me raconter et finalement elle a pris une claque.

Elle s'arrêta un instant pour retrouver dans son souvenir le visage de Beth, figé par l'étonnement, quand Brent lui avait dit que tout était fini.

— Je crois qu'elle l'aimait.

Treva poussa une exclamation étouffée. Maddie se remit au travail. Râper était un puissant anesthésique. Il suffisait de faire attention à ses jointures et de se souvenir de retourner le fromage. Une fois ce travail accompli, on était épuisée. Un sachet tout prêt fournissait rarement ce genre de service. À partir d'aujourd'hui, elle râperait son fromage.

— Tu devrais acheter ces boîtes en plastique avec un grattoir incorporé dans le couvercle, dit-elle à Treva. Je crois que c'est une invention Rubbermaid... ou Tupperware ?

— J'ai tellement de Rubbermaid et de Tupperware que maintenant il va falloir que j'achète des Rubbermaid pour organiser tout ça. Je mourrai sans doute d'une intoxication de fluorure de carbone... Mais oublie le plastique et dis-moi que cette fois tu vas vraiment divorcer de ce salopard.

Maddie tressaillit.

— Je me contenterai peut-être de le tuer. Sauf que je raterai encore mon coup. Il vaudrait mieux que je loue les services de quelqu'un. Le livreur de journaux ne peut pas le sentir. On pourrait éventuellement s'arranger.

— Tu le hais ? demanda Treva de but en blanc.

Bonne question. Elle lui en voulait de la mettre dans cette situation mais elle n'était pas certaine de l'aimer suffisamment pour le haïr. Évidemment, l'aversion faisait partie du tableau.

— Seulement s'il a une liaison. S'il n'en a pas, disons que je ne l'aime pas. C'est la trahison qui me donne des envies de le voir écrasé dans un tas de tôle froissée sur l'autoroute.

— Ce serait une idée, dit Treva. Si on savait distinguer un câble de frein d'un tuyau d'arrosage, on le sectionnerait.

— Sectionnons les deux, ce sera plus sûr, dit Maddie, saisissant l'occasion de changer de sujet... Sauf que Gloria ne s'en remettrait pas, reprit-elle. Elle n'a qu'un seul souci dans la vie : la pelouse de ses voisins.

— On m'a dit que Gloria allait divorcer. Appelle ta mère, elle te fournira les explications. Si moi j'en ai entendu parler, c'est que ta mère a déjà les photocopies des pièces du dossier.

Maddie fit la grimace.

— Pour moi, ce sera exactement pareil. Le téléphone va sonner sans arrêt, les gens se montreront pleins de sollicitude, ils tapoteront la tête d'Em, les instituteurs hocheront la tête d'un air entendu devant ses résultats scolaires, et ses petits camarades lui poseront des questions pendant la récréation.

— Em survivra.

Treva remplit un autre cannelloni.

— J'ai d'autres ambitions pour elle, protesta Maddie. Elle a besoin d'amour, d'une atmosphère chaleureuse et rassurante. Elle adore Brent.

Treva lui jeta un regard plein de mépris.

— Tu veux rester avec un type qui te trompe, à cause de ta fille ? Arrête !

— Et toi, tu enlèverais Mel à Howie ? s'exclama Maddie.

Treva s'arrêta, la cuillère en l'air.

— Je ferais n'importe quoi pour protéger mes enfants. Mais je ne resterais pas avec un type comme Brent.

— Et puis il y a ma mère, soupira Maddie. Un obstacle mineur, je sais...

Treva secoua la tête.

— Si on veut. À ta place, je n'essaierais pas d'expliquer quoi que ce soit à ta mère. Mais je ne vois pas comment tu pourrais la tenir à l'écart de tout ça. Pour les commérages, cette femme est imbattable.

— Sans oublier ma belle-mère. Helena ne m'apprécie guère. Elle ira raconter des horreurs sur moi à des kilomètres à la ronde.

— Tu es plus jeune qu'elle. Elle ne le supporte pas. Alors, forcément, c'est de ta faute.

— Et puis il y a cette ville.

Maddie retourna à sa râpe. Tout, plutôt que de regarder l'avenir en face.

— Frog Point va s'en donner à cœur joie, reprit-elle.

— À ton sujet ? Penses-tu !

Le visage de dessin animé de Treva exprimait un dédain inattendu.

— Personne n'osera jamais critiquer Maddie Martindale, la Vierge Perpétuelle de Frog Point. Pas même une harpie comme Helena Faraday.

En entendant cette remarque venimeuse, Maddie resta sans voix.

Aussitôt, Treva changea d'attitude.

— Excuse-moi, mais si tu n'étais pas ma meilleure amie, ce serait difficile à encaisser. Pour te dire la vérité, je me sens soulagée.

Maddie n'en croyait pas ses oreilles. Cela ne ressemblait pas à Treva. Treva riait, plaisantait, offrait un soutien inconditionnel. Elle ne vous envoyait pas des piques sans prévenir.

— Eh bien... dit Maddie pour gagner du temps.

Puis, après un silence :

— Tant mieux, si ça fait plaisir à quelqu'un.

Treva reposa sa cuillère, contourna le plan de travail et s'affala sur une chaise à côté de Maddie.

— Je suis désolée, dit-elle. Pardonne-moi. Oublie ce que je t'ai dit. Tout va très bien se passer.

Leurs regards se croisèrent, et Treva se mit à parler à tort et à travers pour masquer son embarras.

— Tu n'as rien fait de mal. Bon sang ! tu es une épouse et une mère parfaites. Et puis tout le monde s'en fiche. Maddie, tu ne peux pas organiser ta vie à la seule fin de plaire à cette ville.

Treva se renversa sur sa chaise.

— Remarque, si on y réfléchit, c'est bien ce que tu as toujours fait, non ? Pure en pensées, en paroles et en actes...

— En pensées, je ne sais pas, répondit Maddie qui essayait de se remettre de l'attaque de Treva. J'ai parfois envie de me planter devant la banque et de hurler « Allez vous faire foutre », juste pour voir la réaction des gens.

Ou de courir toute nue dans Main Street... Je t'assure que c'est vrai, même si je n'en suis pas capable.

– Je paierais cher pour voir ça. Toi, d'abord, et puis surtout la tête des gens !

– Mais jamais je ne le ferai.

Maddie reposa la râpe.

– Ce serait stupide, sans intérêt, embarrassant, et affreux pour ma famille. C'est tellement plus facile de se conduire selon les règles.

– Pas pour tout le monde.

Treva bondit de sa chaise, qui protesta bruyamment.

– Certains d'entre nous trouvent plus facile de les enfreindre, et le paient toute leur vie.

Maddie cligna des yeux, soudain partagée entre tourments actuels et traumatismes passés.

– Tu penses à Three ? Mais tout le monde se fiche éperdument que tu aies été obligée de te marier il y a vingt ans.

– Avant d'avoir passé le bac ?

Treva retourna à son plan de travail.

– Personne ne l'oubliera jamais. Si je découvrais le remède contre le cancer, ils diraient : « Mais si, Treva Hanes, celle qui a été obligée de se marier en terminale – elle a découvert le remède contre le cancer. » Personne n'oublie jamais rien dans cette ville.

Elle repoussa le plat de cannellonis et passa l'éponge sur le plan de travail.

– Toi, ils ne te toucheront pas. Tout ce que tu fais est sacré, et ce que tu dis parole d'Évangile. Tu as épousé ton petit ami du lycée et tu n'as jamais regardé personne d'autre. Ta tombe deviendra un lieu de pèlerinage.

– Treva, que se passe-t-il ? demanda Maddie. Cela ne te ressemble pas de te comporter de cette façon. J'aimerais bien pouvoir compatir, mais ma vie prend l'eau de tous les côtés et si je ne peux même plus compter sur toi...

— D'accord.

Treva se mordit la lèvre.

— D'accord, je suis désolée. J'ai eu une semaine épouvantable. Il ne manquait plus que ça. C'est affreux. Je ne supporte plus rien.

— En tout cas, ça te donne de l'énergie à la cuisine.

Maddie lui tendit l'assiette avec le fromage râpé et le reste du morceau de parmesan.

— Non, tu râpes tout, dit Treva.

— Pour un plat de cannellonis ?

Treva ouvrit la porte du frigo d'un geste théâtral. Maddie s'avança. Puis elle recula, atterrée. Dans le frigo s'entassaient déjà cinq plats de cannellonis.

— Treva, ça ne va pas du tout. Tu as un problème ? Il faut que nous parlions.

— Toi, tu parles. Moi, je n'ai que mes plats de pâtes. Toi, tu as un slip sans fond.

Treva claqua la porte du frigo.

— Quelles sont tes intentions ? Peu importe la décision que tu prendras, je te donnerai un coup de main.

Maddie faillit la questionner à nouveau mais se reprit. Treva s'était murée dans l'attitude distante qui lui avait permis d'esquiver bien des affrontements dans sa vie. Les soucis de Treva n'étaient pas sujets à discussion, point final. Maddie renonça et revint à ses préoccupations personnelles.

— Je suppose que je vais aborder le sujet quand Brent rentrera. Je ne sais plus quoi faire. Je n'ai plus aucune preuve, j'ai jeté le slip.

Treva leva les yeux au ciel.

— Tu n'as pas besoin de preuves. Il s'agit d'un divorce, pas d'un meurtre.

Meurtre. Ce mot avait une consonance tellement plus claire et nette que *divorce*.

— La journée n'est pas encore terminée, répondit Maddie.

— Tu as demandé pour le chien ? s'inquiéta Mel.

— Non, c'est pas le moment, répondit Em.

— Eh bien moi, j'ai une très bonne nouvelle à propos de Jason Norris.

Elles étaient grimpées dans l'arbre de Mel, sa cabane, celle qu'elle avait héritée de son frère aîné. Em, étendue sur les vieux coussins bleus qui trônaient autrefois dans le living familial, se demandait si elle devait parler de ses soucis à sa meilleure amie. Mel ressemblait à sa mère — mince, blonde, avec une frimousse pleine de taches de rousseur — mais son esprit était surentraîné. Elle s'était exercée sur tous les Nintendo et les jeux vidéo en circulation. La personne idéale pour discuter des problèmes. Mais Em n'était pas certaine de vouloir lui parler des siens. Cela risquait de les rendre réels.

— Deirdre White m'a dit que Richelle Tandy était folle de lui, poursuivit Mel. Mais Jason n'est pas le moins du monde intéressé.

Vu ce qui se passe, moi non plus, songea Em.

— Il m'a dit que toutes les filles étaient cinglées, dit-elle à haute voix.

Mel se redressa.

— Tu vois, c'est formidable, il te parle. D'après ma mère, les garçons ont des difficultés avec le langage. S'ils parlent au lieu de grogner, c'est bon signe.

Em secoua la tête.

— Il a aussi essayé de me courir après autour de la piscine avec une grenouille. Comme si j'allais avoir peur d'une grenouille. N'importe quoi.

— Moi, je le trouve mignon.

Mel fronça les sourcils.

— La semaine dernière, toi aussi tu le trouvais mignon. Tu as un problème ?

Em sortit de sa réserve.

— À la maison, ça ne va vraiment pas, dit-elle.

— Tes parents se disputent ?

Mel haussa les épaules.

— T'inquiète pas pour ça. Mes parents n'arrêtent pas de se disputer.

— Ah bon ?

Em se laissa distraire un instant en essayant d'imaginer l'oncle Howie en train de crier. Elle ne le voyait même pas contredire tante Treva. D'ailleurs, peu de monde s'y risquait.

Mel fouillait dans la vieille valise qui leur servait de malle aux trésors. Elle en tira un paquet de biscuits à moitié écrasés.

— Puisque je te le dis, reprit-elle. La semaine dernière c'était à cause de la pelouse.

Elle prit un gâteau et passa le paquet à Em.

— Bien sûr, ils ne savaient pas que j'écoutais.

— La pelouse ?

Em repoussa ses lunettes sur le nez pour mieux étudier le paquet. Pas de bestioles. Elle prit un biscuit et mordit dedans. Il était mou et insipide, mais c'était un biscuit sans bestioles dans une cabane perchée sur un arbre, et donc il était quand même assez bon. Une brise se leva et souffla par la fenêtre et les planches disjointes que Three avait clouées du temps où il apprenait la menuiserie. Avec les fentes, c'était encore mieux. N'importe qui pouvait clouer des planches bien jointes. Seul Three pouvait installer l'air conditionné.

Mel avala son biscuit.

— Oui, la pelouse.

Elle dégagea le suivant, qui s'émietta à moitié et lécha le glaçage.

— Papa est rentré à la maison et il a dit...

Elle prit une voix grave.

— « Tu charries, Treva. L'été tu n'as rien à foutre et tu voudrais que je tonde la pelouse en rentrant du boulot. » Et maman a répondu...

Elle prit sa voix de contralto :

— « Je ne vais quand même pas risquer une crise cardiaque en tondant la pelouse par cette chaleur. Puisque tu tiens à ce que l'herbe soit coupée, tu n'as qu'à le faire toi-même. »

— Ils étaient vraiment fâchés ? demanda Em avec intérêt.

— Mais non.

Mel se laissa retomber sur les coussins et engloutit son biscuit. Elle continua à parler la bouche pleine.

— Quand ils sont fatigués, ils se chamaillent, et puis ils disent des sottises, et alors ils le font.

Em cligna des yeux.

— Ah !...

Mel hocha la tête.

— Maman dit : « Très bien, je tonds la pelouse, mais si je trempe ma chemise, il faudra plus compter sur moi ce soir. Jamais deux fois dans la même journée. — Je pourrais peut-être m'en occuper plus tard. Si on en discutait ? » dit papa. Et maman : « Tout de même, l'herbe a beaucoup poussé. » Et papa la tire par la main : « Viens dans mon bureau, on va régler ça. » Et alors ma mère rigole et ils le font.

Elle avala les miettes du biscuit.

— Après la bagarre sur la pelouse, j'ai essayé d'écouter à la porte mais Three m'a attrapée.

Em sourit.

— Il a dit quoi ?

— Il a dit que si j'écoutais des trucs pareils ça m'empêcherait de grandir et que je resterais naine. Après, il m'a emmenée manger une glace.

Em poussa un soupir.

— J'aime beaucoup Three.

— Il peut aussi être ton frère, proposa Mel. Alors, pourquoi ils se disputent, ton père et ta mère ?

Em reposa son biscuit.

— Ils se disputent pas. Ils se parlent même pas.

Elle réfléchit intensément.

— Et je crois pas qu'ils le font.

Mel secoua la tête.

— Ça, tu n'en sais rien. Peut-être qu'ils sont très malins et qu'ils attendent que tu dormes. Ta mère et ton père sont des grandes personnes. Les miens sont immatures.

Elle releva le menton. Elle ressemblait tellement à sa mère qu'Em sourit en dépit de ses soucis. Mel, fidèle à elle-même, restait concentrée sur son sujet.

— Alors, s'ils ne se disputent pas, où est le problème ? dit-elle.

— Ils ne font jamais rien ensemble.

Em chercha un exemple qui permettrait à Mel de comprendre.

— Papa joue beaucoup au bowling, il fait du bricolage dans le jardin et va au travail. Maman s'occupe de la maison, elle prépare ses cours, elle parle à ma grand-mère et à ta mère, et elle va à la maison de retraite voir mon arrière-grand-mère qui est folle. Mais ils font rien tous les deux.

Elle repoussa ses lunettes et fronça les sourcils.

— Ça n'a l'air de rien mais c'est grave. Il y a quelque chose qui cloche. Et aujourd'hui, ma mère était vraiment mal. Je sais pas pourquoi mais elle avait l'air super-malheureux.

Mel se redressa.

— Ils ne se prennent pas dans les bras, ils se taquinent

pas, ils font pas semblant de se battre et puis ils rigolent et des trucs comme ça.

Em essaya d'imaginer ses parents faisant ce genre de choses. Ç'aurait été formidable d'avoir des parents qui s'amusent, mais ça n'était pas le cas. Sa mère riait avec elle et tante Treva, mais pas avec son père. D'ailleurs, son père ne riait jamais.

— Non, dit-elle enfin.

Mel afficha un air sombre.

— Ils vont peut-être divorcer.

— Tais-toi !

Em repoussa le paquet de biscuits, le cœur chaviré.

— Sûrement pas. Ils se disputent pas. Ils se disputent jamais. Ils vont pas divorcer.

— Tu pourrais vivre ici, proposa Mel. Ma mère t'aime beaucoup et mon père aussi. Tu pourrais être ma sœur.

— Ils ne vont pas divorcer, s'obstina Em.

Mel se renversa sur les coussins et fixa le plafond, très concentrée. Em l'observait. Elle mettait tous ses espoirs dans son amie. C'était toujours Mel qui avait les idées, elle allait sûrement trouver une solution et tout rentrerait dans l'ordre.

— On pourrait les espionner, proposa enfin Mel.

— Non.

Les idées de Mel étaient parfois très fantaisistes, et voilà pourquoi la décision finale appartenait toujours à Em. Mel renonça à l'espionnage et se concentra à nouveau.

— Ça y est.

Elle se redressa.

— Tu passes la nuit à la maison, ce qui leur donnera un peu de temps pour réfléchir. Des fois, ma mère dit que c'est ce qui sauve leur ménage. Elle me refile à ma grand-mère, et une fois, elle ne savait pas que j'écoutais, elle a dit : « Merci, Irma, vous avez sauvé le mariage de votre fils. »

— Je n'arrête pas de passer la nuit chez toi, fit remarquer Em.

— Est-ce que c'est depuis que tu as l'impression qu'il y a quelque chose qui cloche ?

Em réfléchit. Les ennuis avaient commencé la semaine dernière. D'accord, ils ne parlaient pas et ne riaient pas, mais ça ne l'avait pas dérangée avant la semaine dernière quand l'atmosphère était devenue plus froide et plus tendue. Et cela ne l'avait pas vraiment perturbée jusqu'à aujourd'hui, quand elle avait vu le visage de sa mère qui revenait de nettoyer la voiture.

— Non, ça n'a rien à voir, dit-elle enfin.

Mel se leva et se dirigea vers l'échelle.

— Allez, viens, on va leur demander la permission.

Maddie regrettait d'être venue. Maintenant que Treva avait recouvert son sixième plat de cannellonis d'une couche de parmesan suffisamment épaisse pour ensevelir Frog Point, elle s'était mis en tête de lui faire fouiller les affaires de Brent pour trouver des preuves.

— Pas question, dit Maddie. Je refuse de fouiller dans ses affaires.

— C'est indispensable.

Treva s'assit en face d'elle, visiblement enthousiaste.

— Comme ça, on saura ce qui se passe. On va chercher des lettres et des indices.

— Des lettres ?

Maddie la regarda d'un air incrédule.

— Brent n'est même pas capable de prendre un message au téléphone et tu t'imagines que tu vas tomber sur des lettres d'amour ?

— On prendra ce qu'on trouvera. Il est chez vous, ce soir ?

Maddie essaya de se rappeler quel jour on était. Jeudi.

— Non, il joue au bowling avec son père.

Le visage de Treva s'éclaira et Maddie commença à éprouver de la méfiance. Treva s'agitait beaucoup trop autour de cette affaire.

— Super. On s'y met dès ce soir. Et j'ai une autre idée.

Treva baissa la voix.

— Je pense que tu devrais le tromper, pour remettre les compteurs à zéro. J'ai même quelqu'un à te proposer. Tu te souviens de ce petit voyou qui te tournait autour en terminale ? Il était toujours en train de se bagarrer avec quelqu'un. Très sexy, dans un genre instable. Tu ne te souviens pas ?

— Non.

Maddie fusilla Treva du regard, ce qui n'eut pas l'air de beaucoup l'affecter.

— Mais si. Il avait des yeux à vous faire chavirer et une grosse bagnole déglinguée avec un siège arrière aussi grand que ton living.

Treva marqua une pause pour ménager son effet :

— P.C. Sturgis, lança-t-elle.

Maddie s'appuya sur un coude et prit un air indifférent :

— Vaguement. Je m'en souviens vaguement.

— Eh bien, je l'ai aperçu ce matin devant le commissariat avec Sheila Bankhead. Il a beaucoup changé. En mieux. Son côté voyou a disparu. Bien sûr il a toujours l'air instable, mais à trente-huit ans, c'est plutôt excitant.

— Sept.

— Pardon ?

— Il a trente-sept ans. Un an de moins que nous. Mais en quoi P.C. Sturgis est-il concerné par mon divorce ?

Voilà. Ça venait déjà plus facilement.

— Ça tombe sous le sens. Tu vas rendre à Brent la monnaie de sa pièce en couchant avec P.C. Sturgis.

Maddie se mit à rire, sans pouvoir s'arrêter.
Treva attendit patiemment avant de s'exclamer :
— Et pourquoi pas ?
Maddie s'arrêta de rire et la regarda droit dans les yeux.
— Parce que je ne fais jamais deux fois la même erreur.
— *Tu as déjà couché avec P.C. Sturgis ?*
La porte d'entrée claqua, on entendit la voix de Mel :
— Maman ? Tu crois qu'on peut...
— Dehors ! s'écria Treva sans tourner la tête.
La porte claqua à nouveau.
— Tu as couché avec P.C. Sturgis et tu ne me l'as jamais dit ?
— Je n'en ai pas eu l'occasion.
Maddie se massait les tempes, essayant de ne pas trop penser à cette nuit-là, où elle riait, bien au chaud sur le siège arrière de la voiture de P.C. Déjà à l'époque, elle n'aurait pas dû. Alors aujourd'hui...
Treva n'en finissait pas de s'étonner.
— C'est incroyable. Moi qui pensais que tu étais incapable de me cacher quelque chose plus de vingt minutes, alors que pendant vingt ans... Ta mère n'en a jamais rien su ?
— Non, Dieu merci.
À l'évocation de sa mère Maddie se redressa sur sa chaise.
— Je ne l'ai jamais dit à personne. Tu imagines un peu le scandale. Je n'en ai jamais parlé à qui que ce soit.
— Ouais, et lui non plus. Cela a dû lui demander pas mal de maîtrise de soi.
— Je n'y avais jamais pensé, s'étonna Maddie. C'était très chic de sa part.
Elle essaya de se rappeler comment ça s'était passé.
— Pendant une ou deux semaines, j'en ai été malade, mais personne n'a rien dit, et puis j'ai eu mes règles et à

partir de là tout s'est enchaîné très vite. C'était déjà la fin de l'année, juste après cette histoire tu t'es mariée avec Howie, j'ai donc eu ce moment de panique et puis j'ai passé mes examens. Ensuite je suis partie pour l'université ; l'année suivante, il passait son bac et il quittait la ville pour toujours. Quand il a débarqué chez moi tout à l'heure, je l'avais pratiquement oublié. Il voulait parler à Brent.

— À Brent ? Pourquoi donc ?

Maddie la regarda avec de grands yeux.

— Je ne le lui ai même pas demandé. D'ailleurs, je m'en fiche.

Elle prit une profonde inspiration et finit par poser la question qui la tourmentait.

— Treva, si tout le monde est déjà au courant il faut que tu me le dises. Suis-je la dernière informée, comme d'habitude ? Parce que je ne pense pas que je pourrai...

Em passa la tête par l'entrebâillement de la porte et Maddie grimaça un sourire.

— Hou ! Hou ! chérie.

— Hou ! Hou !

Em entra et Maddie lut la tension sur son visage.

— Tante Treva, je pourrais venir dormir chez toi ce soir ? Je voudrais comparer ma liste de fournitures scolaires avec celle de Mel, comme ça on pourra partager des trucs et ça reviendra moins cher.

— Vous voilà bien économes, dit Treva sans quitter Maddie des yeux. Bien sûr que tu peux venir.

— Super.

Em retourna dehors et elles l'entendirent crier :

— Eh, Mel !

— Ça ne t'ennuie pas ? dit Maddie. Tu n'as rien de prévu pour ce soir ? Je ne veux pas te la coller sur le dos.

— Un tête-à-tête avec Brent te permettra de l'insulter à

ton aise. Et si je suis occupée, Three s'occupera d'elle. Pour le moment, les filles sont le cadet de nos soucis.

Maddie se tassa sur sa chaise.

— Em me préoccupe beaucoup. Je fais des cauchemars à l'idée qu'elle découvre ce que tout le monde sait déjà.

— J'ignore ce que savent les gens et, pour répondre à tes craintes, je n'avais moi-même entendu parler de rien.

Treva prit la main de son amie.

— Oublie Em une minute. Que ferais-tu, toi, Maddie, si Em n'était pas dans les parages ?

— Je crois que je le quitterais. Mais il y a ma mère, obligée d'affronter le premier divorce de l'histoire des Martindale. Et les parents de Brent qui me courraient après. Et Brent qui n'est pas du genre à accepter le divorce sans réagir. La dernière fois, il s'est débattu comme un beau diable et...

Treva serra sa main dans la sienne.

— Oublie les autres. Qu'est-ce que tu veux, toi ?

Maddie cligna des yeux.

— J'en sais rien.

Elle essaya d'ignorer cette culpabilité qui l'assaillait dès qu'elle ne pensait pas en priorité aux autres.

— Je crois que j'aimerais être seule. J'adorerais ça. Je ferais tout ce dont j'ai envie, je me ficherais éperdument des voisins — ce serait merveilleux.

Elle libéra sa main et se renversa sur sa chaise.

— Tu sais, cette histoire de me balader toute nue dans Main Street, ou de hurler devant la banque... Eh bien, j'ai encore un autre fantasme. Moi toute seule sur une île déserte avec des livres et du chocolat... Juste moi, les noisettes et le caramel enrobés de chocolat d'Esther Price et les œuvres complètes de tous les écrivains du monde. Et pas de voisins.

— J'en avais un qui y ressemblait beaucoup : du

chocolat et Harrison Ford, dit Treva. Et puis, un jour, je me suis dit : « Qu'est-ce qu'il fout ici, Harry ? Sans lui, je ne serais pas sans arrêt obligée de me lever. »

— L'idée de cette solitude m'enchante. Je n'aurais plus à me culpabiliser, à me préoccuper du bonheur des autres. Juste moi pour moi, jusqu'à la fin des temps.

Treva haussa les sourcils.

— C'est pas un peu long ? Moi, au bout de deux semaines ma famille me manquerait. Même Howie, et pourtant c'est un mec.

— Moi, je ne m'en lasserais jamais.

Maddie se redressa.

— Sauf que je ne peux pas vivre sans Em. Et tout ça, ça n'est que du fantasme. La réalité, c'est que je dois rester vivre dans cette ville. Ma mère mérite que je m'occupe d'elle, Em a besoin de moi, et je suis celle qui a épousé Brent pour le meilleur et pour le pire. Alors oublions l'île déserte.

Elle secoua la tête.

— Je ne sais pas ce que je veux. Alors autant me concentrer sur ce que je peux obtenir.

— Le divorce. Quitte-le.

— Si seulement j'étais sûre qu'il me trompe. Il existe peut-être une explication. Pourquoi pas, après tout ?

Treva leva les yeux au ciel.

— Très bien. Alors parle-lui. Tout de suite.

Lui parler. *Brent, je te quitte. J'emmène Em avec moi et je m'en vais*. Cinq années s'effacèrent d'un seul coup. Elle s'était déjà trouvée dans cette situation et elle en gardait un souvenir atroce. Sa gorge se serra et elle se raidit. Elle ne pleurerait pas. Elle ne voulait pas inspirer la pitié, s'effondrer dans la cuisine de sa meilleure amie. Elle se leva, pour résister à son envie d'éclater en sanglots.

— Oui, je sais, tu as raison. Mais il faut que je parte.

— D'accord, dit Treva calée sur sa chaise. D'accord.

On se verra plus tard. Enfin, comme tu voudras. Comment te sens-tu ?

— Fraîche comme une rose.

Et elle alla récupérer sa fille.

Maddie se mit en route avec Em. Il faisait tellement lourd qu'elle avait l'impression qu'elle n'arriverait jamais au bout de Linden Street. Au cours de sa vie, elle avait remonté cette rue des millions de fois. Autrefois, elle avait vécu avec sa mère dans la vieille maison jaune à cent mètres de chez Treva. Et puis Treva avait repris la maison de ses parents quand ils s'étaient installés dans les immeubles près de la rivière. Toute sa vie, Maddie avait fait des allées et venues entre son domicile et celui de Treva, débordante de nouvelles ou de projets, et, aujourd'hui encore, elles n'étaient séparées que de deux cents mètres.

Et puis il y avait eu Brent, qui venait la chercher et la raccompagner pour aller au lycée ou pour des rendez-vous. Brent qui lui avait acheté une maison dans Linden Street parce qu'elle aimait cette rue et voulait rester près de Treva. Brent parfois si charmant et qui aujourd'hui la trompait.

Tu le détestes ? avait demandé Treva. Après l'épisode de Beth, elle l'avait aimé et détesté tout à la fois. Mais maintenant, elle était tiraillée entre la peur, la colère et une rage meurtrière. L'amour ne compensait plus rien. Et il s'agissait de son mariage. À sa grande consternation, elle se rendit compte qu'elle n'allait plus pouvoir contenir ses larmes.

— On fait la course jusqu'à la voiture, dit-elle à Em et elle s'élança pour aller s'écrouler cinquante mètres plus loin sur le siège avant de sa vieille Civic, le souffle coupé mais les yeux secs.

Une minute plus tard, Em prenait place sur le siège du passager et claquait la portière.

— C'est pas juste. Tu avais pris de l'avance. Où on va ? Pourquoi on prend pas la voiture de papa ? Elle est plus pratique.

Parce que je ne remettrai plus jamais les pieds dans cette voiture. Maddie mit le contact.

— Celle-ci marche très bien. On va aller voir papa.

Em se figea.

— O.K.

Maddie croisa le regard de sa fille et étira chaque muscle de son visage pour se composer un sourire.

— On lui demandera ce qu'il veut pour dîner. Ce sera sympa.

— O.K., répéta Em sans se départir de sa méfiance.

Maddie sortit de l'allée en marche arrière et Em se tassa sur son siège afin que personne ne puisse la voir circuler dans cette épave. Depuis son mariage, Maddie avait remporté quelques batailles, dont celle de la Civic. En y repensant, elle s'agrippa au volant. Brent l'avait poussée à échanger la Civic contre la voiture neuve qu'il voulait lui acheter et avait même envoyé une dépanneuse pour l'emmener. Mais à la dernière minute, elle s'était jetée sur le capot et le dépanneur était reparti bredouille.

— J'aime cette voiture, avait-elle dit à Brent. Je l'ai payée moi-même, elle ne m'a jamais laissée tomber et je la comprends. Il faut des années pour apprendre à connaître une voiture comme je connais celle-là et je veux être enterrée dans cette voiture.

Brent avait alors cessé de la taquiner, mais il lui avait jeté un regard inquiet. Voilà qui expliquait peut-être sa trahison : il avait honte de la voiture de sa femme, et en outre de sa folie.

Il la trompait. Les arguments qu'elle avait avancés à Treva ne tenaient pas la route. Il n'existait pas d'autre explication. Treva avait eu raison de lever les yeux au ciel. Il la trompait.

Maddie mit la radio, une station de musique country, et sur un air des Mavericks roula vers le centre-ville, son mari et la fin de son mariage. Les gens lui souriaient et la saluaient, elle leur rendait leur salut et les remerciait du fond du cœur de leur soutien. Les gens de Frog Point l'aimaient. Elle était gentille. Voilà ce qu'elle était. Gentille. Il fallait s'accrocher pour être gentille, et peut-être n'était-elle rien d'autre que cela. Elle fut frappée d'une pensée terrible. La seule raison qui l'empêchait d'affronter un divorce, c'est qu'un divorce n'était pas *gentil*. Quelle bêtise ! Sauf que si elle cessait d'être *gentille* elle n'était même plus sûre d'exister.

Elle tenta de penser à autre chose. Le vieux Frog Point était superbe en cette fin d'été, avec ses grands arbres, des chênes et des ormes dont les branches se rejoignaient pour former une voûte de feuillage. Roulant dans le clair-obscur de leur ombre, Maddie se sentait protégée. Leurs racines soulevaient les dalles de béton gris des trottoirs, formant comme des vagues craquelées, recouvertes de mousse aux endroits les plus sombres. Dans Linden Street, quand elle était petite avec Treva, les dalles devenaient des montagnes, elles les franchissaient à patins à roulettes, inventaient des histoires et jouaient à la marelle. Em et Mel faisaient de même aujourd'hui, loin des grandes villes et des horribles dangers qui y menaçaient les enfants. Quels que fussent ses inconvénients, et ils étaient légion, Frog Point était *sa* ville. Qui l'avait protégée pendant trente-huit ans, lui avait tenu chaud tout en surveillant chacun de ses mouvements. Sans Brent, elle aurait très bien pu continuer à y vivre sans rien changer à son existence. Avec Brent, elle devrait composer. Mais elle appartenait à Frog Point.

Le morceau des Mavericks se termina, et Patsy Cline attaqua *Walking after midnight*.

Patsy avait eu elle aussi quelques problèmes avec les hommes, ce qui était réconfortant. Si même une fille de la classe de Patsy avait commis des erreurs de jugement avec les hommes, Maddie n'était peut-être pas totalement irrécupérable. Une vieille Datsun marron arriva à toute allure derrière la Civic, freina à la dernière minute et faillit l'emboutir. La Datsun semblait encore plus ancienne que la Civic, tellement hors d'âge qu'on aurait dit un des véhicules que P.C. Sturgis réduisait en miettes du temps de sa gloire. Maddie songea au P.C. de l'époque, tête brûlée et débordant d'énergie. Elle souhaita un instant revenir en arrière, annuler tout ce gâchis et choisir P.C. Oui, mais alors plus d'Em, et Em valait toutes les erreurs du monde. Maddie oublia P.C. et continua de rouler vers son mari.

Un couinement de freins lui remit la Datsun en mémoire. Le chauffeur avait à nouveau freiné à la dernière minute, manquant lui rentrer dedans.

— Qu'est-ce que tu fabriques ? dit Maddie en regardant la Datsun dans son rétroviseur.

Le conducteur s'engouffra dans une rue adjacente, certainement dégoûté par sa conduite mélancolique. Forcément, personne n'allait de bon cœur au-devant des catastrophes, surtout avec un enfant sur le siège du passager. Maddie poussa un soupir. Em allait souffrir. C'était le côté le plus terrible de toute cette affaire. Elle ne pardonnerait jamais à Brent de faire souffrir Em qui l'aimait tellement.

D'ailleurs, elle ne lui pardonnait pas non plus son comportement avec elle-même et, tout en conduisant à l'ombre des grands arbres, elle laissa la colère l'envahir. Il l'avait à nouveau ridiculisée. Si elle le quittait, elle se réfugierait dans les bras compatissants ou méprisants de la ville sans être en mesure de lui rendre la monnaie de sa pièce. Treva avait raison, elle devait réagir. Elle revit P.C. sur le pas de sa porte, costaud, souriant, solide, un adulte sacrément séduisant et un amant tout à fait plausible.

Non. Il n'en était pas question. Elle avait suffisamment de problèmes pour ne pas en plus se lancer dans l'adultère. Sans compter que c'était nuisible. L'adultère à Frog Point vous désignait très vite comme cible des commérages.

Et pourtant, l'idée d'une revanche présentait bien des attraits. Confondre les gens de la ville en démontrant qu'elle n'était pas une gentille fille la séduisait assez. Enfin, tant qu'elle se contentait d'y penser sans passer à l'acte...

Reba McEntire avait succédé à Patsy. Maddie prit un virage et freina pile devant un petit chien. Pas du tout impressionné, il se grattait l'oreille au milieu de la rue, assis sur son arrière-train.

— Prends ton temps, lui dit-elle, et Em se mit à rire.

Puis elle se tourna vers sa mère en ouvrant de grands yeux innocents derrière ses lunettes.

— Je suis sûre que ce chien n'a pas de maison. On pourrait peut-être l'adopter ?

Maddie observa le chien. Il portait un collier rouge à grelots qui tintait pendant qu'il se grattait.

— Em, il a un collier et je suppose qu'il rentre chez lui.

— Alors peut-être qu'on pourrait acheter un chien et lui donner un foyer. Ce serait une bonne action.

Maddie tendit l'oreille. *Fille Idéale baisse la garde,* pensa-t-elle. *Pas trop tôt.*

— D'accord, crache le morceau, dit-elle à sa fille. Qu'est-ce que tu nous prépares ?

Em passa aux aveux, tassée sur son siège.

— Je veux un chien. J'en veux vraiment un. J'ai été gentille et c'est bientôt mon anniversaire.

— Ton anniversaire est en janvier.

Em poussa une exclamation de désespoir.

– Je savais que tu dirais ça, maman, on a vraiment besoin d'un chien, je t'assure !

– Em, s'occuper d'un chien, ce n'est pas aussi facile que ça en a l'air à la télévision. Ça demande beaucoup d'attention...

– Je sais, déclara Em d'un ton tellement satisfait que Maddie comprit tout de suite qu'elle venait de se faire avoir.

Em prit à ses pieds une pile de livres qu'elle avait empruntés à la bibliothèque.

– J'ai étudié le problème.

Maddie se pencha pour lire les titres. *Comment prendre soin de votre chien. Dresser votre chien. Tout sur les chiens. Les Chiens de A à Z.* Et il y en avait d'autres.

– Je les lis tous. Même les difficiles. Je suis capable de m'en occuper. S'il te plaît.

La première réaction de Maddie fut de dire non, qu'elle avait déjà bien trop de travail, mais le sérieux d'Em la toucha. Et Brent détesterait avoir un chien, ce qui était un bon point. Et un chien distrairait Em. Si jamais ils divorçaient, elle pourrait s'y raccrocher quand tout son petit monde s'écroulerait.

Em regardait Maddie comme si celle-ci avait tenu sa vie entre ses mains.

– Très bien. Nous irons à la fourrière dès que nous aurons vu ton père.

– Ouais !

Em sauta de joie sur son siège.

– Mais tu t'en occuperas.

– Je te le promets, je sais déjà comment on fait, je te le jure, maman je t'adore !

Em sautait de joie sur son siège et son visage était dévoré par son sourire.

Le chien dans la rue arrêta de se gratter, bâilla, Em rit

aux éclats et, pendant un instant, le monde sembla normal. *Et si je renonçais à aller au bureau voir Brent,* se dit Maddie. *On pourrait aller chercher un chien. Ou rester là au milieu de la rue. Peut-être que si la voiture n'arrivait pas au prochain croisement, les choses changeraient comme par enchantement.*

Puis elle regarda dans le rétroviseur et vit la vieille Datsun tourner le coin de la rue et foncer sur elles.

Prise de panique, elle se tourna vers Em pour la prévenir mais sa voix se perdit dans le crissement des pneus, le hurlement des freins et le bruit hideux de la tôle froissée. Elle sentit le choc de l'impact dans son dos, sa tête partit en avant, le siège se décrocha et glissa avec elle. La radio se tut brutalement, elle repartit vers l'arrière et se cogna avec un bruit sourd à l'appui-tête.

Chapitre 3

— Em ! dit Maddie après le choc.

La fillette, maintenue à son siège par sa ceinture de sécurité, était indemne. Elle ouvrait de grands yeux derrière ses lunettes, parfaitement détendue.

— Tout va bien, maman.

— Tu es sûre ? Tu n'as pas mal au cou ?

Le cou de Maddie la faisait terriblement souffrir.

— J'ai rien. La vache, tu parles d'un carambolage !

Maddie réussit à ouvrir la portière faussée et de petites pièces de métal tombèrent sur le sol avec un bruit cristallin. Elle sortit, et le monde vacilla. *Doucement.* Tout semblait à la fois moins clair et plus brillant. Elle s'avança vers l'autre voiture d'une démarche parfaitement contrôlée. Du verre brisé crissa sous ses pieds. La radio lançait une phrase obscène. Maddie aurait bien voulu l'imiter, mais c'était hors de question. Elle avait trop mal.

Le chauffeur gémissait, la tête dans les mains, et elle se pencha pour juger de son état. C'était un gamin du lycée, un blond au teint pâle et à l'air malingre qu'elle reconnut sans pouvoir mettre un nom sur son visage. Elle ne l'avait jamais eu comme élève.

— Ça va ? lui demanda-t-elle. Vous vous êtes cogné la tête ? Aviez-vous mis votre ceinture de sécurité ?

— Ma voiture. Je vous ai pas loupée. *Ma voiture.*

— Votre radio marche.

Abruti. Sa colère rentrée lui monta brusquement à la tête et elle faillit le traiter de tous les noms. Puis elle se rappela juste à temps qu'il était accidenté lui aussi. Inutile d'enfoncer le clou. *Pauvre dégénéré.* Au moins, quand P.C. avait des accidents, il ne s'attaquait qu'aux balustrades, aux rambardes et aux fossés, jamais aux gens. Le gamin gémit, le regard fuyant. Elle se redressa et retourna à sa voiture.

Fichue. L'arrière était enfoncé, la vitre pulvérisée, les feux de position réduits en poussière. Elle ne connaissait rien aux voitures, mais elle savait que celle-là était irrécupérable. Trop vieille.

Finalement, elle regrettait de ne pas avoir insulté le gamin. Par deux fois il avait failli l'emboutir avant de lui rentrer dedans.

Em la rejoignit.

— La vache !

Ma voiture.

— On va en avoir une neuve ? demanda Em.

Le gamin les avait rejointes.

— Vous croyez que votre assurance va vous couvrir ?

Maddie se tourna vers lui. *Je vais t'écrabouiller.* Elle fit le tour du véhicule à pas mesurés. Le garçon la suivit et la police arriva.

Elle retourna s'asseoir dans sa voiture et s'effondra sur le volant. L'officier de police, un ancien élève qui avait raté son examen de français en terminale cinq ans auparavant, lui demanda son permis de conduire. Em le chercha pour elle dans son sac. L'officier de police était correct mais il posait trop de questions. Les idées de Maddie s'embrouillèrent. Il lui demanda si elle allait bien.

— Je voulais être enterrée dans cette voiture, lui répondit-elle.

Il demanda une ambulance pour un possible traumatisme crânien.

Grand, brun, massif, contrôlant parfaitement la situation, Brent la retrouva dans la salle des urgences. Elle allait lui dire *Je te cherchais* mais il parla le premier.

— Je m'occupe de tout.

Il se détourna pour parler d'un ton sérieux et responsable au jeune médecin et à la très jeune infirmière. La pièce sentait l'alcool et le désinfectant, et Maddie avait encore dans la bouche le goût de métal du calmant qu'ils lui avaient administré. Elle avait froid et le lit d'examen était trop haut. Elle voulait rentrer chez elle, mais Brent parlait toujours au médecin.

Elle observa son mari. Était-il encore désirable ? Il s'était un peu empâté mais il était toujours séduisant dans un genre puéril et désarmant, avec ses cheveux en bataille et cette éternelle boucle qui lui descendait au milieu du front. Ces fossettes. Ce sourire crâne. Le salaud ! Il s'avança vers elle en bombant le torse et l'infirmière eut un regard appréciateur. Maddie sentit tout son corps se rétracter.

Il lui parlait tout en semblant la regarder de très loin. Elle distinguait à peine son visage.

— Ne t'inquiète pas, le gamin est dans son tort, lui disait-il tandis qu'Em s'appuyait tendrement contre lui.

— Je sais.

— Il n'était pas assuré mais ton assurance prendra tout en charge.

— Je sais.

Il passa un bras autour des épaules d'Em.

— Dieu merci, Emily n'a rien.

— Je sais.

— Tu n'as pas de traumatisme. Juste quelques muscles froissés. Un peu de Tylenol et tu ne sentiras plus rien.

— Je sais.

Brent soupira, et sa sollicitude tourna à l'exaspération.

— On va pouvoir s'en aller.

— Je sais.

L'infirmière lui adressa un sourire rayonnant, donna des analgésiques à Maddie et ils rejoignirent la Cadillac. Brent installa Em sur le siège arrière et se tourna vers Maddie. Elle regardait fixement la voiture, essayant de retracer son itinéraire depuis l'instant où elle y avait découvert la preuve de la trahison de Brent jusqu'à son arrivée à l'hôpital.

— Je nettoyais cette voiture, lui dit-elle. Elle se trouvait dans l'allée.

— Howie m'a raccompagné à la maison pour que je puisse la récupérer. On a emmené la Civic au garage de Leo. Je l'ai appelé pendant que le médecin s'occupait de toi. Leo dit qu'elle est fichue. Maintenant, tu vas bien être obligée d'en acheter une autre.

Sa voiture avait échoué dans la cour d'un garage. En d'autres circonstances, elle se serait sentie déprimée, mais elle était trop sonnée pour y accorder de l'importance.

— Je sais.

Elle monta dans la Cadillac et essaya de se rappeler à quoi ressemblait une vie normale. Hier encore...

Il monta à côté d'elle, lui tapota le genou et elle se recroquevilla sur elle-même.

— Détends-toi, Mad. Tout va bien.

Elle hocha la tête, eut la sensation d'un coup de poignard dans le cou et s'immobilisa.

— Je sais.

Brent poussa un soupir d'exaspération.

— D'accord, tu sais, et à part ça ?

Que dirais-tu de « l'expression de ta sympathie me va droit au cœur » ? Ou alors « je demande une minute de silence pour ma voiture, qui vient d'être sauvagement assassinée par un ado débile » ? Ou bien « tu as une maîtresse, son nom s'il te plaît, espèce de fils de pute » ?

— Maddie ?

Em les avait rejoints.

— Je te remercie d'être venu nous chercher.

Il baissa la tête, mit le contact et un siècle plus tard ils arrivaient dans leur allée. Maddie restait assise, regardant par la fenêtre du véhicule. Ils devaient avoir une explication. Très vite.

— Maddie, nous sommes arrivés.

Brent tendit la main et lui ôta sa ceinture de sécurité.

— Mad ?

Sa main sur son épaule pesait des tonnes.

Très bien. Ils étaient arrivés. Elle se sentait presque désolée pour Brent. Alimenter la conversation ne devait pas être très facile pour lui. Pauvre vieux ! Elle le regarda faire le tour de la voiture pour venir lui ouvrir la portière. C'était aimable de sa part.

— Maddie, sors de la voiture. Tu n'as rien de grave, le médecin est formel.

Bien. Très bien. Elle sortit de la voiture, posa le pied par terre et sa chaussure resta collée au bitume. Libérer son pied lui demanda un gros effort. Elle était très loin de la porte et Brent beaucoup trop près.

— Maman ?

La voix d'Em résonnait bizarrement. Maddie distinguait mal son visage. Elle lui sourit.

— Je vais bien, ma chérie. Rentrons.

La créosote sentait bon le propre. Elle se concentra sur l'odeur pendant un moment afin de s'empêcher de hurler.

— Emily, tu es sûre que tu vas bien ?

Brent s'était agenouillé devant elle et plongeait son regard dans le sien. À genoux et serrant sa fille dans ses bras, il était irrésistible. Avec cette boucle qui lui retombait sur le front, on lui aurait donné le bon Dieu sans confession. Le salaud !

Em ne quittait pas Maddie des yeux.

— Je vais bien, papa, je t'assure.

— Parfait.

Il l'embrassa sur la joue, se releva et la regarda se diriger vers la véranda avant de se tourner vers Maddie.

— Ce soir, je rentrerai tard, Mad. Commande une pizza et détends-toi. Ne m'attends pas.

Quand Maddie passa près de lui, il essaya de lui tapoter maladroitement l'épaule. *Ne me touche pas*, songea-t-elle, et sa colère jaillit, fraîche et forte après tous les courants boueux qu'elle avait traversés. Elle s'arrêta, attendit qu'Em grimpe les marches de la véranda et le fixa droit dans les yeux.

— Allez, viens, Maddie.

Il voulut la prendre par le bras mais elle se dégagea avec une telle violence qu'il recula, interdit.

— Que se passe-t-il, Brent ? siffla-t-elle entre ses dents. Qu'est-ce que tu fabriques ? Mais qu'est-ce que tu fous, bon Dieu ?

— Quoi ?

Brent la regardait, figé sur place.

Elle se rapprocha de lui à le toucher.

— J'ai trouvé un slip de femme dans ta voiture. Tu sors avec qui cette fois ? Tu as renoué avec Beth ?

Elle secoua la tête, ce qui faillit lui arracher un cri de douleur, et ramena ses poings sur la poitrine pour s'empêcher de frapper.

— On ne va pas recommencer, Brent. Il n'en est pas question. Si tu me trompes, je te quitterai. Cette fois tu ne t'en tireras pas comme ça.

Brent jeta un coup d'œil à Em qui s'était arrêtée sur la véranda. Il revint à Maddie.

— Tout va bien, articula-t-il d'une voix trop forte. C'est le choc. Ça va passer.

Il baissa la voix.

— Tu fais peur à Emily. Laisse tomber.

— J'ai trouvé un slip en dentelle noir sans fond dans ta voiture. Comment expliques-tu cela ? Je t'écoute.

— Maman ? dit Em.

— On arrive, ma chérie, lança Brent.

Il baissa à nouveau la voix.

— Je t'avais juré de ne plus te tromper et j'ai tenu ma promesse. Tu as l'intention de me faire payer longtemps cette histoire avec Beth ?

Maddie fut troublée. Il semblait toujours si rationnel.

— Et ce slip ?

— Qu'est-ce que j'en sais ? lança Brent en montant la voix sous l'effet de l'exaspération. Quelqu'un aura voulu me faire une farce.

— Très drôle.

— Comme tu dis.

Il la laissa là et rejoignit Em.

— Maman ne se sent pas très bien.

Maddie le rattrapa en s'écriant :

— Attends une minute.

— Pas maintenant, répondit-il en prenant la main d'Emily. Em, maman a besoin de se reposer. Viens, allons chez tante Treva.

Em semblait au bord des larmes.

— Maman ?

Maddie respira profondément. Jamais elle n'avait eu un tel désir de régler ses comptes avec Brent. *Mais pas devant Em.*

— Papa a raison. Tu vas passer la nuit chez Mel, je me débrouillerai très bien toute seule.

— Tu es sûre ? Je pourrais m'occuper de toi.

Maddie faillit éclater en sanglots.

— Merci, chérie, mais je vais prendre mes cachets et dormir un bon coup. Toi, tu vas avec papa.

Em hocha sagement la tête.

— D'accord, mais je vais juste passer la soirée avec elle, je rentrerai dormir ici, comme ça je pourrai t'aider quand tu te réveilleras.

Maddie la prit dans ses bras. Le petit corps d'Em était tout raide contre le sien.

— Tout va bien, Em, tu peux rester chez Mel.

— Non.

La voix d'Em se brisa. Maddie la serra contre elle, lui caressa le dos et la berça.

— Si tu veux, papa te ramènera à la maison plus tard, après le bowling.

Em s'éloigna, sa main dans celle de Brent, et se retourna pour regarder Maddie. Ce salopard utilisait sa fille pour se défiler. Elle se retint de hurler *Reviens ici, j'ai deux mots à te dire* et agita la main. Quand la voiture eut disparu, elle prit une profonde inspiration et rentra dans la maison.

Elle avala un analgésique et posa le flacon de cachets sur le rebord de la fenêtre de la cuisine. Il prit une couleur d'ambre dans la lumière. Très joli. Puis elle s'assit un moment afin de s'éclaircir les idées, essayant d'oublier Em, la dentelle noire et tout ce qui lui troublait l'esprit.

Elle n'avait *pas* de traumatisme crânien, ce dont elle se félicitait. Mais encore ? Elle jeta un coup d'œil autour d'elle. Elle avait cette horrible cuisine avec du lino gris par terre parce que Brent l'avait eu au prix de gros, mais c'était elle qui avait peint les murs en jaune. Oui madame, elle avait choisi la couleur elle-même. Pour être jaunes ils étaient jaunes, elle avait l'impression d'être prise au piège dans un quatre-quarts.

Au moins la dentelle noire tranchait sur le jaune.

Elle se leva avec précaution et rejoignit l'entrée. Peinte

en blanc. Ennuyeux mais pas agressif. Un peu comme Brent. Enfin, jusqu'à aujourd'hui. Maintenant il lui offensait la vue. Elle monta les marches en s'accrochant à la rampe et la tête lui tourna. Elle s'arrêta un instant avant d'entrer dans la chambre. La chambre pêche. Impossible de se souvenir des raisons de son attirance pour cette teinte pêche. Le dossier matelassé du lit était particulièrement laid. Tout compte fait, elle haïssait cette pièce. Elle haïssait toute la maison. Il était temps de déménager. Et si elle disparaissait sans prévenir ? Brent l'apprendrait par quelqu'un d'autre. À Frog Point, on ne vous lâchait pas d'une semelle.

Maddie s'allongea sur le lit. Fermer les yeux était divin. Et puis cela empêcherait ses globes oculaires de rouler sur le parquet. Mais la douleur, une douleur diffuse l'écrasait de tout son poids. Elle essaya de se détendre pour lui échapper. *Je le déteste,* songea-t-elle. *Alors quelle importance qu'il me trompe ? J'ai mal partout à la seule idée d'avoir à affronter cette maudite ville, de remuer toute cette boue. Je ne supporte pas non plus l'idée de la souffrance que devra endurer Em. Et donc je pense que j'y penserai plus tard.*

Il faudra bien que j'y pense. Plus tard.

Ce soir-là vers sept heures, P.C. était à la ferme de son oncle, adossé à la porte d'entrée du côté du jardin, à écouter le chant des sauterelles. Il leur faudrait attendre une bonne heure avant que la nuit tombe, mais certaines d'entre elles avaient pris de l'avance. Leurs stridulations se mêlaient au murmure de la rivière qui passait à deux cents mètres, et au chant des oiseaux qui profitaient des derniers jours du mois d'août. C'était le genre de soirée qui donnait envie de s'étendre dans un hamac avec une bière bien fraîche et une femme ardente. Mais la femme que P.C. essayait vainement de chasser de ses pensées était mariée, et elle lui avait claqué la porte au nez. De toute façon, il était sans doute impossible de faire l'amour dans un hamac. Mais avec Maddie allongée près de lui, il aurait sûrement tenté le coup. Il fut à nouveau la proie de pensées défendues par l'Église et sursauta en entendant la voix de sa tante.

— Tu t'es lavé les mains, P.C. ?

Il se tourna vers Anna qui mettait la table pour le dîner. D'épaisses assiettes en porcelaine, des plats et des saladiers pleins de pommes de terre, de jambon fumant et de Dieu sait quoi encore s'amoncelaient sur la toile cirée à petits carreaux noirs et blancs. Une odeur délicieuse lui chatouilla les narines, et l'eau lui vint à la bouche lorsqu'il vit le jambon de pays braisé dans son jus et le gratin de pommes de terre doré à souhait.

— Je suis mort, et ressuscité au ciel, lança-t-il.

— Pas avant de t'être lavé les mains, lui répondit sa tante d'un ton sec.

Une voix sévère, que démentait un physique aussi accueillant et chaleureux que le jour où Henry avait ramené P.C. ici, vingt-sept ans auparavant. Sa mère venait une fois de plus de le traiter de voyou, de bon à rien, et l'avait menacé de l'envoyer dans une maison de redressement. Il avait fait une fugue et dormi dans un parc, comme si c'était la chose la plus naturelle du monde pour un garçon de dix ans. Une voiture avait ralenti et s'était arrêtée à sa hauteur alors qu'il se rendait à la gare. C'était Henry.

— Allez, monte, avait dit celui-ci.

P.C. avait failli lui répondre qu'il pouvait parfaitement se débrouiller tout seul, mais, même à l'époque, on ne discutait pas avec Henry. Il avait donc obéi et Henry l'avait ramené chez Anna qui avait déclaré : « P.C., tu vas vivre avec nous. » Il avait répondu : « Merci, mais je peux très bien me débrouiller tout seul. » Il connaissait la chanson. Quand les gens vous rendaient service, ils vous le faisaient payer cher. D'ailleurs, il ne cessait de rembourser sa mère, qui lui avait fait l'insigne faveur de le mettre au monde. Il en avait assez.

Et puis Anna avait dit : « Je n'en doute pas, P.C., mais qui va s'occuper de nous ? Nous ne sommes plus très jeunes et un grand garçon comme toi nous rendrait bien des services dans cette maison. » P.C. eut un sourire en se rappelant cet épisode. À l'époque, Henry avait une quarantaine d'années et il était fort comme un Turc. Quant à Anna, elle n'avait jamais été malade de sa vie. Mais pour un garçon de dix ans dont personne ne voulait, cet argument avait touché une corde sensible. Prendre soin d'eux lui semblait n'entraîner aucune dépendance de sa part. « Bon, d'accord, mais je le fais pour vous », avait-il répondu. Anna l'avait alors conduit dans sa chambre, à l'étage, où trônait un grand lit avec des draps blancs fraîchement repassés, et elle lui avait annoncé qu'il y aurait des crêpes pour le petit déjeuner.

Vingt ans plus tard, il avait compris que les obligations contractées auprès des gens qui prenaient soin de vous n'étaient rien comparées aux obligations qu'entraînaient ceux dont vous aviez la responsabilité. Ceux qui vous avaient recueilli, vous pouviez les « rembourser », mais ceux qui s'étaient placés sous votre protection vous accompagnaient tout au long de votre existence. Même s'il ne voulait plus entendre parler de Frog Point, il était obligé de revenir voir Anna. Submergé par la tendresse, il la regarda. Elle n'était pas très différente de la femme blonde et énergique qui lui avait autrefois sauvé la vie. Un tablier à rayures avait remplacé son tablier à fleurs, mais sa coiffure n'avait pas changé. Ses cheveux blancs partagés par une raie au milieu et ramenés en chignon sur la nuque étaient toujours aussi lisses et brillants. Et ses yeux aussi bleus. Il lui sourit.

— Je me suis déjà lavé les mains. Tu m'as très bien élevé.

Il la prit par la taille et la serra contre lui avant de gagner sa place.

Elle renifla.

— Maintenant, tu es un homme, P.C., mais pour moi tu seras toujours mon petit garçon.

— J'espère bien.

Il se laissa tomber sur sa chaise et tendit les mains vers elle pour qu'elle les inspecte.

— Tu vois ? Impeccables.

— Bien. Et maintenant, tu mangeras tout ce que je mettrai dans ton assiette. Pas de discussion.

P.C. regarda avec émerveillement le jambon braisé, le pain et le beurre, la confiture de framboises et les pickles maison, les haricots verts, le bacon, les pommes de terre en gratin, la salade de chou avec les poivrons rouges. La cuisine d'Anna. Un des miracles de la vie.

La porte à claire-voie grinça et Henry entra en coup de vent, pas aussi impressionnant qu'autrefois mais toujours aussi large, massif et plein d'énergie sous sa couronne de cheveux blancs. Il alla se laver les mains dans l'évier.

— Ça sent bon, Anna.

— Merci, Henry.

Dire que je les ai entendus échanger cette réplique avant chaque repas qu'on a pris ensemble, songea P.C. Une fois de plus, il remercia sa mère de l'avoir jeté dehors. C'était bien la meilleure chose qu'elle eût jamais faite pour lui.

Henry s'assit en bout de table, P.C. joignit les mains et Anna baissa la tête.

— Seigneur, merci pour ce repas, récita Henry.

— Amen, répondirent en écho Anna et P.C.

Puis Henry se servit du jambon et Anna lui passa la corbeille de pain.

— J'ai une faim de loup, dit P.C. en attaquant le gratin.

— Ça t'a ouvert l'appétit de poser des questions dans toute la ville, hein ?

Henry l'observait par-dessus ses épais sourcils.

— Après le repas, Henry, fiche-lui la paix pendant qu'il mange, intervint Anna.

P.C. sourit à son oncle et fit glisser le plat de gratin dans sa direction.

— Je cherchais Brent Faraday. On ne t'a pas prévenu ?

— Oh ! si. Environ une vingtaine de personnes, grommela Henry. Qu'est-ce que tu nous prépares ?

— Rien du tout.

P.C. se servit une tranche de jambon de la taille de la Floride.

— Sheila m'a demandé de lui rendre un petit service.

Anna s'arrêta de manger, la fourchette en l'air.

— Sheila ?

Trop tard, P.C. avait oublié qu'Anna ne pouvait pas supporter son ex-femme.

— Ne t'inquiète pas. Elle se marie avec Stan Sawyer et elle m'a demandé de vérifier deux ou trois trucs.

— Je ne m'inquiète pas.

Mais Anna reposa sa fourchette.

— Tout va bien, lui assura P.C. Je la dépanne sur ce coup-là, en échange de quoi elle renonce à sa pension alimentaire. C'est juste une question d'argent.

Il lui tapota la main.

— Mange et ne te fais pas de souci.

Anna poussa une exclamation étouffée, reprit sa fourchette et Henry passa à l'attaque.

— Qu'est-ce que Sheila a à voir avec Brent Faraday ?

P.C. étouffa un soupir. Inutile d'essayer de se défiler, Henry l'apprendrait tôt ou tard.

— Stan est en affaires avec Brent. Sheila, qui a un ex-mari comptable, comme tu sais, m'a demandé de me rendre utile en jetant un coup d'œil aux livres de comptes. Cela me prendra une heure ou deux et je serai de retour à Columbus dès lundi. Pas de quoi en faire une histoire.

P.C. regarda Henry, puis Anna, et comprit qu'il ne s'en sortirait pas comme cela. Il était temps qu'il trouve un sujet de diversion, sinon ils passeraient tout le repas à parler de Sheila et Brent.

— Mme Banister a appelé les flics parce que je stationnais devant chez elle. Non, mais où va-t-on si je dois me faire arrêter par Vince Baker !

Anna poussa une exclamation agacée.

— Thelma Banister est bête comme une oie.

Puis elle jeta un regard en biais à P.C.

— Pas étonnant que Sheila te demande de t'occuper de Brent Faraday. Celle-là, quand il s'agit d'argent, elle est loin d'être idiote.

Le ton acerbe sur lequel elle avait prononcé le nom de Brent Faraday surprit P.C.

— Oui, parce que Brent Faraday... dit Henry en se servant du gratin.

P.C. les observa tour à tour.

— Vous rigolez ou quoi ? Vous voulez dire que cette ville ne considère plus Faraday comme la huitième merveille du monde ?

— Pas toute la ville, concéda Henry.

Et Anna murmura :

— Ce garçon a toujours été un peu m'as-tu-vu.

P.C. se cala dans sa chaise. Il se sentait rasséréné.

— Vous m'en direz tant. Qu'est-ce qu'il a fait ?

— C'est à toi de nous le dire, c'est toi qui le cherches partout. Tu as bien parlé à sa femme, non ?

— Je suis passé chez eux mais il n'était pas là.

P.C. n'avait rien à se reprocher, à part quelques fantasmes innocents... Mais Henry le mettait mal à l'aise.

— Je ne suis même pas entré, Henry. J'ai juste demandé à parler à Brent.

— Tu étais fou d'elle, intervint Anna. Je me souviens comme si c'était hier de ce jour où tu es rentré du lycée et où tu m'as parlé de Maddie. Tu ne devais pas avoir beaucoup plus de dix ans. Cela ne faisait pas longtemps que tu étais avec nous. Une jeune fille si gentille...

— Je te jure que je suis resté cinq minutes sur le pas de la porte.

P.C. prit un air détaché. Mais Henry ne le quittait pas des yeux.

— Elle est mariée, dit-il enfin.

P.C. leva les bras au ciel pour témoigner de son innocence.

— Henry, elle m'a claqué la porte au nez ! Je cherchais Brent, pas Maddie.

— Pourquoi donc ? demanda Henry.

— Eh bien, Brent aurait vendu à Stan un quart de son entreprise de construction, c'est-à-dire la moitié de ce qu'il possède. Pour le reste, le contrôle de l'affaire serait entre les mains de Howie. Apparemment, Sheila n'est pas trop contente de cet arrangement.

— Howie Basset est un garçon charmant, dit Anna. Il est incapable d'escroquer qui que ce soit.

P.C. poussa un soupir. Maddie une gentille fille. Howie un garçon charmant. Qu'ils soient proches de la quarantaine et puissent cesser d'être « gentils » n'effleurait pas Anna. Pourtant, elle était bien placée pour savoir que lui, P.C., avait changé. Il était devenu un homme responsable. Il n'avait pas eu d'accident de voiture depuis 1983. Et il ne s'était pas battu depuis le lycée. Bien sûr, Howie était vraiment un chic type, et donc Anna n'avait pas tout à fait tort, mais quand même...

Henry prit une tranche de pain.

— Alors pourquoi cherches-tu partout Brent Faraday ?

— Il faut que j'examine les livres de comptes. Et pour cela, j'ai besoin de son autorisation. J'agis en tant que comptable de Sheila et Stan, il est donc pratiquement obligé de me la donner, mais...

Henry planta sa fourchette dans ses haricots verts.

— Cela ne dérange pas Stan que Sheila s'occupe de son argent alors qu'il n'est pas encore à elle ?

— Il ne s'agit pas seulement d'argent, fit remarquer Anna. P.C., tu ne manges rien. Henry, tiens-toi un peu tranquille jusqu'à ce qu'il ait fini de manger.

P.C. prit son couteau.

— Que veux-tu dire, « il ne s'agit pas seulement d'argent » ?

Anna pointa le doigt sur son assiette. Il coupa un morceau de jambon.

— À mon avis, elle ne veut pas qu'il se couvre de ridicule devant toute la ville, répondit Anna.

Henry poussa un grognement. P.C. lui sourit.

— Tu n'es pas un fan de Stan ?

Anna lui fit les gros yeux et il mâcha avec application.

Henry secoua la tête d'un air dégoûté.

— Comment cette femme peut-elle penser qu'il est un meilleur parti que toi !

P.C. fut tellement surpris qu'il en avala son jambon sans l'avoir mâché.

— Moi ?

Henry lui adressa un sourire rayonnant.

— Tu t'es vraiment bien débrouillé, P.C. Nous sommes fiers de toi.

La gorge de P.C. se serra et pendant un court instant — particulièrement pénible — il crut qu'il allait se mettre à pleurer. Sachant que Henry le déshériterait s'il se laissait aller à une telle faiblesse, il parvint tout de même à se contrôler.

– Ah !... Merci beaucoup, dit-il enfin.

Anna prit la corbeille.

– Un peu de pain, P.C. ?

Elle en posa deux tranches sur son assiette.

P.C. hocha la tête. Il était encore sous le choc de la remarque de Henry.

– En ville, on ne mange pas assez, poursuivit Anna en lui passant le beurre. Si tu veux mon avis, tu es trop maigre.

Il beurra docilement une tartine et mordit dedans.

– Si tu venais plus souvent, tu ne t'en porterais que mieux. Sais-tu que Frog Point n'a qu'un seul comptable ?

Il faillit s'étouffer.

– Anna, fiche-lui la paix, intervint Henry.

– Je le mentionnais en passant... Ce serait tellement merveilleux de l'avoir de nouveau à la maison. Des haricots, P.C. ?

P.C. finit sa tartine, prit le saladier de haricots et changea de sujet.

– Je n'ai pas trouvé Brent... mais je suppose que tu es déjà au courant. Il a quitté la ville pendant que j'avais le dos tourné ou quoi ?

Henry se resservit une tranche de jambon.

– Non. Il a passé l'après-midi à l'hôpital.

P.C. ne put s'empêcher de sourire.

– J'ai toujours dit qu'il avait une tête à claques.

– Désolé de te décevoir, mais il ne s'agit pas de cela.

Henry s'appuya au dossier de sa chaise.

– Sa femme a eu un accident.

Le sourire de P.C. s'effaça, tandis qu'Anna poussait un léger cri.

– Pauvre petite Maddie ! Rien de grave, j'espère ?

– Elle s'est cogné la tête assez violemment.

Henry mangeait avec appétit.

— Sa fille n'a rien. Ce crétin de fils Webster a pris un virage un peu vite et leur est rentré dedans. La voiture était arrêtée au milieu de la route. À cause d'un chien.

— C'est Maddie tout craché, dit Anna. Elle ne ferait pas de mal à une mouche. Je vais lui préparer des biscuits.

— Je crois qu'elle aime les gâteaux au chocolat, dit P.C. d'un air détaché. Je les lui porterai.

Il était surpris par sa propre audace. Henry lui adressa un regard perçant.

— Je croyais que tu cherchais Brent.

— Juste un geste amical. Il faut bien que quelqu'un prenne de ses nouvelles. Tu finis le gratin, Henry ?

Anna se leva pour prendre le plat à son mari.

— Henry, le garçon a faim.

— C'est bien ce que je craignais, soupira Henry.

P.C. fit celui qui n'avait rien entendu. Il avait l'intention de retourner en ville ce soir pour y chercher Brent, mais sans en souffler mot à Henry, qui avait l'esprit mal tourné.

— Conduis prudemment quand tu seras en ville, dit Henry.

— Bien, monsieur.

— On va avoir un chien, confia Em à Mel.

Elles étaient toutes les deux étendues sur le lit de Mel, entourées de bretzels et de hot dogs. L'idée que Three se faisait d'un repas équilibré.

Mel ouvrit brusquement les yeux.

— Tu leur as demandé ? Super.

Em hocha la tête.

— J'ai oublié de poser la question à mon père, mais ma mère est d'accord.

Elle revit le visage de sa mère quand elle l'avait quittée, et sa gorge se serra.

– Enfin, avant l'accident, ajouta-t-elle d'une voix qu'elle ne reconnut pas.

– Elle va bien, c'est ton père qui l'a dit. Pense au chien.

– On ira à la fourrière, dit Em en se répétant *chien chien chien* pour chasser ses pensées sombres. Comme ça, on sauvera un chien abandonné.

Mel approuva.

– Bonne idée. Je pourrai venir avec vous ?

– Oui, bien sûr.

Elles iraient toutes ensemble, elle, Mel, maman et tante Treva. Elle pensa à sa mère et à la lueur sombre dans ses yeux quand elle l'avait vue toute tremblante près de son père. Elle revit le regard qu'ils avaient échangé, comme s'ils se détestaient. *Chien chien chien*. Elle avala sa salive.

– Dès que ma mère ira mieux, on ira.

Sa mère allait se rétablir. Tout le monde le disait.

– Elle va se remettre. Elle est un peu bizarre à cause des pilules mais elle va se remettre, ajouta-t-elle d'un ton convaincu.

– Ce serait vraiment formidable, s'écria Mel avec enthousiasme.

L'enthousiasme de Mel était parfois épuisant, mais Em lui était reconnaissante de faire des efforts.

– Parce que maintenant qu'elle a été blessée dans un accident ton père va se rappeler qu'il l'aime, il va bien s'en occuper et tout ira pour le mieux.

– Il est parti au bowling, dit Em en croquant dans un bretzel pour éviter de regarder son amie.

– Ah, dit Mel.

Chien chien chien chien chien...

Chapitre 4

Maddie se réveilla à neuf heures. Elle avait moins mal. Maintenant la douleur était localisée dans sa tête, ce qui lui permettait de se raccrocher à cette partie de son corps. Elle descendit à la cuisine en prenant tout son temps, mais le téléphone se mit à sonner alors qu'elle essayait de lire l'étiquette de son flacon de médicaments. Elle se précipita avant que la sonnerie ne retentisse à nouveau et ne lui vrille les tympans.

— Maddie ? C'est maman. Comment te sens-tu ?

— Bien. *Ne crie pas comme ça.*

— Anna Henley a appelé pour savoir comment tu allais et c'est comme ça que j'ai été mise au courant de ton accident, claironna sa mère d'une voix vibrante d'indignation. Tu es sûre que ça va ?

— Oui, maman.

Sa tête allait tomber et son cou était complètement paralysé.

— Elle m'a dit que tu avais eu un choc à la tête. Et que ce n'était pas ta faute mais celle du petit Webster. Tous les mêmes ces Webster, on les connaît... Dieu merci, tu n'étais pas en tort. Je ne parviens pas à croire que tu ne m'aies pas appelée. Veux-tu que je vienne ?

Maddie fit la grimace.

— Non. Je vais très bien. Ne t'inquiète pas.

— As-tu l'intention d'annuler ta visite à ta grand-mère dimanche ? Je comprendrais très bien que tu n'y ailles pas.

— J'irai. *À condition que tu aies raccroché d'ici là.*

— Tu me sembles bizarre. Tu ne veux vraiment pas que je vienne ?

— Non. Mais il faudrait que tu me prêtes ta voiture un peu plus tard dans la semaine.

— Volontiers. Je peux même te l'amener tout de suite, il ne fait pas encore nuit. Je fais un saut et...

— Non.

Maddie se pressa les tempes. Si sa mère arrivait, elle allait la tuer. Vite, une diversion.

— On m'a raconté que Gloria Meyer allait divorcer.

— C'est vrai.

La voix de sa mère plongea sur « vrai », et Maddie sut que l'histoire valait le coup. Celle de Maddie, en temps et heure, serait aussi très appréciée. Aucun doute là-dessus. *Peut-être que Brent ne me trompe pas*, se dit-elle. *Peut-être qu'il dit la vérité et qu'il s'agit d'une mauvaise plaisanterie.*

— Son mari prétend qu'elle refuse de coucher avec lui. Tu te rends compte ?

Maddie songea à Barry Meyer. Une fois, Treva l'avait traité de petit phacochère chétif, ce qui les avait rendues malades de rire.

— Tout à fait. Sans compter qu'il ne tond jamais la pelouse.

— Tu ne crois pas si bien dire. Elle se plaint qu'il ne fait jamais rien à la maison. Je suppose qu'il n'est pas bon à grand-chose mais...

La voix de sa mère chuta dans les graves.

— On m'a raconté qu'elle voyait quelqu'un d'autre.

— Gloria ?

Maddie essaya de s'imaginer Gloria et Brent ensemble. Gloria en slip sans fond ? Impossible.

— Ça doit être le livreur de pizzas.

— En tout cas, je suis très étonnée.

— Moi aussi. Mais je croirais volontiers que Gloria ne couche pas avec son mari, parce que j'ai du mal à l'imaginer dans un lit avec qui que ce soit.

Elle s'assit sur le tabouret près du téléphone, les yeux fixés sur les aiguilles de la pendule. Si elle tenait le coup deux minutes de plus, il serait alors évident qu'elle allait bien et elle pourrait raccrocher sans que sa mère se ronge les sangs. Deux minutes sans que sa tête tombe.

— Les gens sont surprenants, disait sa mère. On croit les connaître et puis voilà qu'un beau jour...

— Quoi donc ? Ils divorcent ? *Je crois que je vais vomir.*

— Non, je parlais de la liaison de Gloria.

— Raccroche et essaie de savoir qui est son amant, lança Maddie en priant le ciel que ce ne soit pas Brent. Je ne parviens pas à croire que tu perdes un temps aussi précieux avec moi.

— Maddie, comment veux-tu que je puisse savoir une chose pareille ?

— Qui t'a raconté qu'elle ne couchait plus avec Barry ?

— Il l'a dit à son frère qui l'a raconté à sa femme qui l'a répété à la fille d'Esther.

Maddie ferma les yeux.

— Parfait. Comment va Esther ?

— Bien. Tu es sûre que ta tête ne te fait pas souffrir ?

Distraire sa mère exigeait une grande concentration.

— Parlons plutôt de Gloria.

— Si tu veux mon avis, il y a quelque chose qui cloche chez cette fille. Tu te souviens, au collège, de sa crise d'hystérie parce qu'on ne l'avait pas intégrée à la National Honor Society ? Elle s'était carrément évanouie dans le gymnase.

— J'ai dû manquer un épisode.

Maddie essaya de se rappeler la Gloria d'autrefois, rasant les murs, d'une pâleur impressionnante. Seul Brent, le grand joueur de football, le héros du lycée, lui faisait monter le sang au visage. Si elle avait su, elle le lui aurait laissé.

— Elle a trois ans de moins que moi. J'étais au lycée quand elle était encore au collège.

— Laisse-moi te dire que c'était quelque chose. Elle retenait sa respiration et virait au bleu. Remarque, cela ne faisait pas grande différence, puisqu'elle a toujours été un peu bleue de toute façon. Enfin, cette femme ne s'alimente pas correctement. Mais elle est du genre à obtenir tout ce qu'elle veut. Ces fragiles petites choses qui donnent l'impression qu'elles vont s'évaporer au moindre souffle d'air sont les plus dangereuses.

— Exact, renchérit Maddie.

Et elle se promit de se le rappeler. Ça pouvait toujours servir.

— Regarde Candace, à la banque.

Maddie songea à Candace, à la banque. Une blonde pleine de bon sens, solide, intelligente, sportive, capable de remporter des parties de bras de fer avec la moitié de sa clientèle.

— Il ne me semble pas que Candace soit particulièrement évanescente...

— C'est son ascendance allemande. Elle est solide comme un roc mais elle sourit, elle sourit et du jour au lendemain on la retrouve à la tête de la banque !

— Oui. Et alors ? dit Maddie qui ne comprenait plus rien.

— D'où vient-elle, je te le demande ? Certainement pas d'un milieu aisé, dit la mère de Maddie avec une pointe de mépris. Une Lowery ! Tu penses ! Et la voilà à la tête de la banque parce que Harold Whitehead est un bon à rien.

On l'a installé dans le fauteuil de P.-D. G. pour la galerie, et en attendant c'est elle qui contrôle tout.

Maddie revit Candace au lycée, portant des vêtements tristes, travaillant d'arrache-pied pour avoir une bourse, se frayant peu à peu un chemin dans un monde hostile. Candace n'avait pas laissé la ville la modeler ou la dominer. Peut-être devrait-elle la prendre pour exemple ?

— Maman, Candace a travaillé très dur pour en arriver là.

— Je sais bien. Mais à la voir, on ne le dirait pas. Un vrai glaçon.

— Je croyais que tu la trouvais sympathique.

— Mais je l'aime beaucoup, protesta sa mère. C'est une personne charmante. Je suis tout simplement stupéfaite qu'une Lowery dirige la banque.

— Tout cela est trop compliqué pour moi. Il faut que j'y aille... Rappelle-moi si tu as du nouveau concernant Gloria.

— Elle a pris Wilbur Carter comme avocat, dit brusquement sa mère. Cette femme est complètement idiote. Tout le monde sait bien que pour trouver un avocat correct il faut aller à Lima.

Maddie nota mentalement « se procurer un Bottin de Lima ». C'était déjà assez pénible de divorcer, elle n'allait pas en plus passer pour une imbécile. Sa mère avait une réputation à défendre.

— Bon, maman, je retourne me coucher. Prends soin de toi et surtout ne t'inquiète pas.

— Comment veux-tu que je ne m'inquiète pas ? D'ailleurs je vais rester près du téléphone. Si tu as besoin de quoi que ce soit, tu m'appelles.

— Merci, maman. Je t'aime.

— Moi, aussi je t'aime, Maddie. Surtout, repose-toi.

Il faudrait que je sois plus gentille avec cette femme, songea Maddie en raccrochant. Elle retourna à la cuisine, prit un verre d'eau et avala deux cachets supplémentaires. Puis elle sortit sur la véranda et s'assit dans un fauteuil pour respirer un peu les parfums de l'été. Elle ne sentit que l'odeur du bitume de l'allée. La véranda manquait de chèvrefeuille. Elle imagina la rambarde et la rampe de l'escalier couvertes de fleurs jaunes en forme de clochettes, et essaya de s'en remémorer le parfum, pour oublier sa mère, Em et Brent. Brent, le seul homme qu'elle eût connu depuis le lycée.

Le lycée. Les jours de gloire. Comme cette fois où Howie s'était fait coller parce qu'il avait ouvert le gymnase de nuit afin de s'entraîner avec Brent. Au cours de la finale des championnats, Brent avait marqué deux essais et, tout de suite après, embrassé Margaret Erlenmeyer. À ce signe Maddie aurait dû comprendre ce que l'avenir lui réservait... Au lieu de quoi elle avait décidé de se venger... et fini sur le siège arrière de la Chevrolet de P.C. Et ça lui avait rapporté quoi ? Sinon l'extase, du moins un moment très agréable. Elle se souvenait qu'ils avaient bien ri. Ce vieux P.C. ! Treva avait raison. Coucher avec P.C. la vengerait de Brent.

Elle se rappela le visage de P.C. aujourd'hui, qui n'était plus l'image brouillée de ses dix-huit ans. Il semblait équilibré, solide, sûr de lui. P.C. Sturgis, un citoyen au-dessus de tout soupçon. Elle était bien bonne, celle-là. Solide ou pas, elle allait faire l'amour avec lui. Mais P.C. n'était certainement pas aussi frustré aujourd'hui qu'il ne l'était il y a vingt ans. Et puis l'adultère n'était pas son style. Son style à elle, c'était la gentille Maddie. Pas la femme adultère. Alors elle se mit à souhaiter que P.C. quitte la ville au plus vite. Elle avait assez de problèmes comme ça.

L'analgésique avait fait son effet, elle se sentait tout engourdie et cette torpeur la changeait agréablement de l'état de surexcitation qui avait précédé. C'était peut-être le moment de regarder la vie du bon côté. Mais, bon Dieu, où était-il donc passé, le bon côté de la vie ?

Eh bien... Brent avait une belle situation dans l'entreprise de construction. Il était un vendeur exceptionnel, un bon père et très certainement un salaud qui la trompait, mais comment le quitter ? Comment se débarrasser du père d'Em à l'exception d'une nuit par semaine et d'un week-end sur deux ? Surtout depuis qu'il passait son temps au bowling... Elle eut une vision de sa fille chaussée de baskets orange à semelle plastique, cherchant Brent dans une foule d'hommes à gros ventre avec des slogans publicitaires sur leur tee-shirt. Ça ne pouvait pas être bon pour elle.

À moins que Brent ne se trouve pas si souvent que cela au bowling... Treva avait sans doute raison. Ce soir, il était peut-être ailleurs. En proie à des pensées décousues et incohérentes, Maddie prit brusquement une décision. Elle rentra dans la maison et appela Treva pour lui emprunter sa voiture. Ce fut Three qui décrocha.

— Je fais du baby-sitting avec les Gremlins. Maman est sortie.

— C'est pas grave... Salut.

Elle se résolut à appeler sa mère.

— Je peux t'emprunter ta voiture ? Je n'en aurai pas pour longtemps.

Elle résista héroïquement à ses questions puis partit à pied, saluant Mme Crosby au passage.

Dix minutes plus tard, elle garait l'Accord grise de sa mère dans le parking du bowling. Elle en fit deux fois le tour. Avec les cachets qu'elle avait pris, elle n'avait pas les idées très claires, mais une chose était certaine, la Cadillac de Brent n'était pas là. Maddie repéra la petite Sunbird jaune de Treva, ce qui la décontenança un peu, et la Saturn dorée de Howie, garée près d'une décapotable rouge qui ressemblait beaucoup à celle de P.C. Mais pas de Cadillac. Donc Brent avait menti. Surprise, surprise.

— Maddie ?

Elle se retourna et malgré l'obscurité reconnut M. Scott, le propriétaire du bowling, qui se tenait devant l'entrée.

— J'ai vu la voiture de ta mère, lui dit-il. Tu as besoin de quelque chose ? J'ai appris que tu avais eu un accident. Je peux t'aider ?

— C'est gentil de vous inquiéter pour moi, monsieur Scott, mais tout va bien, merci.

Elle remonta aussitôt dans l'Accord. Impossible de se promener incognito à Frog Point, où des milliers d'yeux vous observaient dans la nuit.

Dans le bowling, P.C. s'était assis à l'extrémité d'un bar en plastique orange et regardait le finale d'un drame qu'il aurait trouvé distrayant s'il n'avait concerné deux personnes qu'il aimait bien. À l'autre bout du bar, Howie Basset, un ailier formidable dont P.C. se souvenait avec respect, était assis à un siège de son épouse, Treva Hanes, autrefois grande supportrice et la meilleure amie de Maddie. Tous les deux avaient l'air si malheureux que dès le lendemain toute la ville parlerait de leur divorce.

— Ça me fait de la peine, dit Vince le nez dans sa bière. Howie est un type épatant.

— Brent Faraday ne s'est pas trompé en choisissant son associé, dit P.C., et Vince hocha la tête.

— Ce sale con.

Après une journée passée à quadriller la ville pour essayer de repérer où était passé Brent, P.C. l'avait trouvé par le plus grand des hasards jouant au bowling avec son père, Norman Faraday, l'ancien maire de Frog Point, dans l'allée voisine de celle de Vince. Brent, interloqué, avait salué P.C. de loin. Inutile d'aborder Brent alors que Norman était dans les parages et, de toute façon, ce salopard ne partirait pas avant d'avoir terminé sa partie. Trois anciennes camarades de lycée de P.C. voulurent lui offrir une bière pour lui souhaiter la bienvenue.

— Tu commences à me rendre jaloux, mon vieux, dit Vince quand la troisième eut tourné les talons.

— Pas mon type, dit P.C. tout en surveillant Brent du coin de l'œil.

— Ton type, on le connaît. Elle est mariée.

P.C. ne répondit rien. Il surveillait Brent et le père de celui-ci. Au cours de la demi-heure qui suivit, Norman apostropha plusieurs personnes et discourut d'une voix forte sur la candidature de son fils aux élections municipales. Selon lui, ce serait un honneur pour Frog Point d'avoir Brent à sa tête. Brent serrait des mains, mais à chaque proposition il secouait la tête, le visage fermé.

— Non, je ne suis pas intéressé. Je vous remercie beaucoup.

Imperturbable, Norman balayait ses objections d'un revers de main et se trouvait un autre interlocuteur pour lui présenter son fils, le prochain maire de la ville. Si P.C. n'avait éprouvé une telle antipathie pour Brent, il aurait été désolé pour lui.

Quand Brent et son père rejoignirent le bar à la fin de leur partie, P.C. attrapa Vince par le bras et ils s'approchèrent d'eux. Ils commandèrent une bière tout en prêtant une oreille attentive à la discussion des Faraday. Brent s'obstinait dans ses dénégations et Norman y prêtait de moins en moins d'attention, comme si la résistance de Brent n'entamait en rien sa résolution.

— Il nous manquait plus que ça, un autre Faraday comme maire, dit Vince. Andouilles père et fils.

— Brent n'est pas vraiment d'accord, fit remarquer P.C.

— Aucune importance. Si Norman, appuyé par

Helena, estime qu'il doit se présenter, Brent est coincé. Ce pauvre crétin sera maire de gré ou de force.

Les Faraday se préparaient à partir. P.C. se leva, et se rassit aussitôt quand Brent fut rejoint par Howie Basset.

— Intéressant, intervint Vince. Il y a des bruits qui courent.

— Tu m'étonnes. Ce sont les bruits et les rumeurs qui alimentent cette ville.

P.C. voulut s'en aller, mais sa curiosité était trop forte. Après tout, il était supposé faire une enquête. Une enquête n'avait rien à voir avec des commérages.

— Parle-moi de ces rumeurs, dit-il à Vince.

— Des problèmes à l'entreprise de construction. Détournements de fonds. Enfin, c'est ce qu'on dit. Et si c'est vrai, Howie n'y est certainement pour rien.

— Je suis d'accord sur ce point.

P.C. avait joué au foot avec Howie. Il ne le connaissait pas très bien mais savait qu'il avait du cœur et jouait franc jeu. Pour l'instant, il était fou de rage après Brent qu'il poussait visiblement dans ses retranchements. P.C. regardait les émotions se succéder sur le visage de Brent tandis qu'il le prenait de haut, puis tentait de raisonner Howie, et enfin de se défiler.

La femme de Howie s'approcha alors du bar, assena une claque dans le dos de Brent et dit d'une voix acerbe :

— Ça tombe bien, je te cherchais.

Des têtes se tournèrent. Treva pâlit en découvrant Howie qui était caché par Brent.

— Eh bien, maintenant que tu m'as trouvé, je te laisse avec ton mari, dit Brent en jetant quelques billets. Amusez-vous bien.

Et il s'éloigna.

Treva alla s'affaler sur le siège le plus proche, laissant une place vide entre elle et Howie.

— Quelle poisse ! s'exclama Vince.

P.C. les observa quelques secondes d'un œil compatissant, avant de se lancer sur les traces de Brent.

Celui-ci avait disparu. Le parking faisait le tour du bowling et P.C. l'avait pris dans le mauvais sens. Avec Norman, Howie et Treva dans les parages, Brent n'avait pas traîné. P.C. ne parvenait pas à admettre qu'il ait pu passer la journée à chercher Brent dans Frog Point sans le trouver. Il devait savoir qu'on le cherchait, il ne voyait pas d'autre explication. Voilà qui ne présageait rien de bon pour les futurs investissements de Sheila et de son fiancé.

P.C. retourna auprès de Vince.

— Tu l'as trouvé ? demanda Vince.

— Qui donc ?

— Brent. Le type que tu cherches dans toute la ville depuis ce matin.

— Non. Raconte-moi ce que tu sais sur l'entreprise de construction.

— Henry est au courant de ton enquête ?

Le visage couvert de taches de rousseur de Vince était devenu méfiant.

— Je suppose que tu as tes raisons et que tu n'es pas venu jusqu'ici juste pour embêter ce crétin ? Si Henry est au courant, je veux bien t'aider, mais j'ai intérêt à me montrer discret parce qu'il n'apprécierait pas que je te renseigne.

— J'ai parlé à Henry.

P.C. regarda Treva se pencher vers Howie d'un air suppliant. L'expression de son visage aurait ému le cœur de n'importe quel homme. Cependant, elle faisait peut-être équipe avec Brent Faraday pour enfoncer Howie.

— Dans quel pétrin s'est fourré Brent ? demanda P.C. à Vince.

— L'année dernière, ils ont construit une maison pour Dottie Wylie et elle affirme qu'ils l'ont escroquée.

P.C. redoubla d'attention.

— Comment ça ? Elle a découvert des vices de construction ?

— Non.

Vince fronça les sourcils.

— Howie construit du solide. D'ailleurs, il a travaillé pour moi. Mais Dottie dit qu'elle a payé une somme trop élevée. Et c'est Brent qui s'occupe des comptes. Il estime les maisons, les vend, et tient la comptabilité. Howie est un entrepreneur mais Brent...

Vince cherchait ses mots.

— Brent est un revendeur. Je veux bien lui acheter une maison construite par Howie, mais une voiture d'occasion, sûrement pas.

P.C. fit un rapprochement avec le problème de Sheila. L'entreprise était fiable, les maisons conçues par Howie étaient solides, mais Brent était chargé de l'aspect financier de l'affaire et Stan, le fiancé de Sheila, allait donner deux cent quatre-vingt mille dollars à une personne dont Vince se méfiait comme de la peste. Si Vince ne lui faisait pas confiance, c'était que quelque chose ne tournait pas rond. Et si P.C. rapprochait ces commentaires de ceux de Henry et Anna au cours du dîner, il ne lui restait plus qu'à tirer ses propres conclusions, appeler Sheila et lui dire d'alerter Stan.

Mais il devait attendre un peu. La correction exigeait qu'il parle d'abord à Howie. Sheila n'aurait pas été d'accord car elle estimait qu'il s'agissait d'une affaire entre Stan et Brent. Mais Howie était tout de même directement concerné. P.C. comptait sur lui pour remettre un peu d'ordre. Alors Brent serait arrêté, et désigné aux yeux de tous comme le traître qu'il était.

Mais pour le moment, Howie ne semblait pas dans son état normal. Il paraissait furieux et buté.

— Il faut que je parle à Howie Basset, dit P.C.

— À ta place, j'attendrais demain, répondit Vince.

En face d'eux, Treva, les traits tirés, tentait de raisonner Howie qui secouait la tête. La compassion serra le cœur de P.C. Des gens si sympathiques. Cela faisait de la peine de les voir dans cette situation. Encore une chose à mettre sur le compte de Brent Faraday. Et il n'osait imaginer ce que Brent lui-même avait fait à Maddie pour la mettre dans l'état où elle se trouvait.

P.C. se jura qu'il ne s'en sortirait pas comme ça.

Maddie passa une heure à tourner en ville, inspectant les parkings des bars et celui de l'unique motel de Frog Point avec la désagréable impression d'incarner le cliché de la femme trompée. Elle finit par se garer au bord de la route pour réfléchir. Où irait-elle si elle désirait se retrouver seule avec un homme qui ne serait pas Brent ? Elle chercha un endroit où personne à Frog Point ne pourrait la repérer. Comment avait-elle pu être assez sotte pour s'imaginer que Brent irait s'afficher dans les bars ? Personne à Frog Point n'était au courant de sa trahison. Il devait donc avoir pris toutes les précautions pour donner ses rendez-vous dans un endroit inaccessible.

Ce ne pouvait être que la Pointe. Elle avait presque oublié qu'autrefois tout le monde allait à la Pointe pour s'envoyer en l'air. L'endroit était passé de mode depuis que Brent et Howie avaient barré la route et construit le siège de l'entreprise en bas de la colline. Un mois auparavant, ils y avaient même planté un panneau et posté un gardien de nuit. La Pointe comme lieu de galipettes en plein air avait vécu.

Mais pas pour Brent. Bailey, le gardien de nuit, chasserait tous les apprentis forniqueurs mais laisserait passer la voiture de Brent. Et comme il ne connaissait pas l'Accord de la mère de Maddie, il l'arrêterait, reconnaîtrait Maddie et essaierait de la persuader de ne pas entrer.

Le lendemain à la première heure, toute la ville saurait que Maddie avait poursuivi Brent à la Pointe.

Il lui fallait trouver un autre moyen de s'y rendre.

Elle sortit de la ville, prit une route cahoteuse, dépassa l'allée qui conduisait à l'entreprise et alla se garer sous les branches bruissantes des ormes plantés le long d'un fossé. Les bois entre la route et la Pointe étaient mal entretenus et on y progressait difficilement, mais ils n'étaient pas impénétrables. Petite, elle allait y cueillir des champignons avec ses grands-parents. Et c'est là qu'elle avait ramassé la plus grande partie de sa collection de feuilles pour son cours de sciences naturelles quand elle était adolescente. Ce soir, elle n'aurait donc aucune difficulté à y surprendre son mari en train de commettre l'adultère. Malgré la chaleur, elle frissonna. *Il faut que je sache,* se dit-elle. *Que je le voie de mes yeux avant de foutre en l'air la vie d'Em.*

Les branches lui égratignaient les mains et se prenaient dans ses cheveux, mais si elle était prise de vertige elle pourrait toujours s'appuyer à un arbre. Le sol spongieux, couvert d'humus, dégageait l'odeur des feuilles en décomposition et attachait aux semelles de ses chaussures de sport. Elle prit garde à ne pas glisser. Les sauterelles stridulaient avec frénésie, aiguillonnées par la chaleur. Tandis qu'elle se rapprochait de la Pointe, la brise agitait les fleurs sauvages et la douce odeur du chèvrefeuille ramenait Maddie vingt ans en arrière. Le chèvrefeuille, les sauterelles, la chaleur... Elle revit la lune un certain soir... et P.C. à l'arrière de la Chevrolet qui l'embrassait et la faisait rire tout en se bagarrant avec les agrafes de son soutien-gorge.

Elle atteignit l'orée du bois, s'arrêta derrière un arbre et regarda le grand espace gravillonné en contrebas. La Pointe.

La voiture de Brent était bien là.

Maddie s'appuya à un arbre. Maintenant qu'elle tenait

la preuve qu'elle cherchait, son énergie la lâchait. Ce slip était une mauvaise plaisanterie, disait Brent... La lune décroissante jetait une faible lumière sur le siège avant de la Cadillac et Maddie le voyait hocher la tête en direction de la personne qui se trouvait à ses côtés. Il parlait avec animation et elle se pencha pour mieux scruter l'obscurité. La passagère s'immobilisa brusquement, comme si elle avait aperçu quelque chose, et Maddie recula de crainte qu'on ne l'eût repérée.

Brent et sa passagère sortirent du véhicule. Avant qu'ils ne grimpent tous les deux sur le siège arrière plongé dans l'obscurité, Maddie aperçut une mèche de cheveux pâles par-dessus le toit de la Cadillac. Ce n'était pas Beth. Et cette femme ne l'avait certainement pas vue, sinon elle aurait averti Brent. Maddie distinguait à peine leurs visages à présent. Ils disparurent, et elle comprit qu'ils s'étaient allongés sur le siège arrière.

Le salopard.

Que se passerait-il si elle les rejoignait et ouvrait tranquillement la portière en lançant : « Je n'ai pas bien compris cette plaisanterie au sujet du slip, vous pourriez répéter ? » Treva n'aurait pas hésité, elle. Mais Treva ne se serait jamais trouvée dans cette situation. Elle était mariée à Howie, le mari exemplaire. C'était Maddie qui avait épousé Brent. Qu'il aille au diable. Elle songea à la tête qu'il ferait si elle ouvrait la portière. Au moins, elle saurait à qui appartenait ce slip répugnant. Une situation de ce genre n'appelait pas la courtoisie.

Vas-y.

Elle fit un pas. Quelque chose bougea dans les arbres.

Elle recula et scruta l'obscurité. Un cerf. En tout cas, une personne ou un animal de haute taille. Elle resta aux aguets et à nouveau les branches s'agitèrent. Peut-être s'agissait-il de bigfoot, ou du tueur en série auquel elle avait pensé l'après-midi. Deux éventualités surréalistes à

Frog Point, mais la journée qu'elle venait de passer et la situation dans laquelle elle se trouvait ne tenaient-elles pas du mauvais rêve ?

Elle attendit une bonne minute, maintenant convaincue qu'elle était le jouet de son imagination, mais à l'instant où elle s'apprêtait à bouger, un homme s'avança dans la clairière et se dirigea vers la voiture. Il regarda à l'intérieur tout en gardant ses distances. Bailey, le gardien de nuit. Maddie s'adossa à un arbre, partagée entre le rire et les larmes. Elle aurait dû deviner que Bailey viendrait se rincer l'œil. Ici, la nuit, les distractions étaient rares. Si Bailey était resté un peu plus longtemps dans les bois, il aurait même eu la satisfaction de la voir ouvrir la portière de la voiture de Brent et piquer une crise qui aurait résonné dans toute la ville. Et dans la minute qui aurait suivi, Frog Point s'en serait donné à cœur joie.

Très bien, elle attendrait qu'ils ressortent.

Les ombres sur le siège arrière commencèrent à bouger. Maddie ferma les yeux. Ils faisaient l'amour pendant qu'elle attendait et que Bailey regardait. Trop c'était trop. Elle s'assit au pied d'un arbre. Elle voulait en finir, que Bailey s'en aille pour qu'elle puisse enfin rentrer chez elle. Au lieu de cela elle restait assise par terre pendant que son mari faisait l'amour à une autre, et cette seule pensée la rendait malade. Quelle importance, le nom de sa maîtresse ? Elle le saurait bien assez tôt quand elle quitterait Brent. L'essentiel était d'avoir pris une décision. Elle allait le quitter. Le reste importait peu.

Maddie se leva. La journée avait été suffisamment pénible pour qu'elle ne se donne pas en plus en spectacle devant Bailey. Tôt ou tard, Brent rentrerait à la maison et elle l'insulterait en privé. Il l'avait plongée dans l'angoisse avec ses explications stupides mais maintenant la plaisanterie était terminée. Elle savait.

Elle prit le chemin du retour. Bien que glissant sur

l'humus, elle retrouva facilement son chemin. Quand elle eut rejoint sa voiture, elle retira ses chaussures maculées et les posa à l'arrière de l'Accord, sur le journal que sa mère avait mis là pour recevoir les parapluies et les objets salissants. Ne pas salir était le moins qu'elle pouvait faire. Puis elle s'affala sur le siège du conducteur. L'effet des calmants diminuait et la douleur dans sa tête commençait à lancer.

Et merde, se dit-elle, *il ne manquait plus que ça.* Elle mit le contact et rentra chez elle.

P.C. somnolait dans sa voiture. Il l'avait garée dans la rue bordée d'arbres où habitait Maddie. Quand il vit arriver celle-ci il était onze heures trente. Il n'aimait pas sa jolie maison bleue aux volets blancs et à la grande véranda. Car Brent y vivait et le voisinage était typique de Frog Point : quelques instants plus tôt, il avait surpris des voisins qui l'observaient derrière leurs rideaux. Quand l'Accord arriva, il faillit se mettre à gronder. Puis il regarda Maddie descendre de voiture et son agressivité s'évanouit. Le lampadaire de la rue éclairait vaguement le jardin, mais P.C. ne pouvait distinguer le visage de la jeune femme appuyée à la voiture.

Il faillit aller vers elle. S'il y avait une personne au monde dont il ne supportait pas qu'elle souffre, c'était bien Maddie. Soudain, le souvenir de l'école primaire qu'Anna avait évoqué au dîner lui revint en mémoire avec une clarté troublante.

C'était lors de la dernière semaine d'école, dans la cour de récréation. P.C. sentit l'odeur de la poussière qui flottait dans l'atmosphère et le goût du sang dans sa bouche. Il venait de flanquer une raclée à Pete Murphy qui l'avait traité de connard, et il avait pris la fuite, à peu près certain qu'il n'échapperait pas à Mme Widdington, tout en nourrissant le faible espoir qu'elle l'oublierait avant que sonne la cloche de midi. Il avait tourné le coin du bâtiment pour aller se cacher dans un des escaliers de secours en fer noirci et était tombé nez à nez avec Maddie Martindale, une pimbêche du cours moyen deuxième année. Il voulut s'en aller mais resta cloué sur place, fasciné.

Elle était assise sur la sixième marche d'un des escaliers, et on aurait dit qu'elle sortait d'un catalogue de chez Sears. Ses cheveux bruns et brillants étaient retenus par un gros ruban rouge, elle portait une robe écossaise avec un col d'un blanc aveuglant dans le soleil. P.C. se rappela que d'une main il avait essuyé le sang de sa bouche et de l'autre, essayé d'épousseter sa chemise déchirée et pleine de poussière. Ses mains sales n'avaient rien arrangé. Il avait alors regardé celles de Maddie, aux ongles vernis d'un rouge vif de la même couleur que sa robe. Et il avait compris que quelque chose n'allait pas parce qu'elle grattait le vernis de son pouce droit, qui était maintenant tout écaillé.

— Ça a pas l'air d'aller, avait-il lancé en s'essuyant les mains, à son pantalon cette fois, embarrassé par l'état de sa tenue et furieux contre lui-même.

Elle avait levé vers lui des yeux gonflés de larmes.

— Mon papa est mort.

Même à P.C., roi du « j'en ai rien à cirer », une telle déclaration faisait de l'effet. Et même si son père à lui était mort depuis longtemps, si longtemps qu'il l'avait presque oublié.

— Quand ça ? demanda-t-il.

— Mardi.

Il compta. On était lundi. Six jours.

— C'est moche.

Et après un instant de silence, il ajouta :

— Je suis désolé.

Elle hocha la tête, se remit à écailler son vernis, et P.C. sentit tout son être appelé vers elle. Elle était si jolie, si lumineuse, qu'il fallait que quelqu'un la réconforte. Il fouilla dans sa poche et n'y trouva qu'un chewing-gum aux fruits enveloppé d'un papier argent déchiré.

Il leva la tête et vit qu'elle le regardait.

— Tiens, lui dit-il.

Et il lui tendit le chewing-gum.

Elle le prit précautionneusement. Il semblait si sale dans ses mains que P.C., faillit le reprendre et s'enfuir à toutes jambes. Mais Maddie l'avait déjà dépouillé de son enveloppe, détachant soigneusement le papier argent qui était resté collé. Elle le coupa en deux et lui en tendit la moitié.

Il avala sa salive, le prit, et elle lui fit une place à côté d'elle sur l'escalier. Il s'assit près d'elle en prenant garde à ce que sa chemise sale ne la touche pas. Ils mâchèrent tous les deux le chewing-gum au soleil.

C'était à coup sûr le meilleur souvenir de l'année de ses dix ans.

Et puis Mme Widdington avait surgi en hurlant :

— P.C. Sturgis !

Elle s'était interrompue en voyant l'élève qui l'accompagnait.

— Bonjour, Madeline, avait-elle susurré d'une voix brusquement radoucie. Comment vas-tu ?

— Bien, avait dit Maddie.

— Tant mieux. Tant mieux.

La vieille Widdy avait pris un air idiot. Puis elle s'était tournée vers P.C. Il s'était levé en prenant bien soin de ne pas toucher Maddie et avait descendu les marches, prêt à affronter ce qui l'attendait.

Widdy l'avait attrapé par le col de sa chemise et entraîné avec elle. Puis elle s'était brusquement retournée vers Maddie, la chemise de P.C. froissée dans son poing.

— Tu as besoin de quelque chose, Madeline ? Je peux faire quelque chose pour toi ?

Il lui avait jeté un coup d'œil par-dessus son épaule.

– Oui. J'aimerais que ce garçon reste avec moi.

Widdy en était restée sans voix. Puis elle avait dit que non, elle était désolée mais c'était impossible, il était méchant. Et elle l'avait traîné chez le principal, où il avait reçu une correction pour lui apprendre à ne pas taper sur les autres. Mais il s'en moquait. Il entendait la voix de Maddie : « J'aimerais que ce garçon reste avec moi. »

Sa bagarre lui avait valu une semaine de renvoi. L'année scolaire avait pris fin, l'année suivante Maddie était entrée au collège et, quand P.C. l'avait rejointe, elle était dans la classe pour élèves brillants et lui dans celle des crétins. On avait jugé qu'il souffrait de troubles du comportement. Il la voyait donc assez peu mais cela n'avait pas d'importance. Il lui suffisait de fermer les yeux et elle était là près de lui, elle lui disait : « J'aimerais que ce garçon reste avec moi. »

Ce soir cependant, elle ne disait rien. Il la regardait s'avancer à pas comptés vers la véranda. Il mourait d'envie de la rejoindre. Il ne fallait pas qu'elle reste seule. Mais si on la voyait avec lui, les gens jaseraient. D'ailleurs, ils étaient probablement déjà en train de la surveiller. Et Henry ne lui pardonnerait pas. Il allait se décider à retourner chez Anna à la ferme quand Maddie s'appuya à la balustrade de la véranda. Elle semblait sur le point de s'effondrer. P.C. bondit hors de sa voiture.

– Maddie ?

Elle se tourna vers lui tandis qu'il montait l'allée.

– J'attendais Brent, lança-t-il. Tu es sûre que ça va ?

– C'est toi... dit-elle d'une voix éteinte. Je croyais qu'un type m'avait suivie. Quelle journée !

– Elle tire à sa fin, ironisa-t-il d'un ton qui se voulait jovial. Plus qu'une demi-heure.

Maddie tituba. P.C. la prit par le bras pour la soutenir

et remarqua alors qu'elle était nu-pieds. Cette vulnérabilité le désarma.

— Comment te sens-tu ? demanda-t-il en s'avançant pour l'aider à monter jusqu'à la véranda.

Mais elle se laissa aller contre lui. Il lui passa un bras autour des épaules et son cœur battit plus vite. Il savait qu'il avait tort.

— Maddie, veux-tu que j'appelle un médecin ?

Elle secoua légèrement la tête, le front contre sa poitrine, et ses boucles lui caressèrent le menton. Elles étaient si douces qu'il n'y résista plus, la prit dans ses bras et la serra contre lui pour la protéger. Et aussi parce qu'il la désirait.

— Je suis désolé, Mad. Je ne sais pas exactement ce qui se passe, mais ça ne me plaît pas du tout. Que puis-je faire ?

Elle poussa un gros soupir entrecoupé.

— Eh bien, pour commencer, arrête d'être aussi gentil ou je vais tremper ta chemise.

— Cela ne me dérange pas.

Il avait en horreur les femmes qui pleuraient mais, tant qu'il pouvait la tenir contre lui, il était même permis à Maddie de se moucher dans sa chemise si ça lui plaisait.

— Allons-y.

Elle se pelotonna contre lui un instant et il resserra son étreinte. Puis elle dit d'une voix pratiquement normale :

— Te rends-tu compte que nous sommes au milieu de mon jardin ? Toute la rue peut nous voir.

Elle leva son visage vers lui et, en voyant son sourire noyé, le cœur lui manqua.

— Ta réputation va en prendre un coup, murmura-t-elle.

— Tu penses, une réputation comme la mienne. C'est fou ce qu'on m'apprécie, dans ce bled.

— Moi je t'apprécie.

Il en oublia un instant de respirer et elle en profita pour se dégager. Il ressentit un grand vide.

— Merci, P.C. J'avais vraiment besoin de ne plus me sentir seule, ne serait-ce qu'une minute.

— Tu n'es pas seule.

Il avait envie de la kidnapper et de l'emmener chez Anna pour s'assurer qu'elle ne serait plus jamais malheureuse. Mais comment oublier Brent et leur petite fille ? C'était trop tard.

— Prends bien soin de toi, Mad, dit-il en s'éloignant. Si jamais tu as besoin de quoi que ce soit...

Un tendre « Merci » le suivit le long de l'allée et, le temps qu'il rejoigne la voiture, Maddie avait disparu.

Il resta à regarder les lumières s'allumer et s'éteindre dans la maison, essayant de penser à autre chose alors que son esprit et son corps se consumaient pour elle. Vivement qu'il s'en aille ! Demain, il retrouverait Brent. Ce salopard ne pourrait pas se défiler éternellement. Et puis il mettrait les voiles. Comptable à Frog Point ? Non, merci. Il ne manquerait plus que ça.

Le vendredi matin arriva trop vite. Maddie se retourna dans son lit et elle le regretta aussitôt. Sa tête la faisait souffrir et la seule pensée d'ouvrir les yeux lui était intolérable. Quand elle s'y résolut enfin, son cerveau réagit plutôt mal, et il lui fallut une bonne minute avant de s'aventurer à jeter un coup d'œil du côté de Brent. Il avait disparu.

Eh bien, elle pouvait compter sur lui pour n'être jamais là quand on avait besoin de lui... Elle avait lu quelque part que les femmes et les enfants maltraités faisaient preuve d'une grande endurance tant que les offenses suivaient une certaine logique. Aujourd'hui Brent se conduisait avec une certaine logique. Si elle restait avec lui, elle savait qu'il la tromperait mais qu'il ne la quitterait pas. Beaucoup de femmes s'en contentaient.

L'avenir s'étendait devant elle, fait de colères rentrées, de douleurs muettes, de solitude. Plus jamais elle ne se sentirait rassurée et protégée. Elle ferma les yeux et songea à P.C. qui l'avait serrée contre lui dans l'obscurité en lui disant qu'il n'aimait pas la savoir malheureuse. Il n'était pas beaucoup plus qu'un étranger, et pourtant il lui avait apporté plus de réconfort que Brent au cours des cinq années qui venaient de s'écouler. Si elle restait avec Brent, rien ne changerait jamais.

Ça suffit, se dit-elle, et elle se leva pour se préparer à se battre.

Chapitre 5

Debout dans sa cuisine inondée de soleil, Maddie avala ses cachets contre la douleur. Tout son corps la faisait souffrir, et ce n'était pas seulement dû à l'accident. Elle n'était plus dans son état normal depuis — elle regarda la pendule murale — vingt-deux heures si on remontait à l'instant où elle avait découvert le slip en dentelle noire. Vingt-deux heures à nier l'évidence. Maintenant que l'inévitable était arrivé, il ne lui restait plus qu'à passer à l'action.

Un, il lui fallait un avocat et deux, qui ne soit pas de Frog Point. Elle refusait de passer pour une idiote. Mais elle ne connaissait personne à Lima. Quant aux divorcés de son entourage, elle ignorait comment ils s'y étaient pris. En tout cas, elle louerait les services d'un requin qui lui garantirait la garde d'Em et lui permettrait de conserver la tête haute. Qui, à sa connaissance, avait bien géré son divorce ? Personne. Un divorce se passait toujours mal. Elle songea à Em et ferma les yeux. *Réfléchis, bon Dieu.*

Sa mère lui avait raconté que Sheila Bankhead avait laissé P.C. sans un sou. Quand il était apparu sur le pas de sa porte, il paraissait pourtant très à son aise. Mais ils avaient divorcé depuis des années et sans doute avait-il eu le temps de rétablir sa situation financière.

Elle alla dans la cuisine, sortit l'annuaire d'un tiroir et consulta les B d'une main mal assurée. Cette marque de faiblesse l'exaspéra et elle s'obligea à contrôler sa nervosité. Puis elle composa le numéro de Sheila et respira profondément en attendant qu'elle décroche.

— Sheila ? Maddie Faraday.

Pas de réponse.

— Sheila ?

— Maddie Faraday ? dit la voix méfiante de Sheila.

— Nous avons été au lycée ensemble.

Maddie se sentait stupide.

— Je suis...

— Je sais très bien qui tu es, l'interrompit Sheila. Je suis juste un peu étonnée.

Maddie s'assit sur une chaise pour mieux se concentrer.

— On ne se connaît pas très bien et je ne voudrais pas te déranger, mais j'ai besoin de tes conseils.

— Mes conseils ?

La voix de Sheila monta d'un cran.

— Tu as besoin de *mes* conseils ?

Maddie laissa tomber les préliminaires et les formules de politesse qui ne servaient visiblement qu'à embrouiller les choses.

— Sheila, j'ai besoin du nom d'un bon avocat spécialisé dans les divorces. Tu en connais un ?

— *Tu veux divorcer ?*

La voix de Sheila avait frisé le contre-ut.

— Non, non, rectifia aussitôt Maddie. C'est pour ma voisine.

— Ah, Gloria Meyer ! Je croyais qu'elle avait choisi Wilbur Carter.

— Ma mère prétend que ça n'est pas une très bonne idée, lança Maddie, soulagée de dire enfin la vérité.

— Elle a raison, confirma Sheila. Dis à Gloria de s'adresser à Jane Henries. Avec moi, elle a été géniale.

P.C. n'a jamais compris d'où partait le coup... Elle est à Lima. Attends, je crois que j'ai gardé son numéro.

Maddie le nota, la remercia et appela Jane Henries.

— Maddie Faraday ? dit Jane d'une voix songeuse. Votre mari est bien propriétaire de cette entreprise de construction qui se trouve à Frog Point ?

— Oui. Enfin, il en possède la moitié.

— J'ai de la famille qui habite pas loin de chez vous. Vous enseignez la littérature, n'est-ce pas ? Mon neveu a été l'un de vos élèves. Et vous voulez divorcer ?

— Oui, c'est cela.

Maddie ne voyait pas très bien le rapport entre la littérature et son divorce, mais elle ne pouvait plus reculer.

— Pouvez-vous m'aider, madame Henries ?

— Il y a intérêt, dit l'autre en éclatant de rire. Appelez-moi Jane. Je ne peux pas vous recevoir aujourd'hui mais que diriez-vous de lundi cinq heures ?

— Lundi ? C'est parfait.

— D'ici là, rassemblez tous les relevés de banque et les documents qui vous tomberont sous la main afin que je me fasse une idée de ce que nous pouvons demander.

— Je veux juste la garde...

— Faites attention à ne rien oublier. Je suppose que vous plaidez l'incompatibilité d'humeur ?

— C'est ça. Nous sommes incompatibles. Je voudrais qu'il disparaisse définitivement de ma vie.

Jane Henries rit de plus belle.

— Cela ne fait pas partie de mes compétences, mais si vous m'amenez les documents que je vous demande, il sera ratissé.

— Je n'y tiens pas spécialement, protesta Maddie.

— Mais si. Vous avez une fille qu'il va bientôt falloir envoyer à l'université. Dans l'éventualité où il se remarierait et fonderait une nouvelle famille, vous devez préserver ses intérêts.

— Je ne pense pas qu'il...

— Amenez-moi ces papiers.

Brent ne laisserait jamais tomber Em. C'était impossible. *Vraiment ?*

— Très bien, dit Maddie. Tout ce que vous voudrez.

— Parfait. Vous êtes sur la bonne voie.

Quand Em descendit à la cuisine un quart d'heure plus tard, Maddie versait du lait dans un grand verre. Elle s'arrêta à un centimètre du bord. Ainsi Em aurait sa dose de calcium sans pour autant renverser le lait sur la table. Tout en se concentrant sur le lait, elle songeait aux relevés de banque, aux avocats, au divorce, et elle se demandait comment elle pourrait envoyer sa fille à l'université si Brent fondait une nouvelle famille avec une femme qui portait des slips en dentelle noire. Sa main trembla.

Em se glissa sur sa chaise et regarda Maddie d'un air pensif par-dessus la monture de ses lunettes.

— Tu te sens comment ?

— Très bien.

— Ta tête te fait toujours mal ?

— Non, mentit Maddie. Les pilules sont très efficaces.

Em poussa un soupir de soulagement et ses épaules retombèrent.

— Je suis bien contente. J'ai faim.

Maddie posa le verre de lait devant elle.

— Comment ça s'est passé, hier soir ?

— On a regardé des films.

Elle rapprocha sa chaise de la table.

— On pense que Mme Meyer est un vampire.

Maddie haussa un sourcil. Gloria, un vampire ?

— Vous avez beaucoup d'imagination. Tes œufs, tu les veux comment ?

— Pochés avec du fromage, s'il te plaît.

Maddie se tourna vers le micro-ondes et s'arrêta net.

— Le four est cassé. On en achètera un neuf cet après-midi. Deuxième choix ?

— Brouillés.

Em plissa les yeux.

— C'est pas seulement à cause de ses dents. Tu as vu ses ongles ? Et ses yeux, on dirait des gros grains de raisin. Et elle est vraiment très pâle parce qu'elle sort pas beaucoup pendant la journée, mais seulement la nuit.

Maddie sortit un grand bol du placard et deux œufs du réfrigérateur, admirant le bleu du bol et la rondeur des œufs sur le comptoir jaune. Elle cassa les œufs et les battit avec une fourchette tout en songeant à Gloria. Gloria était bien la dernière personne qu'elle aurait sélectionnée pour un film de vampires. D'un autre côté, elle venait de remporter le titre d'iceberg de la ville... Donc les neuf dixièmes du personnage demeuraient cachés.

Oui, mais il était difficile quand même d'imaginer Gloria en train de sucer du sang. D'après ce que Maddie avait entendu dire hier, il y avait d'ailleurs assez peu de chances pour que Gloria suce quoi que ce soit.

— Franchement, Em, je n'arrive pas à la voir dans le rôle.

Elle versa un peu de lait dans le bol et le mélangea aux œufs.

Em tendit la main vers son verre.

— Je parie que chez elle y a pas de miroirs. Elle sort toujours la nuit et je sais bien pourquoi. Elle cherche papa.

Maddie se figea.

— Hein ?

Em hocha la tête en regardant sa mère bien en face.

— Parfaitement. Elle sort la nuit, elle attend que papa sorte du jardin et elle l'appelle. Des fois il s'arrête mais il a pas l'air content. Il sait bien que c'est un vampire.

Em trempa son doigt dans le lait et fit des ronds sur la table.

— Mais ne t'inquiète pas. Je sais comment régler le problème. De l'ail, de l'eau bénite et un pieu enfoncé dans le cœur.

Maddie fit chauffer du beurre dans une poêle et y versa les œufs, attendant avant de parler que le mélange translucide prenne une couleur crémeuse.

— Tout ce que nous avons, c'est de la poudre d'ail.

Em réfléchit un instant.

— On pourrait la diluer dans de l'eau bénite.

— Nos réserves d'eau bénite sont épuisées.

Maddie fit glisser les œufs brouillés sur une assiette et s'abîma dans la contemplation du jaune tendre sur le bleu porcelaine. Ravissant. Si l'Autre Femme s'appelait Gloria, elle détruirait son gazon.

— Quel film avez-vous regardé, hier ?

— *Les Enfants perdus*. Tu t'imagines si j'arrose Mme Meyer d'eau bénite et qu'elle explose ?

Maddie posa l'assiette devant Em.

— On n'asperge pas les voisins d'eau bénite. Et avec toutes ces bêtises, j'ai oublié ton toast.

— J'y vais.

La fillette prit deux tranches de pain et les glissa dans le grille-pain.

Ce ne pouvait pas être Gloria. Gloria en slip sans fond ! L'odeur de pain grillé donna faim à Maddie. Elle tendit ses toasts à Em et en remit deux en route.

Em étendit des quantités de beurre et de confiture sur une tartine qui devait bien faire ses trois mille calories, qu'elle brûlerait en grimpant et en descendant les escaliers. Maddie étendit un peu de confiture sur son toast. Elle allait bientôt se retrouver célibataire et il ne s'agissait pas de s'empâter. Un, se mettre au régime. Le Régime des

Femmes Divorcées. Pas de graisses, pas de sel, pas d'argent, pas de sexe. Charmant.

Pendant ce temps-là, les pensées d'Em suivaient leur cours.

— Tu es sûre que tu te sens bien ?

— Mais oui. Arrête de te tourmenter.

— Alors je peux aller passer la nuit chez Mel ?

Elle mordit dans sa tartine.

— Tu te souviens que je devais rester chez elle, hier ? Je suis rentrée pour que tu ne sois pas toute seule, mais ce matin tu as l'air très en forme. Je peux y aller ce soir ?

Elle s'arrêta et leva deux yeux inquiets vers sa mère.

— Sinon, je reste avec toi. Ça m'est complètement égal.

— Em, tu es la fille idéale.

— Merci. Alors je peux y aller ?

— Demande à tante Treva.

Maddie mordit avec précaution dans son toast et entreprit de mâcher. Sa tête ne s'était pas fracassée sur le sol. Jusque-là tout allait bien.

Em fit glisser ses œufs brouillés sur sa tartine recouverte de beurre et de confiture, et appliqua une deuxième tranche de pain grillé sur le tout.

— Je mangerai ça en téléphonant, annonça-t-elle, et elle se dirigea vers le living tandis que le beurre de son « sandwich » dégoulinait sur le carrelage.

En un geste audacieux, Maddie se pencha pour essuyer le beurre avec une serviette qu'elle prit sur la table. En se redressant, elle se félicita que son crâne ait tenu le coup. *Ça tombe bien*, se dit-elle. *Il est temps que je relève la tête.*

— Tante Treva veut te parler, hurla Em depuis le living.

Maddie décrocha dans la cuisine.

— Comment vas-tu ? demanda Treva d'une voix prudente.

— Em, tu es toujours en ligne ?

— Je l'ai entendue raccrocher, s'impatienta Treva. Alors, tu *lui* as parlé ?

— Non.

— Mais enfin, Maddie...

Maddie l'interrompit aussitôt.

— Quand il est rentré, je dormais, et quand je me suis réveillée, j'ai appelé un avocat. Lundi j'engage la procédure. C'est décidé, Treva. Je tâcherai de faire aussi peu de vagues que possible, mais j'ai franchi le pas.

— Formidable, dit Treva très excitée. Je suis ravie pour toi.

Maddie s'adossa au mur.

— Ça va être horrible. Elle dit qu'il faut que je mette de côté tous les relevés de banque et les documents financiers que je trouverai.

— Qui, elle ?

— Mon avocate. Jane Henries, de Lima.

— Oooh, c'est une des meilleures !

Treva frisait l'hystérie.

— J'ai entendu dire qu'elle ne laissait aux hommes que leurs chaussettes... Où vas-tu trouver les documents ?

— Facile, c'est moi qui m'occupe de la déclaration d'impôts, tout est dans un placard.

— Et le bureau ? Je pense que tu devrais fouiller son bureau.

Maddie faillit en laisser tomber l'écouteur.

— Tu es folle. Je tiens à ce que ça se passe en douceur. Surtout pas de scandale. Si je fouille le bureau de Brent, toute la ville en fera des gorges chaudes.

— C'est un salaud, Maddie.

La voix de Treva exprimait tant de hargne qu'elle en était méconnaissable.

— Il mérite qu'on lui soutire un maximum de fric. Ça ne t'intéresse pas de savoir ce qu'il a amassé dans ton dos ? Moi, si, et Jane Henries est du même avis. Allons à son bureau. Nous y allons très régulièrement et les gens n'en tireront aucune conclusion. Je passe te prendre dans un quart d'heure. Three s'occupera des filles.

— Treva, cela m'étonnerait qu'il cache quoi que ce soit au bureau. Pourquoi veux-tu...

— Si tu ne le fais pas pour toi, fais-le pour moi. J'ai eu une semaine épouvantable. J'aimerais bien présenter la note à quelqu'un et Brent tombe à pic. Et puis tu n'as rien d'autre à faire aujourd'hui.

Là, Treva avait marqué un point. La perspective de tourner en rond en attendant que Brent réapparaisse n'enchantait guère Maddie. Elles ne trouveraient sans doute rien mais... n'avait-elle pas cru non plus qu'il ne pouvait y avoir une autre femme dans la vie de Brent ?

— Je t'attends, dit-elle à Treva.

À peine avait-elle raccroché que le téléphone sonna. Elle s'adossa au mur pour y rechercher un peu de fraîcheur, mais en vain. Avait-elle une place en ce bas monde ? Une bonne petite dépression nerveuse, voilà ce qu'il lui fallait. Mais elle n'en avait pas le temps. À cause du téléphone. Elle décrocha.

— Allô ?

— Allô, ma chérie ? C'est maman.

Maddie sursauta. Sa mère avait déjà entendu parler du divorce.

— Tout va bien, maman.

— Non, ma chérie. Va verrouiller tes portes.

Maddie fronça les sourcils. S'il ne s'agissait pas du divorce, quelqu'un lui avait raconté que P.C. l'avait tenue dans ses bras dans le jardin hier au soir. Elle-même essayait de ne pas y repenser mais si sa mère était au courant...

— Pourquoi ? demanda-t-elle.

— Il y a un type qui rôde dans le quartier.

Maddie remercia le ciel de ce sursis.

— À dix heures du matin ?

— Non, mais Candace l'a vu hier soir. Elle me l'a dit ce matin.

— Tu es retournée à la banque ?

— J'avais un chèque à encaisser. Maddie, tu n'es plus en sécurité chez toi. Surtout quand Brent rentre tard, comme hier.

Comment se débrouillait-elle pour être au courant de tout ?

— Maman, c'était exceptionnel.

— Pour un rôdeur, une fois suffit. Tu as déjà été blessée à la tête, il ne manquerait plus que tu sois assassinée dans ton lit. Comment te sens-tu ?

— Très bien, maman, merci.

Sa mère était très douée pour imaginer les scénarios les plus sombres. Si elle avait pu savoir, la pauvre.

— Tu me promets de fermer tes portes ?

— Oui, je te le promets. Et maintenant il faut que j'y aille, j'ai rendez-vous avec Treva.

— Attends une seconde. Que se passe-t-il entre Treva et Howie ?

— Ils filent le parfait amour, comme d'habitude.

— Cela m'étonnerait. Ils se sont disputés au bowling, hier.

Maddie se rappela que leurs voitures étaient effectivement garées dans le parking.

— Que faisaient-ils au bowling ?

— Esther dit que Lori Winslow lui a dit que Mike Winslow était là-bas, il a vu Howie parler à Brent, Treva est arrivée et il y a eu du grabuge. Elle ne t'a rien raconté ? demanda sa mère d'une voix avide.

— Non. Et je ne lui demanderai rien, alors inutile de me reposer la question. Les couples mariés se disputent régulièrement.

Sa mère choisit un autre angle d'attaque.

— Sais-tu pourquoi Howie était si furieux après Brent ? Y aurait-il des problèmes dans l'entreprise ?

Partout, mais pas dans l'entreprise, songea Maddie.

— Non. Les gens ne savent pas quoi inventer. Ils font tout un plat de trois fois rien.

— Esther dit que Mike lui a dit que Treva avait l'air au trente-sixième dessous.

— Esther ferait mieux de vivre sa vie au lieu de s'occuper de celle des autres. Et moi, il faut que j'y aille.

— Tu sors avec Treva ? Tu es sûre que c'est une bonne idée ? Et ta tête ? Comment te sens-tu ?

— Je vais bien. Oh, et j'ai toujours ta voiture ! On va te la ramener.

— Garde-la. Marcher me fait le plus grand bien.

— Je n'en ai pas besoin.

Maddie se sentait partagée entre la culpabilité et l'exaspération. Si on faisait abstraction de son penchant pour les commérages, sa mère était une femme charmante. Elle ne méritait pas qu'une fille prédivorcée lui mente et nourrisse de mauvaises pensées à son égard.

— Treva va m'accompagner.

— Formidable, ma chérie. Amuse-toi bien. Tu me raconteras ce qu'elle t'a dit. Fais attention à ta tête.

Je veux bien mais comment ? faillit lui demander Maddie. Mais elle se retint juste à temps. Elle n'avait pas envie d'arpenter la ville avec un casque de motard.

— Je te le promets.

Et elle alla demander à Em de se préparer.

P.C. descendait Main Street à la recherche de Brent Faraday, bien décidé à lui mettre le grappin dessus et à oublier sa femme. Grâce à Maddie, il avait passé une nuit agitée, entre cauchemars et rêves érotiques. Maintenant il se sentait abruti, de mauvaise humeur, et très pressé de quitter la ville.

Brent ne faisait rien pour l'aider. À neuf heures passées, il n'était pas à l'entreprise. Drôle d'homme d'affaires.

— Brent vient de ressortir, lui avait dit une secrétaire jolie comme un cœur. Vous venez de le manquer, monsieur Sturgis. Il est parti à la banque il y a à peine dix minutes. La First National, dans le centre-ville.

Comme si Frog Point avait un centre-ville. Il faillit dire à la secrétaire qu'une rue et trois feux rouges n'avaient jamais fait un centre-ville. Puis il se ravisa — à quoi bon être désagréable — et partit à la recherche de Brent.

Là, il faillit avoir de la chance. Il passa devant la First National à l'instant où Brent en sortait, vêtu d'un complet, un sac de sport gris à la main. P.C. voulut se garer mais les places de parking des deux côtés de la rue étaient prises, et la voiture derrière lui klaxonna.

— Hé, Brent ! hurla-t-il.

Brent se retourna, parut surpris, agita la main et poursuivit son chemin.

P.C. ouvrit la bouche, la voiture derrière lui klaxonna de plus belle. Cela lui vaudrait certainement des remarques de la part d'Henry, ce soir au dîner. « Et merde », pensa-t-il. Bon, il allait faire demi-tour et il suivrait Brent. Il avança, tourna devant le Burger King sous le regard indigné d'une femme de l'autre côté de la vitre, et reprit dans Main Street en passant un feu à l'orange, ce qui lui valut un concert de coups de klaxon et des regards excédés. Comme dans le temps. Un sacré savon que lui passerait Henry.

Il descendit Main Street mais Brent avait disparu. P.C. fit deux fois le tour de la ville, emprunta les rues perpendiculaires, traversa le quartier commerçant mais Brent s'était volatilisé. Jamais personne n'avait mis autant d'ardeur à l'éviter. Ce fils de pute était certainement sur un coup particulièrement bas.

Mais tôt ou tard, P.C. saurait de quoi il retournait. À Frog Point, les secrets ne faisaient pas long feu.

Une heure après avoir fouillé le bureau de Brent, Maddie était attablée dans sa cuisine en compagnie de Treva, à contempler ce qu'elles avaient découvert.

Pour commencer, une boîte de préservatifs.

— Je croyais que tu prenais la pilule ? avait dit Treva en les retirant du dernier tiroir du bureau de Brent.

— Tu vois bien qu'il me trompe.

— Qu'il crève.

Et Treva s'était remise au travail.

Maddie était alors tombée sur la deuxième découverte, une boîte en métal d'environ vingt-cinq centimètres sur trente-cinq, hermétiquement fermée, avec « personnel » écrit dessus. C'était l'écriture de Brent.

— Je veux savoir ce qu'il y a là-dedans, avait dit Treva.

Mais la secrétaire de Brent, Kristie, avait ouvert la porte du bureau, leur demandant de sortir.

— C'est le bureau de M. Faraday, avait-elle déclaré d'une voix suraiguë.

— Il se trouve que Mme Faraday et moi-même possédons chacune un quart de l'entreprise, donc la moitié de ce bureau nous appartient, ce qui fait de vous notre demi-employée, et vous êtes donc priée de quitter les lieux, avait répliqué sèchement Treva.

— Treva ! s'était exclamée Maddie.

Blessée et désorientée, Kristie avait battu en retraite, leur laissant le champ libre. Elles avaient emporté la boîte et les préservatifs comme butin, afin de ralentir un peu Brent, comme le disait si joliment Treva.

Mais maintenant la boîte les défiait, posée sur la table de la cuisine. Impossible de briser sa fermeture, et le couvercle refusait de céder. Maddie envisagea de rouler dessus avec sa voiture, puis renonça, trouvant que c'était un peu immature. Sans compter qu'elle n'avait plus de voiture. La vie ne s'arrangeait pas.

Treva était dégoûtée.

— Bon Dieu, mais qu'est-ce qu'il a enfermé là-dedans ? Son sens de la morale ?

— Quand il rentrera, je pourrai toujours essayer les clefs de son trousseau.

— Ben voyons. « Chéri, j'ai cambriolé ton bureau et découvert ta boîte à secrets. » Il sera ravi.

Maddie examina la boîte d'un air indécis.

— Et puis je doute que la clef marche encore. Souviens-toi, Treva, tu viens d'attaquer la serrure au marteau.

— J'étais très en colère. Elle me narguait.

— Mauvaise stratégie.

Treva jeta un coup d'œil à sa montre.

— Et zut ! J'avais promis à Three que je serais de retour il y a une demi-heure.

Elle se leva.

— Si cette boîte t'embarrasse, je peux la prendre avec moi.

— Non. Je n'ai pas encore dit mon dernier mot.

Maddie se leva à son tour.

— Tu es sûre que ça ne te dérange pas si Em dort chez toi cette nuit ?

Treva secoua la tête.

— Toi et Brent avez des problèmes à régler. Ne te rendors pas avant qu'il rentre.

Elle regarda la boîte.

— Oublie ça, on s'en occupera ensemble. Tu n'as qu'à cuisiner Brent en attendant.

Maddie poussa un profond soupir.

— Hier, il a osé utiliser notre fille, Treva. J'essayais de lui parler, alors il est allé se placer derrière elle et il a dit : « Tu fais peur à Em. » Et la pauvre Em était terrorisée.

— Qu'il crève. Et je le pense.

Treva serra Maddie dans ses bras.

— Bravo pour ta décision ! Tu vas commencer une nouvelle vie. Ce sera tellement mieux pour toi.

— Tu as raison, dit Maddie.

Après le départ de Treva, elle retourna s'asseoir à la table et songea : *Comment ça, tellement mieux ?* En quoi se retrouver seule pouvait-il constituer une amélioration ? Em apprécierait-elle d'être séparée de son père ? Maddie avait soudain envie de pleurer, de hurler, de faire des bêtises. Elle aurait voulu pouvoir se jeter contre quelqu'un, sentir l'impact d'un corps contre le sien, et laisser libre cours à sa rage et à sa frustration. Elle pensa à P.C., si fort et si rassurant. Cela lui avait fait un bien fou qu'il la prenne dans ses bras, et il avait eu les mots qu'il fallait, Dieu le bénisse. Elle avait aimé le contact de sa poitrine contre sa joue... Si seulement il était ici, ils feraient l'amour, par terre, ce qui la vengerait et la libérerait de sa frustration.

Mais non. C'était bien la dernière chose dont elle avait besoin. Maddie assena un coup de poing à la boîte. Il devait y avoir un moyen de forcer cette saleté. Peut-être un ouvre-boîte. Ou une hache. Cette boîte ne contenait sûrement rien d'important, mais c'était mieux que de penser à Brent. Ou de faire l'amour avec P.C.

Le métal de la serrure dépassait de quelques millimètres. Elle décida de le faire sauter.

Elle se leva, fouilla dans le tiroir à outils et revint avec un burin et un marteau. « Prends garde à toi », lança-t-elle à la boîte, et elle enfonça le burin derrière la serrure. Une douzaine de coups de marteau plus tard, le métal cédait.

Mais la boîte restait fermée.

— Va te faire foutre ! s'écria Maddie en ponctuant l'insulte d'un grand coup de marteau.

Le couvercle sauta et alla frapper la table.

— Enfin. On se décide à être raisonnable.

Maddie s'assit et sortit une liasse de papiers de la cassette de Brent. Contrats, factures, documents en tout genre et, tout au fond, des lettres. Des lettres d'amour.

Vingt-neuf en tout. Vingt-sept étaient de la main de Beth, qui planifiait son avenir avec Brent, mais elles n'étaient pas datées. Maddie les lut. Visiblement, Beth adorait Brent et avait en lui une foi inébranlable. Il aurait peut-être mieux fait de rester avec elle.

Peut-être ne l'avait-il jamais quittée.

Maddie mit les lettres de Beth d'un côté et prit les deux qui restaient. Elles n'étaient pas signées. L'une, écrite d'une écriture pointue sur du papier blanc avec des pâquerettes rouges dans un coin, suggérait qu'ils se rencontrent dans le garage. Il ne s'agissait sûrement pas de Gloria : elle ne faisait aucune allusion à la pelouse. L'autre était pliée en quatre et rayée de lignes bleues, une sorte de papier d'écolier. L'écriture, immature avec de grandes boucles, aurait pu appartenir à quelqu'un comme Kristie. Il lui fallait un échantillon de l'écriture de Kristie. Et si c'était elle, elle pourrait sans le moindre scrupule la traiter avec la dernière des grossièretés. « J'ai trouvé votre slip, lui dirait-elle. Assez vulgaire, vous ne trouvez pas ? » Maddie fut surprise de sa propre réaction. Où donc était passée sa douleur ? Dans une telle situation, la douleur devait pourtant l'emporter sur les sarcasmes. *C'est bon signe*, se dit-elle. *Je me suis déjà fait une raison. Saleté de type.*

Vaguement réconfortée, elle ouvrit la lettre et ce qu'elle lut lui coupa le souffle.

« Retrouvons-nous au même endroit que d'habitude. Je sais que tu aimes Maddie mais je suis enceinte et je ne sais plus quoi faire. »

La lettre lui glissa des mains.

— Espèce de salaud, dit-elle à voix haute.

Il avait mis Kristie enceinte. Elle ou une autre. Bien la

peine d'avoir une boîte de préservatifs. Kristie ou une autre allait donner naissance au demi-frère ou à la demi-sœur d'Em. Charmant. Mais, bon Dieu, à quoi pensait Brent ?

Elle devait réagir. La situation était pire que ce qu'elle avait imaginé. Et elle devrait tout expliquer à Em. « Je sais que tu aimes beaucoup Kristie. Eh bien, papa l'aime beaucoup aussi et... »

Elle remit les lettres dans la boîte, à l'exception de celle qui annonçait la grossesse, et fit claquer le couvercle. Puis elle regarda à nouveau cette lettre. L'écriture ne lui était pas du tout familière. Et puis Kristie n'écrirait pas sur du papier de ce genre. Tout était terriblement compliqué.

Elle mit la lettre dans son sac pour la comparer plus tard à l'écriture de Kristie. Puis elle posa le front sur la table. Sa tête lui faisait mal. Elle était une femme en état de choc. Elle n'aurait pas dû lire des choses pareilles. Ni mener cette vie. C'était vraiment trop dur. Il fallait qu'elle réagisse. Mais pour le moment, sa tête lui faisait mal.

Elle prit trois cachets dans l'espoir d'arrêter les pensées qui l'agitaient, et monta à l'étage avec la boîte et les préservatifs pour les cacher sous le lit. Puis elle se glissa péniblement sous les couvertures et s'endormit.

— Alors, comment va ta mère ? demanda Mel quand elle se retrouva avec Em devant la télévision, avec de grandes assiettes de cannellonis et un saladier de pain à l'ail autour d'elles.

Sur le câble, on repassait *Ace Ventura* pour la cinquantième fois. Mais cela n'avait pas d'importance, elles faisaient semblant de regarder.

— Elle dit qu'elle va mieux.

Em prit un cannelloni et le goûta prudemment. C'était très bon.

— Elle n'a plus sa figure horrible d'hier, mais j'ai toujours l'impression qu'elle va se mettre à pleurer.

Elle avala un nouveau cannelloni, le temps de chercher ses mots.

— Mon père et ma mère se sont battus hier, dit-elle enfin. Une vraie bagarre.

Les yeux de Mel s'agrandirent.

— Sans blague.

— Ouais. Ils sont restés très calmes parce que j'étais là. Ils avaient l'air tellement en colère, Mel.

Em se tourna vers son amie en s'efforçant de retenir ses larmes.

— On aurait dit qu'ils se détestaient. Et puis mon père m'a amenée ici et il l'a laissée toute seule. C'est terrible.

— Pourquoi tu me l'as pas dit avant ? Je veux dire, la bagarre ?

Mel, toujours si brusque et insouciante, avait une voix bizarre, vraiment tendue.

— Je pouvais pas en parler. C'est affreux quand les parents se disputent. Je sais bien que les tiens se disputent tout le temps, mais comme tu le racontes, c'est plutôt pour de rire. Là, c'était pour de vrai. Je ne voulais même pas y penser. Et puis aujourd'hui, ma mère était très calme et mon père avait disparu. Ça va pas du tout, Mel.

Mel semblait hésiter, comme si elle réfléchissait avant de parler. Et Em se sentit mal à l'aise parce que Mel disait toujours tout ce qui lui passait par la tête.

— Il y a autre chose, commença Mel.

— Quoi donc ? demanda Em, la gorge serrée.

Mel s'étendit sur le sofa.

— Ma mère est furieuse après ton père. Ce matin, au téléphone, elle criait après lui.

Em se redressa.

— Comment tu sais que c'était lui ?

— Parce qu'elle hurlait son nom.

Mel semblait très malheureuse.

— C'était épouvantable. Elle a dit qu'elle le tuerait s'il le répétait à qui que ce soit.

— Ils parlaient de quoi ?

— Je sais pas.

Mel reprit des cannellonis d'un air détaché. Mais Em savait qu'elle faisait semblant.

— C'est pas tout. Après que ma mère a raccroché, mon père est arrivé et il lui a demandé à qui elle téléphonait. Elle a répondu : à ma grand-mère.

Mel pinça les lèvres.

— Elle mentait. Et eux aussi, ils ont eu une vraie bagarre. Ils parlaient à voix basse d'un air méchant et maman a tapé sur la table et papa est parti en claquant la porte.

Elle marqua une pause et avala ce qu'elle avait dans la bouche.

— Après le départ de mon père, ma mère s'est mise à pleurer. Elle qui ne pleure jamais. C'était affreux. Je veux même pas en parler. Si j'y pense plus, ça existe plus.

— Ça existe, dit Em en se rappelant ses parents dans le jardin la veille.

Elle revoyait sa mère, les bras repliés sur la poitrine.

— Il se passe quelque chose de vraiment, vraiment inquiétant.

Mel regarda fixement la télévision.

— Peut-être que Mme Meyer a mordu ton père et elle l'a transformé en vampire, et il a mordu ma mère et elle veut que personne le sache.

— Mel, arrête. Maintenant, on joue pour de vrai.

Mel ne quittait pas la télévision des yeux.

— Non. Je ne veux pas que ça soit pour de vrai. Je veux que ça s'en aille.

— Moi aussi. Mais ça s'en ira pas.

L'image sur l'écran s'était dissoute en neige pétillante. Mel s'assit.

— Je le crois pas.

Elle se mit à crier à tue-tête :

— Maman ! Ça fait chier ! Maman ! Le câble est bousillé !

— Surveille ton langage, dit Treva en entrant dans la pièce.

— Regarde-moi ça, dit Mel pendant que sa mère vérifiait les connexions. Tout est fichu. Qu'est-ce qui s'est passé ?

— Il s'est passé une interruption de programme sur le câble.

Treva se redressa.

— Je les appellerai demain et je leur dirai que ta vie est brisée... En attendant, lis quelque chose.

— Tu plaisantes, là ? gémit Mel.

— Ça te remettra dans le bain, dit Treva, la rentrée est dans dix jours.

— Ne m'en parle pas. Je peux regarder des vidéos ?

Treva haussa les épaules.

— Bien sûr. Tout ce que tu veux. Empoisonne-toi les neurones.

Mel attendit que sa mère soit partie et se tourna vers Em.

— Tu as entendu ? Tout ce qu'on veut en vidéo ! Ça tourne vraiment pas rond ! Ça fait une semaine que ma mère a pété les plombs. J'aurais jamais cru qu'elle nous laisserait regarder *Les Enfants perdus* hier. Tu t'imagines, un film avec un triangle rouge ! Ça va pas du tout.

Em réfléchit.

— Tu as raison. Mon père aussi, ça fait une semaine qu'il fait la tête. Il s'est passé quelque chose. Qu'est-ce qu'on peut faire ?

— On va être obligées de farfouiller. Ils nous diront jamais rien. Il va falloir se débrouiller toutes seules.

Em réfléchit. Hier, espionner lui avait semblé idiot mais, aujourd'hui, c'était différent.

— Tu as raison. Il faut les aider. Mais j'ai jamais espionné avant. Comment on fait ?

— Eh bien, pour commencer, à chaque fois que le téléphone sonne, on écoute, dit Mel. C'est la base.

Chapitre 6

La sonnette de la porte d'entrée réveilla Maddie un peu après sept heures du soir. Groggy et désorientée, elle descendit les marches. Brent avait sans doute oublié sa clef. Elle ouvrit la porte.

— Je t'ai réveillée.

P.C. était là, appuyé au mur, les yeux obscurcis par ce qui ressemblait à une secrète approbation mais ne l'était certainement pas, pensa-t-elle, vu qu'elle avait le visage gonflé par le sommeil, portait un short et une chemise rose vieille comme Mathusalem.

— Excuse-moi, je t'ai réveillée.

Maddie ferma les yeux. La réalité de P.C. entrait en conflit avec son idée de P.C. Elle s'était imaginée lui ouvrant la porte, l'attirant à elle et lui sautant dessus. Et voilà qu'il était là, en chair et en os, toujours aussi séduisant, habillé d'une chemise blanche et d'un vieux jean. Embarrassant. Elle ouvrit les yeux, et opta pour une attitude polie.

— C'est pas grave. Que puis-je faire pour toi ?

— Anna a entendu parler de ton accident. Elle t'envoie des gâteaux au chocolat.

Il lui tendit l'assiette recouverte d'un film en plastique

transparent. Elle la prit en ayant soin d'éviter son regard. Croiser son regard était une chose répréhensible.

Du coup, elle fixa sa poitrine, impressionnante sous la chemise. On aurait dit que celle-ci venait d'être repassée, et Maddie se retint de la toucher pour vérifier. C'était le genre de geste sur lequel les hommes se méprenaient. P.C. se serait sûrement mépris. Sa conscience lui dictait de se débarrasser de lui au plus vite.

— Remercie Anna pour moi.

— Je n'y manquerai pas. As-tu vu Brent, récemment ?

— Non.

Maddie sourit en direction de l'oreille de P.C. et essaya de fermer la porte, mais il était appuyé contre le chambranle, ce qui faisait une masse assez imposante, et il ne bougeait pas d'un pouce.

— Ravie de t'avoir revu, P.C., mais maintenant il faut que j'aille manger ces gâteaux au chocolat.

Large sourire de P.C.

— À moi aussi, ça m'a fait plaisir de te revoir.

Le cœur de Maddie battit plus vite. Il fallait absolument qu'il parte.

— Désolée de te recevoir ainsi mais tu tombes mal. Reviens un peu plus tard.

— Volontiers. Quand ?

Elle avait oublié qu'il pouvait se montrer aussi obstiné. C'était grâce à son obstination qu'elle avait autrefois fini sur le siège arrière de sa Chevrolet. Il était du genre carré.

— Septembre ? Je pense que d'ici là les choses se seront un peu calmées.

Il secoua la tête.

— Difficile. Lundi, je dois reprendre mon travail.

Sourire éblouissant de Maddie.

— Alors, la prochaine fois que tu viens à Frog Point...

P.C. se redressa.

— Maddie, il fait chaud. Je suis fatigué. J'aimerais qu'on discute une minute.

Sa tactique n'avait pas changé. Il avait utilisé la même pour l'entraîner dans sa voiture. Maddie secoua la tête.

— P.C., mon mari va bientôt rentrer et...

— Super. Je dois justement lui parler.

Maddie lut dans ses yeux qu'il ne partirait pas avant d'avoir vu Brent. Elle s'effaça en soupirant et P.C. Sturgis entra dans la maison.

Quand on recevait un invité, on était supposé lui offrir quelque chose à boire. Maddie attrapa deux verres, un carton de jus d'orange, une bouteille de vodka et elle emmena P.C. dans le jardin derrière la maison pour que les voisins constatent qu'ils ne faisaient pas l'amour bien que la décapotable de P.C. fût garée devant chez elle, rouge vif comme un signal de danger.

— Claque la porte, lui cria-t-elle en ouvrant la marche. Elle ferme mal.

Elle se retourna et le vit passer un doigt sur la tranche de la porte.

— Il suffirait de la raboter un peu. Ça prendrait cinq minutes.

Elle avait demandé à Brent d'arranger ça mais il était trop occupé. Il construisait ses satanées maisons mais il n'avait pas le temps de bricoler chez lui. Maddie sentit la douleur dans sa tête et sa colère la fit empirer. Si elle était restée avec P.C., sa porte fermerait normalement.

— Merci. On y pensera.

Plutôt mal à l'aise, ils s'assirent à la table de pique-nique fendue et burent du jus de fruits aigre-doux relevé de vodka en discutant de choses et d'autres. P.C. était magnifique dans le soleil couchant. Bronzé, costaud, en forme.

Maddie lampa la moitié de son verre pour stopper ce

torrent d'adjectifs. Elle était mal mariée mais mariée quand même et les adjectifs n'avaient pas leur place dans sa vie.

— Raconte-moi un peu ce que tu deviens, dit P.C.

Maddie faillit éclater de rire.

— Toujours copine avec Treva ?

— Oui. Amies de cœur pour la vie.

— Et mères de famille !

P.C. hocha la tête.

— Difficile à croire. Je quitte la ville une petite vingtaine d'années et vous perdez toutes les deux la tête.

— On a trouvé à s'occuper en attendant ton retour.

— Qu'est-ce que tu fais de ta vie ?

Ce n'est pas vraiment ma vie, je me contente de répondre à l'attente des gens.

— Eh bien, ma mère me téléphone quotidiennement. Chaque dimanche je vais voir ma grand-mère dans sa maison de retraite, afin qu'elle puisse se plaindre et se montrer désagréable avec moi. J'enseigne le français au lycée, et ma meilleure amie l'économie. J'ai une fille charmante, qui veut un chien. Mon four à micro-ondes est cassé et ma voiture fichue.

Maddie avala une gorgée de vodka orange.

— Et voilà. Rien de très intéressant.

— À part ma visite.

— Oui, bien sûr. Sans toi, je serais en train de comparer les prix des fours à micro-ondes. *Et de préparer mon divorce.* Je te suis infiniment reconnaissante.

— J'en suis très touché. Parle-moi de Treva.

— Treva ?

Elle a un problème et elle refuse d'en parler.

— Elle a deux enfants, Melanie, qui a huit ans, et Three, qui en a vingt.

P.C. fronça les sourcils.

— Ils ont appelé leur fils Three ?

— Non. Howie Junior.

Maddie se versa un autre jus d'orange arrosé de vodka. Sous l'effet de l'alcool, ses muscles se relâchaient, lui procurant un agréable soulagement. Au diable le Tylenol !

— Howie s'en fichait mais Treva avait fixé son choix. La mère de Howie... tu te souviens d'Irma Basset ?

— La secrétaire de l'école ?

P.C. sourit.

— Un peu. Je l'ai affrontée aux pires moments de mon existence. Et elle ne plaisantait pas.

— Eh bien, Irma a fait remarquer que le bébé ne pouvait pas être junior parce que Howie était déjà un junior. Il fallait donc l'appeler Howie III. Pour que le bébé soit Howie Junior, il aurait fallu que Howie Senior meure et que le Howie de Treva devienne Senior.

— Frog Point !... s'exclama P.C. Je suppose qu'il a fallu deux semaines à la ville pour résoudre le problème.

— Tu as tout deviné. Finalement, ils ont appelé le bébé Howie Three, ce qui dans la vie courante a donné Three et ça lui est resté. Aujourd'hui il a vingt ans et moi j'approche de la quarantaine.

— C'est dingue, dit P.C.

Non seulement l'alcool la détendait, mais elle se sentait très à l'aise. P.C., lui, sursautait à chaque fois qu'on claquait une portière, et il consultait sa montre de temps à autre avant de lui poser distraitement une question. *Que veut-il ?* se demanda-t-elle. *Après tout, je m'en fiche.* Brent allait rentrer d'une minute à l'autre et elle le quitterait. Sa vie était finie, il ne lui resterait plus qu'à s'occuper d'Em et de sa mère. P.C. était juste une très séduisante intrigue secondaire.

Une heure et trois vodkas orange plus tard, P.C. arrêta de consulter sa montre et ils purent se détendre tous les deux. La nuit tombait sur Frog Point, la nuit profonde et veloutée des chaudes soirées d'été. La stridulation des sauterelles avait tendance à ralentir. La fatigue, sans doute. Maddie les imagina frottant frénétiquement leurs petites pattes l'une contre l'autre. Elles devaient avoir les cuisses les plus fines de la création. Son verre était vide.

— Versons de la vodka dans le jus d'orange et on boira au carton.

Elle versa en tirant la langue.

P.C. l'observait en silence.

— Tu es devenue alcoolique depuis la dernière fois qu'on s'est vus ?

— Non.

Maddie leva le carton à sa santé.

— C'est la vodka de Brent. En vérité, j'ai commencé à boire ce soir.

P.C. haussa les sourcils.

— Peut-être as-tu quelque chose à me raconter ? Tu traverses une crise ?

Elle lui jeta un regard sombre.

— Juste une question au passage, s'excusa P.C.

— Je n'ai rien à te dire. Sache qu'en septembre tout sera terminé, mais d'ici là tu auras à nouveau disparu.

Elle but au carton.

— Si ça ne te plaît pas, rentre chez toi.

— Tais-toi et passe-moi le carton.

P.C. avala une rasade de cocktail et s'étouffa.

— Je sais, dit Maddie. On manque un peu de jus d'orange. Em en fait une importante consommation.

— Sacré petit diable !

Il vida le reste de la vodka dans l'herbe.

— Eh !

— Ce truc a glissé. Que va-t-il se passer en septembre ?

— Tu as tout renversé !

P.C. regarda l'herbe imbibée de vodka.

— J'ai pensé qu'on ferait peut-être bien de ralentir.

— Viens.

Maddie prit appui sur la table pour se relever.

— Il y a du vin à la maison.

P.C. la suivit.

— On pourrait peut-être prendre un Coca ? Et puis tu me raconteras ce que tu prévois pour septembre. Si ça m'intéresse, je reviendrai jeter un coup d'œil.

Maddie s'avança vers la maison. *Soûle, peut-être, mais pas idiote,* se dit-elle. *Ce type cherche quelque chose.* Elle s'appuya à la porte à claire-voie, et P.C. s'arrêta sur les marches qui conduisaient à la véranda.

— Maddie ?

— Je réfléchissais.

Elle entra dans la maison.

— Mauvais signe, dit-il en claquant la porte derrière eux. C'est en réfléchissant que tu as mis un terme à notre relation.

Maddie se dirigea vers le placard où ils gardaient le vin que les parents de Brent leur faisaient régulièrement livrer alors qu'ils n'en buvaient pas.

— Deux heures à l'arrière d'une Chevrolet de soixante-sept ne font pas une relation.

P.C. s'appuya au frigo.

— Faux. Deux heures à l'arrière d'une Chevrolet de quatre-vingt-dix-sept ne font pas une relation. Tu pourrais élever des enfants à l'arrière d'une Chevrolet de soixante-sept. Quand j'y pense, c'était une voiture géniale. Je me demande ce qui lui est arrivé.

Maddie sortit une bouteille de vin du placard.

— Avec celle-là, tu es rentré dans une rambarde sur la nationale 33.

— Je me demandais ce qui lui était arrivé depuis ce fâcheux incident, dit P.C. avec dignité. Quelqu'un aurait pu la réparer.

Maddie poussa un grognement sceptique et lui tendit la bouteille.

— On en a fait des cendriers. On en a trouvé des morceaux pendant des années.

Elle fouilla dans le tiroir des objets hétéroclites pour y chercher le tire-bouchon.

— En fait, tu es devenu un genre de héros local. À chaque fois que quelqu'un tombait sur un bout de ferraille, il disait : « Ça doit venir de la vieille Chevy de P.C. Ce bon vieux P.C. »

Elle trouva le tire-bouchon, le lui tendit, et il s'employa à déboucher la bouteille.

— C'est sympa. C'est vraiment très sympa de leur part.

— Et puis ils ricanaient.

Il releva la tête et lui sourit.

— Tu es une femme cruelle, Maddie Martindale. Ça tombe bien, j'adore les femmes dans ton genre.

Elle s'appuya au plan de travail et l'observa attentivement. Il ne pouvait quand même pas être encore amoureux d'elle après toutes ces années. S'il s'imaginait qu'elle allait à nouveau coucher avec lui, il se trompait.

Sans doute.

Physiquement, il était incroyablement séduisant, grand, baraqué, et elle avait toujours adoré les grands baraqués. D'accord, Brent était encore plus grand. Ça ne la dérangeait pas. Brent ressemblait à un coureur cycliste imbu de lui-même, tandis que P.C. ressemblait, eh bien... à un homme. En vérité, sa simple présence était une promesse de plaisir et de joie de vivre. Et Maddie avait sacrément besoin de prendre un peu de bon temps. Pour une fois, elle s'autorisa à ne penser qu'à elle. Au diable Brent !

— D'accord, dit-elle. Allons-y.

Le bouchon fit « plop » et P.C. resta là, une bouteille dans une main et le tire-bouchon dans l'autre.

— Où veux-tu aller ?

— À la Pointe. Comme quand on était au lycée.

Elle sourit, enchantée par son idée. C'était une idée géniale. Après ça, elle se sentirait beaucoup mieux. Enfin de l'action. La vengeance apporterait une réponse à ses problèmes. Elle irait à la Pointe avec P.C. et Bailey en parlerait à tout le monde. Elle ne serait plus cette charmante petite épouse trompée. Ce serait comme de hurler « Allez vous faire foutre » dans Main Street, mais en mieux. Elle adressa un sourire rayonnant à P.C.

Effrayé, il reposa la bouteille.

— Maddie, chérie, tu as trop bu.

Le sourire de Maddie s'effaça.

— Tu ne veux pas de moi ?

— Mais si.

P.C. passa la main dans ses cheveux sombres et épais, plus troublé que jamais.

— Enfin, peut-être. Tu es mariée. Un détail, mais...

Maddie fronça les sourcils.

— Tu viens, oui ou non ?

— À la Pointe ?

Visiblement, il semblait lutter avec cette idée.

Maddie prit la bouteille.

— Oui, on va repasser par notre jeunesse.

Elle essaya un sourire enjôleur. Pas très crédible. P.C. secoua la tête et lui reprit la bouteille.

— Ce n'est pas une très bonne idée, ma jolie. J'étais beaucoup plus jeune à l'époque, les voitures étaient plus confortables et tu n'étais pas mariée. Tu ne penses pas ce que tu dis.

Maddie le fusilla du regard.

— Très bien. Alors va-t'en.

— Attends.

P.C. reposa la bouteille et lui tendit la main.

— Ça mérite discussion.

Maddie croisa les bras.

— On ne discute pas de l'adultère.

— Ça dépend des circonstances.

Il s'appuya au mur, les mains dans les poches.

— Je ne pense pas que ce soit la passion qui te jette dans mes bras. J'ai un temps de retard, là, et je ne sais plus très bien où j'en suis. Que se passe-t-il exactement ?

Maddie le regarda. Cette fois elle le regarda vraiment. Son sourire, ses yeux brillants dans son visage viril... Pour la première fois en quarante-huit heures, Brent et leurs querelles de ménage passèrent au second plan.

— Tu as changé. Tu es...

— Plus vieux ?

Il prit la bouteille.

— Vingt ans, ma belle, ça laisse des traces. Tu as des verres ?

Elle en prit deux dans le placard.

— Il ne s'agit pas de ça. Tu as l'air vraiment bien. Équilibré. Sûr de toi.

— Dieu merci.

Il regarda les verres.

— Hercule ou Bambi ?

— Oh, excuse-moi, ce sont les verres d'Em !

Elle voulut les changer mais il l'arrêta.

— Si cela ne t'ennuie pas, comme je suis un garçon, je choisirai Bambi.

Il versa le vin et poussa un verre dans sa direction.

— À Em.

Elle trinqua avec lui, se dirigea vers le miroir de l'entrée et se regarda dans la glace.

— Je ne parviens pas à me souvenir à quoi je ressemblais.

Il la rejoignit. Il ne mesurait qu'une dizaine de centimètres de plus qu'elle. Brent était beaucoup plus grand. Quand on les prenait en photo, il posait toujours son ton sur sa tête. Elle avait horreur de ça. Son menton lui vrillait le crâne.

— Tu ressemblais à ça, lui dit-il. Mais en plus lisse. Tu avais un côté un peu absent.

Elle fit la grimace.

— Tu veux dire que je n'avais pas de rides.

— Non. Intérieurement, tu étais un peu inerte. Mignonne, vive, sexy dans un genre Blanche-Neige, mais inaccomplie. Personne à la maison. Une chrysalide. Aujourd'hui, c'est différent.

Maddie but une gorgée de vin. À quoi pensait-elle quand elle était au lycée ? Quelles passions la tourmentaient ? Aucune. C'était consternant. Les événements qui rythmaient son existence ne la concernaient pas directement. Ils dépendaient du désir et des décisions des gens. Par exemple Brent. Si quelqu'un lui avait demandé : « Qui êtes-vous ? », elle aurait répondu : « La fille de Martha Martindale », « La femme de Brent Faraday », « La mère d'Emily Faraday », mais jamais « Maddie ». Même son métier la consignait dans le rôle d'un professeur. Elle ne se définissait qu'en relation aux autres.

— Quelle angoisse ! soupira-t-elle.

— Sauf une nuit, lui chuchota P.C. à l'oreille. Pour moi, une nuit, tu as été vraiment là.

Maddie poussa un soupir.

— Je crains que cette nuit-là tu n'aies vu que ton propre reflet. Mais tu as raison, je n'ai jamais été vraiment présente avant aujourd'hui.

— Aujourd'hui ?

— Je viens de passer de ces journées qui comptent dans la vie d'une femme.

Elle vida son verre. Il était très proche d'elle et ça lui plaisait. Elle lui sourit.

— Je te sers du vin ?

Il parut songeur.

— Je me demande. L'alcool te fait toujours le même effet ?

— De quoi parles-tu ?

— Au premier stade, tu es très gaie, et au deuxième, tu es malade.

— Oh, c'est affreux !

Elle ferma les yeux.

— Maintenant, je me souviens. Tu as été très gentil.

— Merci. Ensuite, il y a le stade numéro trois.

— Je t'écoute.

Il prit un air innocent teinté d'ironie.

— Tu me sautes dessus.

— Pas question.

Elle se retourna et croisa son regard dans le miroir.

— Tu m'as déjà rembarrée une fois ce soir, et je ne suis pas maso.

— Je ne t'ai pas rembarrée. J'ai dit que j'étais trop vieux pour faire l'amour à l'arrière d'une décapotable à la Pointe.

— Si tu avais vraiment envie de moi, tu dirais oui.

P.C. regarda Maddie dans le miroir et lui sourit. Elle ressentit comme une petite brûlure. Il lui tendit son verre vide.

— Fais-moi une offre sérieuse, il sera toujours temps de discuter. En attendant, je reprendrais bien un peu de vin.

Un quart d'heure plus tard, alors qu'ils riaient en évoquant des souvenirs du lycée, le téléphone sonna. *Oh non !* songea Maddie. *Je n'ai pas envie de parler à qui que ce soit. Je me sens bien. C'est même la première fois depuis des années*. Et elle décrocha.

— Maddie ? dit Brent d'une voix sèche.

Elle sursauta et jeta un coup d'œil coupable en direction de P.C. Puis elle se reprit. Que Brent aille au diable ! Elle n'avait rien à se reprocher. D'ailleurs, cette pensée était déprimante. Quel dommage qu'elle ne soit pas coupable ! Pourquoi lui abandonnerait-elle le privilège d'être le seul salopard de la famille ?

— Maddie, tu es là ? demanda-t-il sur un ton exaspéré.

En bruit de fond, Maddie entendait le bruit des boules qui roulaient dans les allées en bois verni et heurtaient les quilles. Pour une fois, Brent était bien là où il prétendait être.

— Que veux-tu ?

— Écoute, je vais être en retard. Il s'est passé quelque chose.

Ben voyons. Ici aussi, figure-toi.

— Maddie ? J'ai rencontré Howie qui veut me parler dès qu'on aura fini notre partie. Mais je veux que tu sois à la maison quand je rentrerai.

— D'accord. Pas de problème.

Elle jeta un coup d'œil à P.C. et prit sa décision. La soirée était à elle. C'était une honte de culpabiliser ce bon vieux P.C., mais il s'en remettrait.

— Prends ton temps. Moi, j'irai me coucher tôt.

Elle pinça les lèvres pour ne pas éclater de rire.

— Que se passe-t-il, Maddie ? Tu ris ?

— De quoi, mon Dieu ?

— Je suis passé au bureau avant de venir ici.

— Ah, bon !

Elle but une gorgée de vin.

— Il faut que tu me rendes cette boîte.

Cours toujours, mon lapin.

— On en reparlera.

Il voulut argumenter mais elle le coupa.

— Il faut que j'y aille.

Et elle lui raccrocha au nez.

Puis elle se retourna et fit un petit signe à P.C.

— Je reviens tout de suite.

Elle grimpa l'escalier quatre à quatre et alla se planter

devant le miroir de sa chambre. *Assez plaisanté,* se dit-elle. *Ce type veut bien coucher avec toi. Mais pas ici.* D'ailleurs, c'était la seule limite qu'elle se fixait. Quant à l'unique motel de la ville, les patrons étaient bien capables, après sa visite, de publier le registre des clients en première page du *Frog Point Inquirer,* ce qui serait de très mauvais goût. Il restait donc la Pointe. Une fois là-bas, elle devrait attiser le désir de P.C. À moins de l'allumer ici et de l'entraîner ensuite jusqu'à la Pointe.

Arrivée à cette conclusion, elle réalisa qu'elle était ivre, et décida cependant de passer outre et de mettre son projet à exécution. Si elle n'avait pas été ivre, elle n'aurait pas osé se conduire de cette façon. Pratique : comme cela, son ivresse pourrait même lui servir d'excuse. Vu sous cet angle, cela ne présentait que des avantages. Elle sourit à son reflet dans le miroir.

Et maintenant, les vêtements. Elle ôta son short et sa chemise, et enfila une robe sans manches en jersey de coton vert pâle avec une rangée de petits boutons-pression en nacre. Très bien. Pour l'enlever, il suffisait de tirer dessus. On voyait la marque de son soutien-gorge à travers le coton. Elle releva la robe en se tortillant pour dégrafer le soutien-gorge et jeta un coup d'œil à ses jambes.

Pas mal, se dit-elle, mais il fallait enlever le slip en coton blanc. Elle parvint à faire passer les bretelles du soutien-gorge par un bras, puis par l'autre, et le fit glisser sous son aisselle. Ses seins tombèrent un peu, mais pas trop, et le contact du tissu sur sa peau lui plaisait. *C'est un corps qui se tient,* songea-t-elle. *Rien de renversant mais pas de raison non plus de cracher dessus, n'est-ce pas, P.C. ?*

— Maddie ?

Il l'appelait d'en bas. Assez tergiversé. Elle ôta son slip et l'expédia sur le plancher. Un peu perturbée par la brise qui lui soufflait entre les jambes, elle arrangea les plis de sa jupe. Comment la maîtresse de Brent s'était-elle débrouillée pour ne pas s'apercevoir qu'elle avait perdu son slip ? Évidemment, un slip sans fond implique déjà des courants d'air. Mais pourquoi diable enlever un slip sans fond ?

— Maddie ? Tu es sûre que ça va ?

— J'arrive.

Elle ouvrit la boîte de préservatifs de Brent et y prit deux préservatifs. Un geste qui l'enchanta.

P.C. l'attendait au bas de l'escalier. Maddie essaya de descendre avec grâce, mais elle trébucha sur la dernière marche et il la retint juste à temps. Ses seins s'écrasèrent contre sa poitrine et le trouble qu'il manifesta semblait signaler qu'il les avait remarqués. Finalement, elle n'était pas certaine de vouloir provoquer cet effet. Bizarre, le choc de la réalité.

— Comment te sens-tu ? demanda-t-il.

Elle prit une profonde inspiration.

— Bien. Allons-y.

— Où ça ?

— À la Pointe, lança-t-elle avec assurance.

Mais elle savait bien qu'elle n'en était plus sûre.

— Maddie ! Arrête !

Il la lâcha. Exaspérée, Maddie grinça des dents.

— Je parle sérieusement.

Un bref instant, il eut un regard d'homme traqué. Puis il frappa du poing sur la rampe et s'exclama :

— Et zut ! J'ai oublié mes préservatifs. Désolé, mais...

Elle en sortit un de sa poche et le lui agita sous le nez. Cette vision parut le terrasser.

— Tu es sérieuse ?

— Très.

Maddie le fixait avec de grands yeux clairs et innocents qui n'auraient trompé personne.

— Si tu veux, on se contentera de bavarder un peu.

Mais je pense que nous devrions faire l'amour en souvenir du bon vieux temps.

— D'accord. Le bon vieux temps.

Il soupira et mit le préservatif dans sa poche.

— D'accord, mais d'abord on change de voiture. Je ne veux pas qu'Henry me passe un savon parce que je me suis fait repérer à la Pointe.

— Quelle importance ? P.C., à trente-sept ans, tu es un grand garçon.

— Maddie, que cela te plaise ou non, l'opinion d'Henry ne m'est pas indifférente.

Ils voulurent aller chez Treva pour qu'elle leur prête sa voiture, mais tombèrent avant sur la Cadillac de Brent, qui s'était rendu au bowling avec Howie. Maddie fut ravie. En voyant la Cadillac à la Pointe, Bailey penserait que c'était Brent et elle parviendrait peut-être à commettre le péché d'adultère tout en sauvegardant sa réputation.

— Ça va être génial, dit-elle à P.C. sans prêter attention à son manque d'enthousiasme.

Le temps de la petite fille sage était révolu. Elle passait de l'autre côté de la barrière.

Un quart d'heure plus tard, ignorant tous ses mauvais pressentiments, P.C. poussait jusqu'à la Pointe avec la Cadillac. Il s'arrêta en bordure de la falaise, mit le frein à main et coupa le contact.

— Génial ! s'écria Maddie en ouvrant la portière.

— Où vas-tu ?

— Sur le siège arrière.

Ça la reprenait. Il n'aurait jamais dû faire ce voyage à Frog Point, mais il était venu quand même en se disant qu'en quarante-huit heures il ne risquait rien. Il allait régler le petit problème de Sheila, ruiner Brent Faraday, serrer la main d'Henry et embrasser Anna avant de repartir vers de nouvelles aventures. Que pouvait-il lui arriver ?

Et voilà qu'il se retrouvait dans le noir avec la seule femme qui lui faisait tourner la tête à chaque fois qu'il l'approchait. Et elle voulait faire l'amour. Bien. Lui aussi, mais il n'en était pas question. Il avait sa fierté. Il aurait fallu être aveugle pour ne pas voir que ce n'était pas le désir qui avait poussé Maddie dans ses bras. Elle était furieuse après Brent et voulait lui rendre la monnaie de sa pièce. Eh bien, elle pouvait toujours courir. Il connaissait la chanson. Il s'était prêté à son caprice parce qu'elle avait bu et qu'il avait l'intention de provoquer ses confidences. Un point c'est tout. Promis, juré.

— Il y a vingt ans, tu étais un peu plus rapide que ça, ironisa Maddie.

P.C. passa sur le siège du passager.

— Je n'entends pas les grenouilles.

— P.C., ça fait vingt ans qu'il n'y a plus de grenouilles à Frog[1] Point. Tu viens ?

P.C. appuya un instant la tête sur le volant puis se retourna. Maddie le fixait avec une lueur de détermination sauvage au fond des yeux, les bras croisés sur la poitrine, ronde et libre sous le tissu élastique de sa robe. Il la revit la veille au soir dans le jardin, se la rappela douce et chaude dans ses bras. Et une heure auparavant, au pied des marches, quand il l'avait rattrapée, il avait ressenti une flambée de désir qui l'avait renversé. Et elle lui avait tendu un préservatif. Et il l'avait pris.

Pas de risque qu'il s'aventure sur le siège arrière.

— Apparemment, tu n'as pas de soutien-gorge, fit-il remarquer.

— C'est le signe de ma sincérité. J'ai également ôté mon slip.

Elle tapota le siège à côté d'elle.

1. En anglais, *frog* signifie « grenouille ».

— Allez, viens.

Maintenant qu'il savait ce qu'elle mijotait, il ne fallait surtout pas qu'il grimpe sur ce siège arrière. Il sentit cependant que les motivations de Maddie lui importaient de moins en moins... Son cœur battait de plus en plus fort, ses idées s'embrouillaient. Mais il ne céderait pas. S'il se lançait dans cette aventure, ce serait en toute connaissance de cause.

— Maddie, dis-moi ce qui te pousse à agir comme tu le fais.

— Non mais, tu es incroyable ! Je t'offre mon corps et tu me demandes pourquoi ?

P.C. poussa un grognement et se cogna à plusieurs reprises la tête contre le volant. Puis il se mit à rire.

Maddie n'avait aucune idée des raisons de l'hilarité de P.C. Elle attendait patiemment. Il finirait bien par venir sur le siège arrière. En vingt ans, il ne pouvait pas avoir changé à ce point.

— D'accord, dit-il enfin. Mais on s'est bien compris : cette fois, l'idée vient de toi. C'est toi qui m'as séduit.

Il vérifia le frein à main, monta le taquet de la portière du passager, descendit et ferma à clef la portière du conducteur. Quand il finit enfin par s'installer à côté de Maddie, elle éclata de rire.

— Qu'y a-t-il de si drôle ? grommela-t-il.

— Toi. Le frein à main, le verrouillage des portières, tu en prends des précautions !

— Basculer par-dessus une falaise en faisant l'amour n'est pas exactement mon idée d'un orgasme fabuleux.

— Il y a vingt ans, tu n'aurais pas pensé à ça, répliqua Maddie avec un peu de mépris.

— Il y a vingt ans, je n'avais pas de frein à main.

P.C. regarda par la fenêtre.

— Il fait noir comme dans un four.

Maddie commençait à perdre patience.

— C'est pourquoi nous sommes ici et non pas au milieu de Main Street... Tu as l'intention de me faire poireauter longtemps ?

— Très bien.

Il l'attrapa et elle sursauta. Puis il lui écrasa la bouche en l'allongeant de force. Le corps de P.C. était pesant et Maddie se tortilla pour essayer de se dégager.

— Attends une minute !

Elle voulut rouler sur le côté, mais les larges épaules de P.C. la clouaient au siège.

— Arrête !

— Ce n'est pas ce que tu voulais ? Une partie de jambes en l'air bien scabreuse à l'arrière d'une grosse voiture ?

Elle ne bougeait plus. Il se souleva un peu, la dominant de sa puissante stature. Elle ne voyait pas ses yeux, mais comprenait bien qu'il n'avait pas perdu le contrôle de lui-même sous l'empire de la passion.

— Tu te moques de moi ! dit-elle avec colère.

— C'est ça, je me moque de toi, répliqua-t-il d'un ton amer. Tu l'as bien cherché. À quoi joues-tu, merde ?

Elle se débattit.

— Ôte-toi de là !

Il obtempéra, la regarda se redresser et remettre de l'ordre dans sa tenue. Elle se sentait humiliée. Quelle idée d'imaginer qu'il la désirait ! Dieu qu'elle était bête !

— Tu t'es disputée avec ce vieux Brent, c'est ça ?

Elle ne distinguait pas son visage ; mais il avait prononcé ces mots d'un ton dégoûté.

Elle se concentra à nouveau sur sa jupe.

— Pas du tout.

— Excuse-moi de te poser cette question mais, si je me souviens bien, quand tu m'as suivi il y a vingt ans, ce vieux Brent flirtait de façon éhontée avec...

— Arrête de l'appeler « ce vieux Brent ».

— ... Margaret, c'est bien ça ? Tu l'avais mal pris et tu avais décidé de me suivre jusqu'ici...

Maddie se laissa aller contre le dossier de la voiture. Le pis était qu'il avait raison. Elle l'avait amené ici par vengeance, et non par amour. Vingt ans après, elle commettait exactement la même erreur. Quelle idiote !

— Oui, soupira-t-elle. J'admets que ça n'est pas très brillant.

Pas étonnant que son mari aille se distraire ailleurs.

— Tu veux m'en parler ?

Il n'aurait plus manqué que ça.

— Non merci, je me suis déjà assez ridiculisée pour ce soir.

— Attends un peu.

P.C. lui caressa le genou.

— Ne crois pas que je ne te sois pas reconnaissant... Ça me rappelle des souvenirs, cette petite bagarre avec toi.

Il rit.

— Mon Dieu, j'ai été tellement surpris, cette nuit-là, quand tu as accepté d'aller jusqu'au bout.

— Et moi donc.

Elle renversa la tête en arrière, fixa le plafond.

— Moi non plus je n'avais pas prévu ça.

De toute façon, elle était toujours à côté de la plaque.

— Je n'ai jamais compris pourquoi tu m'avais choisi, poursuivit P.C. Sûrement pas pour ma technique amoureuse. J'étais tiraillé entre le désir et la peur. Un mélange détonant.

Elle tourna la tête vers lui.

— Tu étais marrant.

— Merci.

— Je veux dire vraiment drôle. Tu me faisais rire. J'adorais ça.

— Ah bon ?

Ça remontait à bien longtemps, mais elle le sentait encore un peu vulnérable.

— Oui, tu étais mignon. Et gentil.

Elle réfléchit une seconde.

— Tu n'essayais pas de prendre des poses. Tu étais tout simplement gentil et content que je sois avec toi.

— Content est un euphémisme. J'étais au bord de l'extase.

Maddie rit malgré sa tristesse. P.C. posa la main sur son épaule.

— Viens ici et raconte-moi tout.

Elle se raidit.

— Pardon ?

— Je n'ai pas très envie de faire l'amour mais je peux quand même affronter un câlin. Viens près de moi.

Elle hésita, puis lui obéit. Il passa un bras autour de ses épaules. Elle poussa un profond soupir et respira l'odeur du chèvrefeuille.

— Je me sens mieux. Après tout, c'était peut-être le bon vieux temps, la dernière fois qu'on est venus ici.

P.C. secoua la tête.

— Pas pour moi. Ma vie n'était qu'une succession de désastres.

Maddie leva les yeux vers lui.

— Je suis consignée sur la liste ?

Il lui donna une tape.

— Aucun doute là-dessus... Tu m'as laissé tomber et tu m'as brisé le cœur.

Elle se pelotonna contre lui, la joue contre sa chemise de coton blanc.

— Tu croyais vraiment que j'allais laisser tomber Brent pour toi ?

Il resta un instant silencieux.

— Non, dit-il enfin. Ce qui ne m'a pas empêché de souffrir comme une bête que tu ne l'aies pas fait.

Maddie se redressa.

– Je suis désolée. Je suis vraiment désolée. Je pensais que pour toi le plus important... Je pensais qu'une fois que tu aurais obtenu ce que tu voulais cela te suffirait. Je n'avais pas imaginé...

– Oublie tout ça.

Il l'attira à lui.

– Cela s'est passé il y a vingt ans. Depuis, beaucoup d'eau a coulé sous les ponts.

Maddie se blottit de nouveau contre P.C. Elle se sentait beaucoup mieux. Ce bon vieux P.C.

– Oui, mais pour moi c'était la première fois. Une expérience qui compte.

– Pour moi aussi.

Elle eut un geste de surprise et lui heurta le menton.

– Aïe !

– Pour toi aussi c'était la première fois ? dit-elle d'un air ébahi.

– Fais attention, bon sang ! Tu as la tête dure comme la pierre.

– Cela explique bien des choses.

– Que veux-tu dire ?

Elle le regarda.

– Quand on a eu fini, tu m'as dit : « Est-ce que c'était aussi nul pour toi que pour moi ? »

– Je n'ai jamais dit ça, répliqua P.C. d'un air renfrogné.

– Mais si.

Elle se mit à rire.

– Je croyais que tu plaisantais. Mais j'aurais pu te répondre oui.

P.C. secoua la tête.

– Faire l'amour n'est jamais nul. Ça marche plus ou moins bien, voilà.

— C'était nul. Bizarre, désordonné, pas agréable du tout, et je me sentais complètement godiche.

Il soupira.

— Merci.

— La deuxième fois, c'était mieux.

— Alors ça devait être Brent... On ne l'a pas fait deux fois et, après cette nuit-là, tu ne m'en as plus jamais reparlé.

P.C. se tassa sur son siège.

— Le lendemain, je suis venu à ton casier et tu t'es détournée. Quel commentaire sur ma performance !

— Ce n'était pas Brent. Cette nuit-là, nous l'avons fait deux fois.

— Ah bon ?

P.C. chercha dans sa mémoire.

— Mais oui, tu as raison.

Maddie s'écarta de lui d'un air outragé.

— Tu ne t'en souvenais pas ?

— Chérie, dans ma tête cette nuit-là n'est qu'un brouillard d'émotions érotiques. Ce que tu prenais pour de l'humour n'était probablement que mon idée d'un prélude.

Il prit une voix tendue et haut perchée :

— C'était pas terrible, on va recommencer jusqu'à ce que ce soit O.K., d'accord ?

Elle rit et il l'attira à nouveau contre lui.

— Tu n'as jamais eu cette voix-là.

— À l'intérieur, si. J'étais terrorisé.

— Par moi ?

— Par toi, par le siège arrière, et par l'idée de ne pas être à la hauteur. Et ensuite de ne pas pouvoir recommencer. Pendant des années, après cette nuit-là, à chaque fois que je faisais l'amour je me suis dit : « C'est fini. Aucune femme n'acceptera plus jamais de coucher avec moi. Ma vie n'a plus de sens... »

— Arrête, dit Maddie en riant aux éclats. Tu vas me faire pleurer.

— Et même maintenant...

— Oui ? Que dis-tu de notre situation présente ?

Elle voulut lire dans ses yeux. Mais il faisait si sombre qu'elle dut s'approcher très près.

— Tu n'es plus marié ?

Il la regarda.

— Non. J'ai divorcé il y a dix ans.

Le ton de sa voix indiquait clairement qu'il refusait d'en parler. Mais Maddie voulait en savoir plus.

— Pourquoi as-tu divorcé ?

— Elle aimait l'argent. De ce point de vue là, mes perspectives paraissaient limitées. C'est devenu un sujet de discorde et on a fini par se détester.

Maddie fronça les sourcils.

— Elle t'a épousé pour l'argent ?

— Non.

P.C. secoua la tête.

— Ce serait idiot de dire ça. Cette histoire était condamnée depuis le début.

— Raconte.

— Mais pourquoi toutes ces questions ? demanda-t-il avec impatience.

— Tu avais disparu de ma vie. Je veux savoir ce qui s'est passé. Je connais par cœur l'histoire de chaque habitant de cette ville. La nouveauté m'attire.

P.C. haussa les épaules.

— Il n'y a pas grand-chose à raconter. Je suis tombé sur Sheila il y a une douzaine d'années. J'étais venu rendre visite à mon oncle et ma tante, et elle travaillait ici comme secrétaire. On a cru se reconnaître, mais on ne s'était pas regardés d'assez près.

— Qu'a-t-elle vu en toi ?

— Un type plus âgé qui s'était échappé de Frog Point,

vivait en ville et portait des complets pour se rendre à son travail. Elle ne m'a vraiment découvert qu'après le mariage, et puis elle a réalisé que Frog Point lui manquait. Je refusais de revenir au pays, elle n'avait pas suffisamment d'argent pour mener la vie qui lui convenait, bref, tout nous séparait.

Il soupira.

— C'était une erreur sincère. Pas de méchants. Juste deux idiots.

Maddie n'avait pas très envie de poser la question suivante, mais il le fallait bien.

— Que représentait Sheila pour toi ?

P.C. resta silencieux un long moment.

— Je la voyais comme une charmante jeune fille qui avait envie de vivre avec moi.

— C'est tout ?

— C'est déjà pas mal.

— Elle a dû beaucoup te manquer quand elle est partie.

Maddie se mordit la lèvre.

— C'est difficile de... de divorcer ?

— C'est l'enfer.

Il avait dit cela d'un ton léger.

— Quand c'est terminé, on se sent bien mieux. Si tu n'y attaches pas trop d'importance, cela prend environ un an pour récupérer. Si on s'aime, je suppose que ça peut durer toute la vie.

Maddie resta si longtemps silencieuse que P.C. crut qu'elle s'était endormie.

— Hé !

— Je réfléchissais...

— Ah bon ? Tu songes à divorcer de ce vieux Brent ?

Elle prit une profonde inspiration.

— Jusqu'à présent je songeais simplement à tuer ce vieux Brent... Mais je me suis calmée.

— Et pourquoi étais-tu fâchée contre lui ?

— Il me trompe.

P.C. éclata de rire.

— En voilà une surprise ! Tout s'explique.

— Hein ?

— Je comprends pourquoi tu me fais le numéro de La-nuit-où-nous-avons-perdu-notre-virginité. Scène de la vengeance, deuxième partie. Et on dit que l'histoire ne se répète pas.

— Elle ne se répète pas, elle bégaie, répliqua Maddie.

P.C. se rejeta en arrière.

— Et maintenant, n'essaie pas de passer de la pommade. L'affreuse vérité est sortie du puits.

— Tu plaisantes, j'espère.

— Si on veut.

— Je pense que tu as tort.

Elle chercha ses mots.

— Il y a vingt ans, je suis venue ici pour lui rendre la monnaie de sa pièce, mais cela n'explique pas pourquoi je suis restée... J'ai passé un très bon moment. Mis à part le sexe.

P.C. poussa un grognement.

— Dieu du ciel, voilà qui me soulage d'un grand poids.

— Tu veux la vérité ? poursuivit Maddie. Nous n'avons pas très bien fait l'amour mais les câlins et les rires étaient merveilleux. Tu as été charmant. Avec toi, je me sentais bien. Je t'aimais beaucoup.

— Alors pourquoi as-tu épousé Brent ? dit-il d'un ton sarcastique.

— J'ai beaucoup réfléchi à ça... Toute la ville attendait qu'on se marie. Donc on devait le faire... Quand je suis venue ici avec toi, tout avait déjà été décidé. Je sais que cela peut paraître idiot, mais je ne pouvais plus rien envisager d'autre.

— En effet, reconnut P.C. C'est ce que tout le monde pensait, à l'époque.

— Hier encore, j'étais dans le même état d'esprit. D'où ma colère.

— Et maintenant ?

Elle se tordit le cou pour le regarder.

— Grâce à toi, j'ai changé d'attitude.

— Arrête. Je préfère que tu sois furieuse après Brent.

— Tu as tort. Je me sens très soulagée et cela faisait longtemps que je ne m'étais pas sentie aussi bien. Si Brent ne songe qu'à s'envoyer en l'air avec une ravissante idiote, je le plains. Mais s'il trouve le réconfort avec une autre femme, pourquoi pas ?

Maddie se blottit contre P.C. dont la main se referma à nouveau sur elle. Une vague de paix la submergea.

— Tu es un type épatant.

Il lui tapota l'épaule.

— D'accord.

Elle frotta son visage contre sa chemise, qui sentait le soleil, le savon, et son odeur. Aucun parfum, juste lui et le soleil.

— C'est ta tante qui a lavé cette chemise ? Elle a sûrement séché dehors. Elle sent merveilleusement bon.

Il eut un rire moqueur. Ses yeux étaient sombres comme la nuit, bordés de longs cils soyeux, et ses lèvres souriaient, réveillant chez Maddie de terribles appétits. Il était solide, chaleureux, sûr de lui, et elle le désirait tellement qu'elle en eut le souffle coupé. Son sourire s'effaça, il se pencha lentement vers elle et, quand ses lèvres effleurèrent les siennes, tout son corps se raidit.

— Maddie ?

Elle glissa la main sur sa nuque et l'attira à elle. Sa bouche brûlante avait un goût qui n'appartenait qu'à lui. Son bras la tenait fermement et elle frissonna quand il lui prit un sein qui s'épanouit sous la caresse. Saisie par la fièvre, elle se colla à lui et il la serra plus fort, attisant le désir qui courait dans ses veines. Sa bouche descendit le long de son cou, vers sa gorge, et elle soupira, s'enivrant de sa présence et de son odeur ; chaque respiration accroissait son désir. Quand il lui embrassa les seins, elle gémit et se pressa contre lui.

– Si tu veux qu'on arrête, il est encore temps, dit la voix de P.C.

– Non, fais-moi l'amour, murmura-t-elle dans un souffle.

Chapitre 7

Les yeux de P.C. fixaient Maddie avec intensité dans le clair de lune. Le poids de sa main lui coupa la respiration tandis qu'il faisait sauter les boutons-pression de sa robe. Ses doigts coururent sur son ventre. Leurs visages étaient très proches, il la dévorait des yeux. Il baissa la tête, ses cheveux caressèrent sa joue et il l'embrassa dans le cou. Une petite brûlure la fit trembler qui gagna ses seins et tout son corps. Elle le sentait bouger contre elle, respirait l'odeur de sa peau à travers sa chemise. Elle glissa les mains dans la ceinture de son jean.

Il défit sa ceinture et elle se cambra sur le siège, si vivante et submergée de désir qu'elle en tremblait. Elle voulait sentir à nouveau le poids de son corps sur le sien. Il glissa les mains sous elle, le long de son dos, puis la fit asseoir et lui ôta sa robe. Elle se laissa aller contre sa poitrine. Quand il lui releva la tête et l'embrassa avec fougue, elle tira sur les pans de sa chemise et les boutons sautèrent. Elle se pressa contre lui avec délice, gémit et lui mordit la lèvre.

— Maddie, attends ! s'exclama-t-il d'une voix rauque.

Il introduisit la main entre ses jambes et la pénétra. Elle poussa un cri étouffé et l'enserra étroitement. Tout en la caressant, il referma la bouche sur l'un de ses seins et elle perdit le contrôle d'elle-même, s'accrochant à lui tandis qu'il cherchait un préservatif dans sa poche. Quand il la prit, tout son corps se tendit pour ne faire qu'un avec lui. Elle était en transe, hypnotisée par le balancement de ses hanches. Ses lèvres et ses mains étaient partout, le sang cognait à ses tempes, au bout de ses doigts, de ses seins et au plus profond d'elle-même. Et la jouissance se diffusa dans tout son corps.

Maddie resta alors immobile un instant, la tête rejetée en arrière, et avant d'ouvrir à nouveau les yeux poussa un soupir qui ressemblait à un sanglot. La lune était sortie des nuages. Elle vit P.C. penché sur elle, le regard brillant dans la faible lumière. Elle se noya dans ce regard avec le sentiment d'avoir subi une métamorphose. Elle venait de faire quelque chose de répréhensible, quelque chose d'égoïste, quelque chose juste pour elle. Elle ne serait plus jamais la même. C'était merveilleux.

— Viens ici, lui dit P.C. de sa voix rauque.

Maintenant, elle le chevauchait. Il la pressa contre lui avec force et elle sentit qu'il la désirait à nouveau.

Elle laissa tomber la tête sur son épaule.

— Tu es venue très vite...

Il tira doucement sur ses cheveux pour mieux voir son visage.

— Cette fois, je veux que tu me regardes. Je veux que tu saches avec qui tu es.

— Mais je le savais...

Elle passa un doigt sur ses lèvres et referma les yeux quand elle le sentit la pénétrer.

— ... Je l'ai toujours su. Je n'ai jamais fait l'amour comme ça de ma vie.

— Personne n'a jamais fait l'amour comme ça de sa vie, dit-il en souriant.

Les mains posées sur ses seins, il l'embrassa sur les lèvres, la gorge, agaçant et caressant tandis qu'elle se balançait au rythme lent de l'amour. Elle gémit et il la pénétra plus fort.

— Regarde-moi.

Ses yeux brillaient dans le clair de lune. Il serra les dents, parcouru de spasmes. *Je suis la cause de ce qu'il ressent, il me désire, je lui fais perdre le contrôle de lui-même, il va jouir à cause de moi. Oh, mon Dieu !* Leur plaisir culmina dans un nouvel orgasme.

Elle reposait maintenant sur sa large poitrine trempée de sueur. *Voilà quelque chose que Maddie Faraday ne ferait jamais. Une expérience entièrement nouvelle. Juste pour moi.*

Je veux recommencer.

Ils restaient blottis dans les bras l'un de l'autre.

— Il faut absolument que tu retiennes la technique que nous avons utilisée, murmura P.C. à son oreille. Ça pourra resservir.

Maddie se mit à rire.

— Je parle sérieusement. J'ai déjà passé de bons moments en faisant l'amour, mais là c'était le nirvana. Tu crois que c'est la voiture ? Je vais acheter la même, c'est décidé.

— Non, murmura-t-elle. C'était toi.

C'était moi.

Il la serra contre lui.

— Refuseras-tu de me parler, demain, si je t'attends à ton casier ?...

— Non !

La tête lui tournait. Elle s'enivrait de sa présence et de tant de liberté.

— Après ce qui vient de se passer entre nous, je ne pourrai plus jamais te dire non.

Il l'embrassa avec fougue. Grâce à cet homme et à la force de son désir, elle se sentait rechargée d'énergie. Ils avaient fait divinement l'amour. *Je suis capable de n'importe quoi.*

Elle se rhabilla et il remit de l'ordre dans sa tenue, puis ils s'allongèrent, parfaitement heureux et détendus. Maddie sentait l'odeur du chèvrefeuille et celle de la sueur, du sexe et du soleil sur la chemise de P.C. Sa présence tendre et rassurante la comblait de joie. Elle distinguait l'éclat de sa peau, ses cils noirs effleurant sa joue, le léger sourire qui jouait sur ses lèvres. Elle dessina celles-ci d'un doigt tremblant qu'il embrassa sans ouvrir les yeux.

— Ton sourire est très étrange, dit-elle d'un ton rêveur. En forme de V.

— Dois-je en changer ? demanda-t-il d'une voix ensommeillée.

— Non. Il est très sexy.

Son sourire s'accentua.

— Parfait.

— Je te trouve très sexy.

— Merci.

Elle se blottit plus près.

— Et moi, tu trouves que je suis sexy ?

Il ouvrit un œil.

— Je pense qu'on devrait te déclarer d'intérêt national et te protéger par décret... Tu es toujours aussi bavarde après l'amour ?

— Non, dit Maddie avec un sourire épanoui. Mais je suis si heureuse.

Il referma les yeux.

— Parfait. Parle-moi. Je te jure que je t'écoute.

Il l'embrassa très doucement dans le cou.

— Tu as un cou merveilleux.

Elle entendait son cœur en même temps que la stridulation des sauterelles, respirait l'odeur de son corps avec celle du chèvrefeuille. Elle lui caressa l'épaule, le bras. Il avait un corps merveilleux. Tout en lui était merveilleux.

Une crampe subite lui rappela qu'il était aussi très

lourd. Si elle ne décoinçait pas sa jambe, elle resterait infirme pour le restant de ses jours.

— P.C., murmura-t-elle.

Il la serra contre lui et la douleur s'accentua.

— P.C. !

Il ouvrit les yeux.

— Quoi donc ?

— J'ai une jambe paralysée.

— Oh ! pardon.

Il s'assit.

— Ça va mieux ?

— Ouille !

Le sang afflua dans sa jambe, elle sentit des fourmis et son genou craqua quand elle bougea.

— On dirait que j'ai de l'arthrite.

Il lui caressa le genou.

— Ça tombe bien. J'adore les vieilles femmes.

Elle remarqua qu'il avait l'air épuisé.

— Ramène-moi chez moi. Tu as besoin de dormir.

Il l'attira à lui.

— Tu dormiras avec moi ?

— Brent n'apprécierait pas de te trouver dans son lit.

— Ah ! oui. Ce vieux Brent.

P.C. hésita.

— Aurais-tu des projets le concernant dont tu aurais oublié de me parler ? demanda-t-il.

— Oui. Je vais divorcer. J'ai rendez-vous avec l'avocate lundi. Je ne l'ai pas encore dit à Brent.

Il soupira et sa main s'égara sur un sein.

— Je me sens soulagé. Dis-le-lui ce soir, comme ça je dormirai mieux.

Maddie sursauta.

— Non !

— Maddie, je plaisantais.

— C'est un secret jusqu'à ce que le divorce soit prononcé.

P.C. fronça les sourcils.

— Pourquoi donc ?

— Tu as oublié que j'ai une fille ? Je ne veux pas qu'il en ait la garde.

— Maddie, aucune femme n'a perdu la garde de son enfant parce qu'elle avait eu une aventure. Surtout si son mari la trompe.

— Je m'en fiche. Je ne veux pas prendre de risques. Pas avec ma fille.

— Je comprends.

Il bâilla.

— Dieu, que je suis fatigué. On se revoit quand ?

Maddie pensa à Brent et son bonheur s'évanouit.

— Mardi soir. Il sort après le bowling le mardi et le jeudi.

P.C. s'interrompit dans son étirement.

— C'est dans quatre jours !

— Tu n'as qu'à prendre ça pour des préliminaires.

— Très drôle.

Il se pencha vers elle et l'embrassa avec passion. Puis il garda son visage très proche du sien.

— Tu réveilles en moi des instincts possessifs. C'est très mal.

Maddie effleura ses lèvres et elle sentit sa main se crisper sur elle. C'était enivrant d'être désirée à ce point.

— Pourquoi très mal ? C'est merveilleux, au contraire.

— Tu oublies que tu es mariée. Finalement, c'est peut-être moi qui vais tuer ce vieux Brent.

Des coups frappés à la vitre les firent sursauter. Maddie referma sa robe et s'enfonça dans le recoin le plus sombre de la voiture. P.C. ouvrit la fenêtre. Une voix lança :

— Dites donc, vous n'avez pas de lit, chez vous ?

Maddie se recroquevilla, aveuglée par la lumière d'une lampe de poche. Bailey. Bien sûr, Bailey. En repérant la voiture, il avait remporté le gros lot. La femme de son patron et l'amant de celle-ci à la Pointe. Maddie ferma les yeux et essaya de ne pas penser à ce qui allait suivre. Après tout, c'était ce qu'elle avait voulu. Sa vengeance. La Vierge Éternelle de Frog Point avait vécu.

Mais que dirait sa mère ?

Cependant P.C. s'était interposé et cherchait à arrêter la lumière.

— On peut savoir qui vous êtes ? lança-t-il.

— Ça alors ! P.C. Sturgis ! Comment ça va, P.C. ?

— Pardon ?

— C'est moi, Bailey.

Le garde éclaira son visage poupin, souriant dans son uniforme.

— Tu te souviens de moi ?

— Bailey ?... Tu es flic, maintenant ?

La voix de P.C. s'adoucit.

— Mon Dieu, le monde est tombé bien bas.

Le sourire de Bailey s'élargit.

— Tu n'as pas changé. Ça me ramène vingt ans en arrière de te surprendre en train de t'envoyer en l'air sur le siège arrière d'une voiture. Bonsoir, madame.

Maddie se rencogna.

— Bailey, mon vieux...

— Ouais, P.C. ?

— Éteins cette putain de lampe de poche, dit P.C. d'un ton sec.

— Tout de suite.

Bailey éteignit la lumière.

— Tu n'as pas le droit de rester ici, P.C. Maintenant, c'est une propriété privée.

— D'accord.

Maddie vit P.C. rentrer sa chemise dans son jean, sortir et refermer vivement la portière.

— Ravi de t'avoir revu, Bailey.

Il attrapa le garde par le bras.

— Il est temps de nous séparer.

— Je t'attends en bas de la première colline.

— C'est ça. Et maintenant retourne à ta voiture.

P.C. l'accompagna, et dirigé par son bras le petit garde avait les pieds qui touchaient à peine le sol.

— Hé, P.C., tu es bien avec qui je pense ? Allez ! Cette ville n'a pas eu d'histoire croustillante à se mettre sous la dent depuis des mois.

Bailey tourna la tête, essayant une dernière fois de voir qui accompagnait P.C.

— Les flics savent tenir leur langue, Bailey, même les flics d'occasion. D'ailleurs, je suis venu seul.

P.C. ouvrit la portière de la voiture de Bailey et le poussa à l'intérieur.

— Tu es prié de ne parler de cette rencontre à personne. Tu m'as compris ?

— Tu es seul à l'arrière de la voiture de Brent Faraday à la Pointe ? À d'autres. Il y avait une femme là-dedans.

Maddie voyait P.C. toujours penché sur Bailey.

— Bailey, casse-toi, et ferme-la, ou je te promets de te flanquer une raclée dont tu te souviendras.

Bailey rigola mais il mit le contact.

— Ça m'étonnerait que tu me tapes dessus, P.C., c'est pas ton genre. Et puis tu sais bien que dans cette ville tout finit par se savoir.

P.C. claqua la portière et rejoignit la Cadillac.

— C'est ce qu'on va voir, l'entendit grommeler Maddie dans sa barbe.

Et il s'installa au volant.

— Cache-toi, lui dit-il en mettant le contact.

Maddie regarda les feux arrière de la voiture de Bailey disparaître sur la route. Demain, tout le monde saurait.

— J'ai l'impression d'être une pute.

— Maddie, détends-toi.

P.C. démarra.

— Il a tout gâché.

— Il ne tient qu'à toi de ne pas le laisser faire.

Maddie réfléchit pendant que la voiture roulait. Elle venait de passer la meilleure soirée de sa vie et elle allait le regretter. Demain, elle serait tourmentée par le remords. Mais ce soir, elle demeurait plongée dans une bienfaisante obscurité à côté de P.C.

— Tu as raison, dit-elle en enjambant le siège pour le rejoindre.

— Il semblerait que je n'aie plus de boutons à ma chemise.

Elle le vit froncer les sourcils à la lumière du tableau de bord tandis qu'ils prenaient le virage qui les éloignait de la Pointe.

— Qu'en as-tu fait ? Tu les as croqués pendant que j'avais le dos tourné ?

— Eh oui ! La prochaine fois, méfie-toi.

Et elle lui embrassa langoureusement l'oreille.

Il fit une embardée.

— Pas quand je conduis ! protesta-t-il. Enfin, dans ma voiture, ce ne sera pas un problème. L'accoudoir t'obligera à te tenir tranquille.

Maddie avait rejoint le siège du passager.

— Je préférais ta vieille voiture. Au moins, je pouvais me serrer contre toi.

— C'est toujours possible. Il te suffira de mettre une jambe de chaque côté de l'accoudoir. Ce qui rendra le passage de la quatrième très excitant.

Elle rit.

— Ce soir, j'ai l'impression d'avoir dix-huit ans.

Il lui caressa le genou.

— J'ai remarqué que tu as enjambé le siège avec une agilité surprenante. Je n'ai pas entendu le moindre craquement.

— Tu devrais me voir quand je passe dans l'autre sens.

Il se tourna vers elle avec un sourire tranquille et possessif.

— J'en ai bien l'intention.

Maddie se renversa au fond du siège, s'abandonnant à une bienheureuse béatitude. Demain n'existait pas.

P.C. conduisait en pleine nuit la Cadillac de son pire ennemi, dans un brouillard engendré par le bien-être et la perplexité. Il se demandait si la chance lui souriait enfin ou si le destin lui jouait un mauvais tour. Avoir une liaison avec une femme mariée à Frog Point était bien la dernière chose qu'il aurait souhaitée. Mais la femme mariée était Maddie, elle allait divorcer, quant à lui il n'était plus en état de réfléchir, mais il n'avait jamais été aussi heureux depuis longtemps. Peut-être depuis toujours.

Maddie lui était revenue.

Il se gara derrière la maison de Treva et Maddie descendit de voiture. Il baissa la vitre, la rappela, et elle revint l'embrasser. Leurs adieux s'éternisèrent. C'était bien Maddie, son visage rond, ses lèvres pleines et ses yeux brûlants. P.C. songea : *Le monde peut bien s'écrouler, je m'en fous*. Il sortit de la voiture et tenta d'attirer Maddie à lui, mais elle se dégagea.

— Je vais rentrer à pied. Si tu me raccompagnais, quelqu'un pourrait nous voir.

Il la regarda s'éloigner. Le tonnerre grondait au loin et le vent se leva.

— Je t'appelle demain ! Je veux te voir demain.

— J'essaierai, cria-t-elle. Je te jure de faire tout mon possible.

Elle se mit à courir. Il laissa les clefs de la Cadillac sur le tableau de bord et rejoignit sa Mustang. Deux heures sur un siège arrière et sa vie était transformée.

L'orage éclatait quand il mit le contact, et il rentra chez Henry sous la pluie. Il était obnubilé par Maddie, imaginait Maddie partant avec lui pour Columbus (accepterait-elle de quitter Frog Point ?), imaginait encore la fille de Maddie (il ne connaissait rien aux enfants), puis il imagina la tête d'Anna quand il lui raconterait (elle serait aux anges, surtout à cause de la petite), la tête d'Henry quand il lui annoncerait la nouvelle (indéchiffrable), la tête de Maddie quand il lui proposerait de le suivre à Columbus (pas question), la tête d'Anna quand elle se rappellerait que Maddie était mariée (et merde), et la tête des gens de Frog Point quand ils comprendraient qu'il allait l'épouser (assommés)... Il pensa ensuite au terrain près de la ferme (« Jolie parcelle pour y construire une maison », lui avait dit Henry quand il avait épousé Sheila), au bonheur de voir Henry et Anna tous les jours. Et flottant tout autour, il y avait la chaleur de Maddie, sa douceur, Maddie avec lui dans l'obscurité, ses gémissements, son regard éperdu avant de jouir, sa façon de s'accrocher à lui après l'amour.

Cette fois, il s'en était bien sorti.

Un reste de lucidité lui souffla que deux heures à faire l'amour dans une voiture ne garantissaient pas forcément un avenir conjugal. Mais cette objection ne lui parut pas tenir. Il demeurait intimement persuadé que cette fois ils avaient tous les deux touché le gros lot.

Au nez et à la barbe de Frog Point.

Maddie rentra par la porte de derrière, trempée par la pluie, essayant de toutes ses forces de se raccrocher à son bonheur. En réalité, elle avait le cœur lourd. Le plaisir sexuel n'allait sûrement pas résoudre ses problèmes. Le plaisir...

— Où étais-tu passée, bon Dieu ? fit la voix de Brent.

Maddie sursauta dans l'obscurité. Brent alluma la lumière de la cuisine, ce qui l'aveugla.

— Brent ?...

Sa voix trembla tandis qu'elle essayait de gagner du temps. Sa robe était-elle bien boutonnée ? Elle ne portait pas de soutien-gorge...

— Je te demande où tu étais !

Les mots se bousculaient dans la bouche de Brent. Il se tenait là, la tête baissée comme un taureau prêt à charger, couvert de sueur, une main posée sur le plan de travail. Ses sourcils sur son front se rejoignaient, formant comme une entaille noire.

— Brent, tout va bien.

Elle alla vers lui pour tenter de le rassurer.

— J'ai pris la Cadillac pour aller faire un tour. Je ne vois pas pourquoi tu t'inquiètes pour moi.

Il l'attrapa par le bras.

— Je ne m'inquiète pas pour toi, je...

Il s'interrompit, la secoua.

— Quand je te demande d'être à la maison, j'entends que tu m'obéisses. Tu m'as compris ?

— Non.

Les pensées de Maddie devenaient confuses, troublées par la culpabilité et la colère.

— Qu'est-ce que tu as ? lança Brent.

Elle dégagea son bras.

— Cela ne te ressemble pas de faire une scène pareille. Et puis qu'est-ce que ça peut te faire que je sois là ou pas ?

— Tu fais ce que je te dis, c'est tout.

Il la coinça contre l'évier. Il sentait la bière, la sueur, si proche d'elle que les pores de sa peau lui semblaient être des cratères.

— Je suis ton mari.

Elle secoua la tête. *C'est fini. Je n'ai plus besoin de toi. Enfin libre.*

— Tu parles ! répondit-elle.

Et elle le repoussa.

Il la regarda fixement sous la barre de ses sourcils.

— Je veux savoir où tu as été.

— De quel droit ? Je te pose des questions, moi ?

Elle prit une profonde inspiration.

— D'ailleurs, je sais tout. Alors arrêtons de jouer la comédie.

Il s'arrêta net.

— Quoi ?

— Je connais tous tes petits secrets répugnants. J'ai ouvert cette putain de boîte. Je sais tout.

Elle ne pouvait plus le supporter. Elle se tourna vers la fenêtre battue par la pluie et vit son reflet dans la vitre. Il se tenait là, massif, les bras ballants, l'air idiot. Elle sentit la douleur qui la reprenait dans son cou, et tendit la main vers son flacon de pilules. Elle les prendrait sans eau. Elle voulait conserver le goût de P.C.

— Non mais tu te prends pour qui ? dit-elle en faisant glisser les pilules dans sa main. Tu pensais que tu allais t'en tirer parce que tu es Brent Faraday ? Il ne faut pas y compter. Si tu t'imagines que je crois à toutes tes histoires, tu es vraiment le dernier des imbéciles.

Elle se retournait prête à l'affronter, quand il la frappa d'un coup de poing à la pommette. Elle heurta le mur en tombant et les pilules s'éparpillèrent sur le carrelage. *Dieu merci, Em n'est pas là !* songea-t-elle en glissant le long du mur. *Pauvre chérie.*

Puis son instinct de conservation reprit le dessus, elle se releva et courut dans le couloir en hurlant :

— Ne me touche pas !

Brent ne la suivit pas. Elle entra dans le living et

s'appuya contre le sofa, tremblante et hors d'haleine. Elle tenait toujours le flacon de pilules.

Sa tête la faisait atrocement souffrir. Voilà donc ce que l'on ressentait quand on était une femme battue. Les voisins allaient bien rire. Elle porta la main à la tempe. Elle saignait. La chevalière de Brent avait dû la blesser. Demain il faudrait qu'elle trouve une explication pour Em, pour sa mère, pour tous les habitants de cette ville. Elle s'affala sur le sofa.

Et Bailey s'empresserait de raconter son escapade avec P.C. Mais à quoi avait-elle pensé pour jeter sa vie aux orties en échange de deux heures de bonheur ? Oubliant qu'elle n'était pas seule en cause, elle avait trahi Em et sa mère. Elle était une sale égoïste et il n'y avait plus moyen de revenir en arrière. Cette fois, elle avait foncé droit devant elle.

Elle avait commis l'irréparable. Plus jamais elle ne pourrait être une bonne petite fille. Elle fit un effort pour accommoder sa vision et vit la bouteille qu'elle avait partagée avec P.C. posée sur la table. Elle était épuisée, sa tête la faisait tellement souffrir qu'elle ne connaîtrait certainement plus jamais le bonheur.

Cet après-midi, elle avait sombré dans l'oubli avec trois Tylenol. Il restait encore sept pilules dans le flacon. Elle les laissa tomber une à une dans la bouteille où il restait un fond de vin et l'agita pour les faire fondre.

— Maddie ?

Brent se tenait dans l'embrasure de la porte, tassé sur lui-même. Il portait sa chemise de bowling. Dieu qu'il avait l'air bête ! La chemise n'était pas en cause. P.C. aurait été superbe dans cette chemise. Le problème, c'était Brent.

Il ferma les yeux.

— Je suis désolé. Excuse-moi de t'avoir frappée. Je t'aime. Tu le sais. Je suis désolé.

— Je sais que tu es désolé. Je sais.

Il ne l'avait jamais frappée auparavant. De toute façon, maintenant cela n'avait plus d'importance. Il lui facilitait la tâche, elle n'aurait vraiment aucun mal à le quitter. Si seulement la note n'avait pas été aussi élevée, elle aurait été presque contente qu'il l'ait frappée. Oui, mais la douleur la tenaillait et elle devrait s'expliquer devant les gens. Ils penseraient qu'il l'avait frappée à cause de P.C. Brent, qui se fichait de tout, s'en tirerait très bien, comme d'habitude. Quel salaud, pensa-t-elle.

— Tu es allée fouiller dans mes affaires, fit Brent d'une voix menaçante. Tu t'es rendue dans mon bureau.

— Ah oui !

À sa grande surprise, Maddie avait l'impression que cela s'était passé dans une autre vie.

— J'avais mes raisons.

— Je veux que tu me rendes cette boîte.

— Plus tard.

— Non. Tout de suite. Et je veux savoir où tu étais. Tu as parlé à quelqu'un ?

Maddie était épuisée. Choquée. Incapable de faire face à une nouvelle bagarre.

— Nous en reparlerons demain.

— Maintenant.

— Très bien.

Elle se leva.

— Toi d'abord. Où étais-tu passé ? Au bowling, peut-être ? Tu n'es qu'un sale menteur. Je ne croirai plus jamais rien de ce que tu me racontes.

Il lui sembla que Brent enflait sous l'effet de la colère.

— La ferme, il ne s'agit pas de moi. Où...

— Comment, il ne s'agit pas de toi ? Toujours en train de rouler des mécaniques !

— Tais-toi !

— Ce bon vieux Brent Faraday peut se payer toutes les filles qu'il veut et je n'ai qu'à la fermer, c'est ça ?

Elle fit le tour de la table basse et se dirigea vers l'entrée de la maison.

— J'en ai franchement assez de ce petit jeu. Je m'en vais.

— Non, dit Brent.

Elle s'aperçut qu'il tremblait de tous ses membres.

— Tu ne vas nulle part.

— Je sais qui tu es...

— Ta gueule !

— Un pas-grand-chose, alors ne viens pas...

Il la frappa à nouveau quand elle passa près de lui. Sur la tempe. Il lui sembla que sa tête sonnait creux.

Elle tituba, essuya du revers de la main les larmes qui lui étaient montées aux yeux sous l'effet du choc. Elle dit « Ça suffit » et le repoussa violemment. Il tomba à la renverse et elle trébucha en direction de la porte du living. Puis elle s'élança pendant qu'il se relevait, jetant des chaises derrière elle pour le ralentir. Elle entendit la table de l'entrée craquer sous le poids de Brent qui s'était étalé de tout son long, mais elle ne se retourna pas et courut s'enfermer dans sa chambre. Elle tourna la clef à l'instant où Brent s'abattait sur la porte. Elle y traîna la lourde commode et lui parla d'une voix entrecoupée par les sanglots.

— Fous le camp. Sors de cette maison ou j'appelle la police. Tu es soûl. Ou cinglé. Maintenant je sais ce dont tu es capable. Tout est fini entre nous. Va-t'en.

Elle l'entendit glisser le long de la porte.

— Maddie...

Elle se demanda s'il pleurait. Mais Brent ne pleurait jamais.

— Je ne voulais pas te frapper. Je te demande pardon.

C'est arrivé comme ça. Où étais-tu, ce soir ? Dis-le-moi. Il faut que je le sache. Je veux savoir à qui tu l'as dit.

— J'étais avec P.C. Sturgis. Lundi, je demande le divorce. Non seulement tu me trompes avec une blonde, mais tu m'as frappée. Tu m'as frappée deux fois. Va-t-en. Tu n'es plus mon mari.

— Que lui as-tu dit ?

Elle crut que la porte allait céder sous les coups d'épaule de Brent. Mais elle s'appuya contre la commode et le verrou tint bon.

— Bon Dieu, Maddie, que lui as-tu dit ?

— Va-t'en, hurla Maddie. Va-t'en.

Après un long silence, elle l'entendit descendre lourdement les marches.

J'en ai fini avec cette vie-là, songea-t-elle. *Quel soulagement ! Adieu pour toujours. Je suis contente qu'il m'ait tapé dessus. J'ai touché le fond. Maintenant je ne pourrai plus jamais retourner avec lui. Ni pour Em, ni pour ma mère, ni pour personne.*

Entre deux coups de tonnerre, elle entendit Brent qui tournait en rond dans le living. Un peu plus tard, il parla au téléphone. Elle s'assit sur le lit et décrocha le récepteur qui se trouvait dans sa chambre. Elle eut juste le temps d'entendre Brent dire d'une voix ivre :

— Je ne crois toujours pas à ton foutu rôdeur, mais je l'amènerai. Après ça, terminé.

Une voix de femme répondit :

— Parfait.

Puis Brent raccrocha et le téléphone de l'entrée tomba à terre. Il s'affaira encore un bon quart d'heure. Maddie resta assise sur son lit. Sa tête la faisait souffrir. Puis elle entendit le tintement des clefs de Brent. Il sortit en claquant la porte et elle retomba sur son lit.

Elle pleura de douleur, d'épuisement, de peur et de confusion. Elle pleura sur son mariage brisé. Elle ne parvenait pas à trouver le sommeil. Dehors, le tonnerre et la pluie redoublèrent d'intensité. Tout ce dont elle allait devoir s'occuper menait une ronde confuse dans sa tête. Em, l'enfant de Kristie, sa mère, le chien, le divorce, Treva, sa voiture et même le four à micro-ondes – elle crut devenir folle. Elle aurait voulu que P.C. la prenne dans ses bras, éloigne Brent et remette de l'ordre dans sa vie.

Quand elle sentit enfin venir le sommeil, l'orage s'était apaisé. Juste avant de s'endormir, elle comprit que ce n'étaient pas seulement les coups qui signaient l'arrêt de mort de son mariage, mais les raisons du comportement de Brent. Il ne souffrait pas d'être trompé, il avait peur que Maddie ne l'ait espionné et qu'elle n'ait découvert ses sales petits secrets. Toute la ville serait informée qu'il n'était qu'un pauvre type. « Que sais-tu exactement ? » disait-il en substance, paralysé par la peur panique de ne plus être le grand Brent Faraday.

Moi, au moins, je n'ai pas peur, se dit-elle. *Je suis prête à m'assumer telle que je suis.* Elle songea à sa mère, à la ville, à Bailey qui allait la dénoncer et elle poussa un profond soupir. Puis elle fut trop fatiguée pour réfléchir davantage et sombra dans le sommeil.

Quelqu'un l'appelait. Maddie se redressa. Elle sentit un élancement dans la tempe gauche et fut presque aveuglée par la douleur. *Il faut que je cesse de me réveiller aussi brutalement,* songea-t-elle. *Qu'est-ce que j'ai fait hier soir ?*

Puis la mémoire lui revint.

Elle entendit à nouveau prononcer son nom. Treva. Treva était en bas avec les filles. Elle écarta la commode de la porte et descendit l'escalier en s'accrochant à la rampe. Treva, Mel et Em se tenaient dans l'entrée et la fixaient dans un silence de mort.

– Que se passe-t-il ? demanda-t-elle.

— On a essayé d'appeler, dit poliment Em.

Elle semblait terrorisée.

— Mais la ligne était occupée, poursuivit-elle.

Elle regarda par terre.

— C'est pas étonnant.

Maddie se retourna. La table de l'entrée et deux chaises étaient renversées. Une chaise avait un pied cassé. Le téléphone gisait à terre et l'écouteur était sorti de son socle. Em contourna sa mère et raccrocha. Le téléphone sonna et elle décrocha.

— Ne quittez pas.

Elle se tourna vers Maddie.

— C'est pour toi.

— Em, ma chérie, balbutia Maddie qui, devant l'effarement de sa fille, cherchait désespérément une explication. Voilà : j'ai trop bu hier, j'ai renversé des meubles en allant me coucher et je me suis fait terriblement mal en tombant.

Sa tête la faisait souffrir. Elle n'osait penser à la triste image qu'elle offrait à sa fille.

— Je suis désolée. Il y avait un bon film sur le câble, j'ai bu un peu trop de vin et comme je n'ai pas l'habitude de boire...

Elle haussa les épaules.

— Si vous alliez vous préparer un petit déjeuner, les filles ? dit brusquement Treva. Du beurre de cacahuète avec de la confiture de fraises, quelque chose qui vous fusille bien les dents ?...

Em tendit le téléphone à sa mère et se dirigea vers la cuisine. Mel dévisagea Maddie d'un air horrifié et la suivit.

— Pour le mensonge, c'est raté, dit Treva. Hier le câble était en panne. On a été obligés de regarder des vidéos.

— Il manquait plus que ça.

Maddie se tourna vers le miroir.

— Mon Dieu !

Son œil au beurre noir descendait jusque sur la pommette, qui était coupée en deux endroits.

— Emily, murmura-t-elle. Em a vu ça.

— De toute évidence, dit Treva qui se tenait derrière elle et inspectait elle aussi les dégâts. Quand j'ai vu ça, ça m'a donné envie de vomir. Que s'est-il passé ?

— Brent m'a frappée, chuchota Maddie.

Treva s'écroula sur une chaise, la bouche ouverte et les yeux agrandis par le choc, tandis que Maddie allait répondre enfin au téléphone.

— Allô ?

— Que se passe-t-il chez toi ? Je peux te parler ? Brent est parti ?

La voix de P.C. était pleine de soleil, de bonheur et d'amour.

— J'essaie de t'appeler depuis dix heures ce matin. Tu étais au téléphone avec Treva, c'est ça ?

— Non, dit Maddie en s'observant dans la glace.

Et à sa grande consternation, elle se mit à pleurer.

— J'arrive tout de suite, dit P.C. Ne pleure pas, j'arrive.

Chapitre 8

— Non, répondit Maddie.

Il ne manquait plus que cela, un amant dans la maison dont elle devrait justifier la présence auprès d'Em, sa mère, les voisins et...

— Ça ira, lui dit-elle. Tout va bien. Treva est arrivée avec les enfants.

— Écoute, je suis chez mon oncle. Tu m'appelles et j'arrive dans le quart d'heure. Je reste près du téléphone. Que s'est-il passé ?... Finalement, je vais venir tout de suite.

— Non. Je te rappellerai.

Et elle raccrocha, coupant court aux protestations de P.C. Il était important, mais jusqu'à quel point, elle l'ignorait. Em passait avant tout. Elle se tourna vers Treva.

— Qu'est-ce que je fais avec Em ?

Treva avait toujours les yeux fixés sur elle.

— Il t'a frappée combien de fois ?

— Deux. Je me suis enfermée dans ma chambre.

Maddie jeta un coup d'œil au miroir et elle frissonna. L'image que lui renvoyait la glace était toujours aussi impressionnante.

— Dieu du ciel, dit Treva. Va t'arranger un peu pendant que j'essaie de distraire les enfants. Mets du fond de teint. Et des lunettes de soleil.

Du maquillage et des lunettes ne résoudraient rien. Em l'avait déjà vue sans.

— Qu'est-ce que je dis à Em ? répéta-t-elle.

Treva poussa un soupir.

— J'en sais rien. Pourquoi pas la vérité ?

Hou ! Hou ! chérie. Papa m'a tapé dessus hier soir.

Maddie secoua la tête.

— Je ne peux pas. C'est son père.

— Oui, et il a frappé sa mère.

— Si c'était Howie, tu le dirais à Mel ?

— Comment veux-tu que je le sache ? Et puis Howie ne ferait jamais une chose pareille.

Treva semblait au bord des larmes.

— Va prendre une douche et t'habiller. Quel désastre !

Une demi-heure plus tard, Maddie retrouvait sa fille dans la cuisine, vêtue d'un jean et d'une chemise blanche, soigneusement maquillée et les yeux cachés par des lunettes de soleil.

— Tu as bu beaucoup de vin, hier soir, dit Em.

— Oui. Quelle idiote je suis !

Maddie s'assit.

— Pourquoi il y a deux verres ? demanda Mel, peu soucieuse de dissimuler sa curiosité.

— Le papa d'Em a bu un peu de vin en rentrant, mentit Maddie.

— Mel, il faut qu'on y aille, dit Treva.

Elle se tourna vers Maddie.

— Appelle-moi plus tard.

Et elle entraîna Mel dans la voiture avant qu'elle ait eu le temps de faire d'autres observations du même genre.

Maddie tendit les bras à sa fille.

— Viens ici, ma puce.

Em fit le tour de la table et grimpa sur les genoux de sa mère. Puis elle se mit à pleurer. Maddie la berça.

— Parle-moi, ma chérie.

— J'ai peur, sanglota Em. Tout est horrible, tout le monde se dispute, et puis quand j'ai vu ta figure...

— Je sais.

Maddie la serra contre elle.

— C'est franchement moche. Moi-même je me suis fait peur en me voyant dans la glace, mais ce n'est pas la première fois qu'il m'arrive une pareille aventure. Tu te souviens quand je me suis inscrite au cours de gym ? J'avais soulevé un trop gros poids et des petits vaisseaux avaient éclaté dans mon œil.

Em s'arrêta de pleurer.

— Oui.

Elle renifla.

— J'avais oublié. Mais là, on dirait que tu t'es fait taper dessus.

— Tu ne le croiras jamais mais, cette fois-ci, j'ai laissé tomber le poids sur ma figure, répliqua Maddie, prise d'une subite inspiration.

Le visage d'Em s'éclaira.

— Tu as glissé ?

— Ouais. Un des haltères de papa à la cave. J'avais bu un ou deux verres de trop. C'est malin !

Em avait l'air sceptique, mais elle s'était arrêtée de pleurer.

— Je n'imaginais pas que c'était aussi horrible, poursuivit Maddie, et puis je me suis regardée dans la glace quand tu es arrivée.

Em glissa sur le sol, soudain distante.

— Tu devrais voir un médecin.

Elle se frotta les yeux.

— Tu as pu t'abîmer le cerveau. Tu as peut-être un traumatisme.

— Je verrai ça plus tard, dit Maddie, soulagée d'avoir momentanément calmé le jeu.

Em finirait bien par se rappeler les meubles renversés

et la panne de câble. Mais quand elle apprendrait le divorce de ses parents, elle recevrait de toute façon un tel choc que les meubles passeraient au second plan.

Le téléphone sonna avant que Maddie ait eu le temps de mettre de l'ordre ou de téléphoner à Treva.

— Maddie, chérie, c'est maman.

Elle s'assit à la table de la cuisine et essaya de parler comme une femme en pleine possession de ses moyens physiques et intellectuels.

— Bonjour, maman.

— J'ai appelé tout à l'heure mais c'était occupé.

— J'avais décroché pour me reposer un peu.

— Excellente idée. Comment va le charmant petit Sturgis ?

— Quoi ?

Sa mère ne pouvait pas déjà être au courant. À moins que Bailey...

— J'ai vu Gloria Meyer à Revco. Elle m'a dit que tu avais passé quatre heures avec lui hier au soir. Vous avez bu du jus d'orange et de la vodka.

Maddie ferma les yeux. Gloria-œil-de-lynx avait même remarqué la vodka. Elle avait sûrement utilisé des jumelles.

— Il va bien, merci.

— Comment gagne-t-il sa vie ?

— Je l'ignore. Pourquoi donc ?

— Comme ça. Pourquoi est-il venu te voir ?

— Une affaire à régler avec Brent.

Avec tout ça, elle avait oublié de demander à P.C. pour quelle raison il venait voir Brent. Peut-être n'était-ce qu'un prétexte pour arriver jusqu'à elle. Dans ce cas, P.C. avait bien manœuvré.

— Il a l'intention de faire construire à Frog Point ?

Maddie soupira.

— Je n'en sais rien, maman. Je ne le pense pas. Je

crois qu'il est venu pour une petite visite d'une semaine. Il s'est installé chez son oncle Henry. Il est divorcé et sans enfants. Il vit à Columbus et il conduit une Mustang rouge décapotable. Voilà. Je t'ai tout dit.

— Mais enfin, Maddie ! Je me demandais simplement quel métier il exerçait, voilà tout.

— Je le lui demanderai.

— Mais, ma chérie, ce n'est pas important. Au fait, ils n'ont toujours pas attrapé le rôdeur.

— Je suis sûre qu'Henry s'en occupe. Ne t'inquiète pas.

— Tu sais, je pensais à quelque chose. Gloria Meyer va divorcer. Puisque le petit Sturgis est dans le coin, tu pourrais peut-être le lui présenter ?

Ça ne marchera jamais. P.C. aime le sexe.

— Pourquoi pas ?

— Gloria est furieuse...

— Ah bon ?

— Quelqu'un a dit à Wilbur Carter qu'elle avait pris un avocat à Lima — ce qui à mon avis ne peut être qu'une excellente décision — et Wilbur était très contrarié parce qu'il est le cousin de sa mère. Ça a fait toute une histoire.

Et merde.

— Comment as-tu appris cela ?

— Wilbur est tombé sur Gloria dans Main Street, juste devant la banque, à l'instant où Margaret Erlenmeyer sortait de Revco, et il lui a posé la question. Margaret s'est arrêtée pour regarder la vitrine, et Gloria a démenti, donc elle le garde comme avocat.

— Intéressant, dit Maddie avec une feinte indifférence. Je me demande d'où vient cette rumeur.

— Aucune idée, mais on m'avait raconté qu'elle avait pris Jane Henries. Qui a une excellente réputation.

— Oui, c'est ce qu'on m'a dit.

— Mais Gloria reste avec Wilbur.

Elle en tient une couche, sous-entendait le ton de sa mère.

— Que veux-tu, on ne changera pas Gloria. Bête comme une oie. Tu as parlé à Treva ?

— Treva va bien.

— J'en suis ravie. C'est juste qu'on m'a confirmé cette histoire du bowling... Comment va Emily ?

— Très bien. Écoute, maman, il faut que j'y aille.

— Bien sûr, ma chérie. Je viendrai chercher Emily demain matin. Enfin, si tu es toujours d'accord.

Maddie s'appuya au mur. Elle avait oublié qu'elle devait aller rendre visite à sa grand-mère.

— Bien sûr que je suis d'accord. Je n'ai jamais manqué un seul dimanche, non ?

— Oui, mais j'ai toujours peur que tu décides un jour de ne plus y aller.

Et ce dimanche serait tout indiqué pour y renoncer.

— Quelle idée !

— Tu es une gentille fille, Maddie. Alors à demain. Prends soin de toi, surtout, et ferme bien les portes.

— Je n'y manquerai pas. Je t'aime, maman.

— Moi aussi je t'aime. Ne te fatigue pas.

Maddie vérifia son maquillage. Pas terrible. Puis elle monta voir Em. Celle-ci était couchée en chien de fusil sur le lit de ses parents, un livre à la main. Mais le récepteur du téléphone était posé de travers, comme si elle venait juste de raccrocher.

— Grand-mère a appelé, dit Maddie à Em.

— Ah bon !

Elle semblait absorbée dans son livre. Avait-elle écouté la conversation ? Maddie essaya de se rappeler si elle avait dit quelque chose qu'Em ne devait pas entendre. Cela semblait improbable. Après tout, elle parlait à sa mère. Heureusement qu'elle ne téléphonait pas à Treva... Elle croisa le regard de sa fille. Maddie se demanda comment elle devait réagir.

Em s'enfonça sous les couvertures et leva un peu son livre. Apparemment, elle n'avait pas envie de parler. Maddie choisit la voie de la facilité.

— Je vais faire un peu de ménage en bas, et puis on appellera tante Treva et on déjeunera ensemble, d'accord ?

— D'accord, dit Em d'un ton indifférent.

Une fois en bas, Maddie rangea les meubles et sa tête se remit à lui faire mal. Elle composa le numéro de Treva.

— Je te dérange ?

La voix de Treva explosa sur la ligne.

— Tu te fous de ma gueule ? Ça fait je ne sais pas combien de temps que je fais le pied de grue près du...

Maddie perçut un clic.

— Tu as entendu quelque chose ?

— Non, pourquoi ? dit Treva d'un ton surpris.

— Je crois qu'Em est en train d'écouter.

— Pour essayer de comprendre ce qui se passe dans cette maison ?

Treva poussa une exclamation de colère.

— Ce n'est pas moi qui le lui reprocherai. Elle nous entend ?

Maddie prit le combiné et avança jusqu'au bas de l'escalier en tirant sur le fil.

— Em !

Quelques secondes plus tard, Em passait la tête par la porte de la chambre de sa mère.

— Oui ?

— Va lire dehors. Ça te fera du bien de prendre l'air.

La fillette parut contrariée mais elle hocha la tête. Maddie alla aussitôt décrocher le poste du haut. Ainsi elle pourrait surveiller Em dans le jardin.

— C'est bon, dit-elle à Treva au téléphone. Elle est dehors et je peux la voir. Mel a-t-elle eu peur en voyant mon œil ?

— Pas autant que moi. Que s'est-il passé ?

— Je me le demande. Hier soir, j'ai picolé.

— Avec Brent ?

Maddie revit le visage de P.C. Pourquoi n'était-il pas là, auprès d'elle ? Elle pourrait se décharger de ses soucis sur lui.

— Non, pas avec Brent.

— C'est pour ça qu'il t'a frappée ? L'épouse modèle buvait en douce ? Autre version : surprise en flagrant délit dans un nid d'amour.

— Il m'attendait dans la cuisine quand je suis rentrée. Je lui ai dit que je savais tout sur sa maîtresse et il m'a frappée.

Long silence.

— Drôle de façon de s'excuser.

Maddie fronça le nez pour mieux réfléchir et son visage meurtri protesta. Ça lui apprendrait à réfléchir.

— Je crois qu'il m'a frappée parce que je l'avais démasqué. Je ne pense pas qu'il était furieux. Je crois plutôt qu'il avait peur. Ou alors il était furieux *et* il avait peur. À moins que ce ne soit l'inverse. Ce qui s'est passé était étrange. Pas du tout normal.

— Voilà un point sur lequel on est d'accord. C'est la première fois qu'il te frappe ? À moins que ça aussi tu ne me l'aies caché ?

— Non, il ne m'avait jamais battue. Jamais. Il crie, il lance des remarques sarcastiques, il s'en va et n'appelle pas, mais il ne m'avait jamais frappée. Quant à Em, elle n'a jamais reçu une seule gifle de sa vie.

On sonna à la porte et Maddie entendit Em qui allait ouvrir.

— Il y a quelqu'un. Il faut que j'y aille.

— Attends une minute. Où donc es-tu allée avec la Cadillac, hier au soir ?

— Maman, il y a un monsieur qui veut te voir, cria Em.

— Une seconde, Treva.

Maddie posa le récepteur et passa la tête par la porte de sa chambre.

— Quoi ?

— Il y a quelqu'un !

Em s'effaça et P.C. pénétra dans la maison. Il vit Maddie et sursauta. Sur son visage, l'expression de la colère remplaça aussitôt son sourire.

— Bon Dieu de merde mais que t'est-il arrivé ?

Sa rage et son inquiétude firent chaud au cœur de Maddie. Elle se réjouit secrètement de sa venue.

— Je reviens, dit-elle.

Elle reprit l'écouteur.

— Je te rappelle, j'ai de la visite.

Treva s'écria « Attends une minute », mais elle avait déjà raccroché. Elle entendit P.C. qui disait :

— Désolé pour mes excès de langage, ma puce. Je n'étais pas prêt à voir la tête de ta mère.

— Moi non plus, répondit Em. Vous vous en êtes mieux sorti que moi. J'ai pas pu m'empêcher de pleurer.

Il fallut un moment à Maddie pour se débarrasser d'Em sans en avoir l'air. D'autant plus que leur commune indignation devant son état avait rapproché P.C. et sa fille. Quand Em finit par retourner lire dans sa chambre, Maddie et P.C. devinrent graves.

— Charmante gamine, dit P.C.

— Oui, elle me plaît bien, se força à plaisanter Maddie.

— Elle m'a dit que tu t'étais laissé tomber un poids sur la figure.

Maddie s'assit sur les marches. Elle était trop fatiguée pour continuer à jouer la comédie.

— C'est une version plus acceptable pour une petite fille de huit ans.

Elle vit les muscles de la mâchoire de P.C. se crisper.

— Ça s'est passé comment ?

Maddie haussa les épaules.

— Un accident.

— Mon œil.

Il s'assit près d'elle.

— Il t'a frappée.

Elle s'appuya à lui et il passa un bras autour de ses épaules.

— Une fois, mentit-elle.

Elle se dégagea mais il lui prit la main.

— Em est en haut, dit-elle sur un ton d'excuse. Je vais bien. Je t'assure qu'il ne m'a frappée qu'une fois.

— Comme si ça ne suffisait pas.

La voix de P.C. exprimait une grande violence rentrée. Mais sa main était douce quand il prit le menton de Maddie.

— Regarde-moi.

— Je vais bien.

Il se pencha vers elle.

— Regarde-moi, bon sang ! Je veux voir tes yeux.

Maddie se détourna un peu.

— Treva a vérifié. Pas de commotion cérébrale.

— Des maux de tête ?

— Oh ! oui.

— Des vertiges ?

— Non.

— Des nausées ?

— Non. Pas même la gueule de bois. Je vais bien.

Elle essaya de sourire pour détendre l'atmosphère.

P.C. soupira profondément et reprit sa main dans la sienne.

— Toi, peut-être, mais pas moi. C'est de ma faute si tout cela est arrivé.

Maddie jeta un coup d'œil en haut des marches, voulant s'assurer qu'il n'y avait personne sur le palier.

— Il ne s'agissait pas de toi, murmura-t-elle. Brent était furieux parce que je l'avais espionné.

— C'est la raison pour laquelle il t'a frappée ?

Elle haussa les épaules.

— On ne pourrait pas parler d'autre chose ? C'est mon second interrogatoire. Ça me rend malade.

— Ton second... Ah ! Treva !

P.C. marqua une pause.

— Qu'as-tu découvert au sujet de Brent ?

— Qu'il avait une liaison. Tu parles d'une surprise !

— C'est tout ?

— Ça ne te suffit pas ?

— Si. Amplement.

Il se rapprocha. Cette proximité physique mettait du baume au cœur de Maddie.

— Tu es dans un sale état. Bon Dieu, j'aurais dû rentrer avec toi.

— C'était mieux comme ça.

Elle était sur le point d'éclater en sanglots. *Arrête,* se dit-elle, *tu ne sais rien faire d'autre que pleurer*.

Il voulut lui passer un bras autour des épaules.

— Non. Em est en haut.

— Bon.

Il lui prit la main et l'obligea à se lever.

— Viens ici une minute.

Il l'emmena dans un recoin de l'entrée où personne ne pouvait les voir et prit son visage dans ses mains.

— Je me suis fait du souci pour toi.

Il l'embrassa très doucement. Un souffle sur ses lèvres.

— Je veux que tu sois en sécurité.

Il l'embrassa à nouveau, et elle s'abandonna au goût de

ses baisers. Il la prit dans ses bras et elle se blottit contre lui. Auprès de lui, elle se sentait tellement protégée. Elle n'aurait pas dû le laisser faire mais elle en avait un tel besoin, ses baisers lui apportaient un tel réconfort. Elle aurait voulu passer le reste de sa vie dans ses bras.

P.C. s'écarta d'elle, comme pris de vertige.

— Il faut que je parte, sinon on va se retrouver par terre... Mais je reviendrai très vite. Ferme bien ta porte.

— Pourquoi tu me dis ça ?

Maddie le suivit jusqu'à la porte, tout étourdie elle aussi.

— Tu veux parler du rôdeur ?

— Il n'y a pas de rôdeur.

P.C. ouvrit la porte et se tourna vers elle.

— Henry a fait une enquête. Personne n'a rien vu. Oublie ce rôdeur fantôme. Tu ferais mieux de penser à Brent.

— Que veux-tu dire ?

P.C. jeta un coup d'œil en haut de l'escalier et se pencha vers elle.

— Je ne pense pas que ce serait une bonne idée de le laisser rentrer.

Maddie le regarda d'un air incrédule.

— C'est le père d'Em. Comment veux-tu que je l'empêche de rentrer chez lui ?

— Et s'il frappait Em ?

— Il ne ferait jamais ça.

— Qu'en sais-tu ? Il t'a bien battue.

P.C. inspecta à nouveau le palier.

— Je ne pense pas qu'elle regarde, mais mieux vaut ne pas prendre de risques.

D'un doigt, il effleura les lèvres de Maddie.

— Tu n'as qu'à estimer que je t'ai embrassée. Je ferai mieux la prochaine fois. Et ferme la porte derrière moi.

Maddie le regarda descendre l'allée.

— Où vas-tu ?
— Chercher ton mari, répondit P.C.
Quand il fut parti, elle se sentit abandonnée, mais elle verrouilla la porte.

Em rebondit un peu sur le lit de sa mère, en attendant que Mel décroche. « Pourvu que ce soit Mel », pensa-t-elle. Elles avaient vraiment besoin d'un téléphone à elles. À huit ans, elles étaient assez vieilles. Richelle Tandy avait bien le sien.
— Allô ? dit Mel.
— Tu as écouté quand ma mère a appelé la tienne ?
— Non. J'étais dehors. Je savais même pas qu'elles s'étaient téléphoné. Et toi, tu as écouté ?
— Ma mère m'a surprise. Elle m'a demandé d'aller dans le jardin. Et il y a un type qui est là. Je l'avais jamais vu mais ma mère le connaît.
— Qu'est-ce qu'il fait là ?
Em alla regarder.
— Ils discutent assis sur les marches. Dommage que tu aies manqué la scène. Il a dit « Bon Dieu de merde » quand il a vu la figure de ma mère.
— Il ira en enfer.
— Elle dit qu'elle s'est lâché un haltère sur la figure. Mais je pense qu'elle ment.
— Peut-être. Dis donc, peut-être que c'est à cause de ce type que ton père et ta mère se sont battus. Peut-être que ton père était jaloux.
— Je pense pas. Ma mère était furieuse après mon père, et pas le contraire. Et puis le type est arrivé seulement aujourd'hui.
— Oui, mais il pourrait être dans le coin depuis des années.
— Dans cette ville ? Mel, sois réaliste.
Em s'arrêta en s'entendant parler comme sa mère.

— Tu l'avais jamais vu ? reprit Mel.

— Non.

— À quoi il ressemble ?

— Il est assez grand, mais pas autant que mon père. Et il a des cheveux très bruns. Il porte une chemise bleue écossaise et un jean.

— Ça pourrait être n'importe qui, il est planqué ici depuis des années et personne s'en est aperçu.

— Non, répondit Em. C'est un type qu'on remarque. Et chez toi, où est-ce que vous en êtes ?

— Ma mère est furieuse à cause de ce qui est arrivé à la tienne. Elle est en train de faire la cuisine. J'ai l'impression qu'elle va encore engueuler ton père.

— Il est pas là. Je sais pas où il est. Et ma mère a téléphoné à ma grand-mère, mais elle lui a pas parlé de l'accident avec l'haltère.

— Ça craint, déclara Mel. Ça craint vraiment.

— Je vais aller les écouter, décida Em. Je te rappellerai plus tard et on préparera un plan.

— Je te parie que c'est à cause de ce type, conclut Mel. Je te parie que les ennuis viennent de lui.

P.C. grimpa quatre à quatre les marches qui conduisaient au bureau de son oncle, fit un signe de tête à Esther Wingate, une petite femme grassouillette assise derrière un bureau à l'accueil et entra chez Henry sans frapper.

— Mais que se passe-t-il ? dit celui-ci en levant la tête.

— Je suis venu dénoncer un délit, dit P.C. d'un trait. Violences domestiques.

Esther dressa aussitôt l'oreille.

— Ferme cette porte !

P.C. s'exécuta.

— Et maintenant, veux-tu me dire de quoi il s'agit ?

— Brent Faraday a frappé sa femme hier soir. Tu dois l'arrêter.

Henry l'étudia attentivement.
— Elle dépose plainte ?
— Inutile. Je m'en charge.
— Ce qu'il faut entendre ! Assieds-toi.
P.C. s'assit.
— Henry, si tu la voyais, il l'a frappée au visage à deux reprises. Elle a deux entailles, dues à une bague, probablement, sur la pommette et près de l'œil.
Le souvenir du visage de Maddie lui revint en mémoire et il dut reprendre sa respiration avant de poursuivre.
— Il lui a fait du mal et je veux qu'il paie. Arrête-le.
— Tu en as parlé à Maddie ?
— Mais enfin, bon Dieu...
— Tu vas la fermer, oui ? Elle doit vivre dans cette ville. Les affaires privées des gens ne regardent pas forcément la justice. Si elle s'en accommode, personne n'est obligé de savoir ce qui s'est passé.
— Tu te fous de moi. Non mais tu te fous de ma gueule !
— J'en parlerai à Brent Faraday. Cela ne s'est jamais produit auparavant, si c'est ça qui te tracasse. Je veillerai à ce qu'il ne recommence pas.
— Il va se gêner.
P.C. se leva.
— Assieds-toi !
Il se rassit.
— Explique-moi tes sentiments à l'égard de cette femme, parce que je ne comprends pas très bien ton attitude.
— Henry, n'importe qui serait tout aussi bouleversé que moi devant un tel spectacle.
— Pas à ce point. Si je ne te connaissais pas mieux que ça, je jurerais que tu vas te lancer à la recherche de Brent Faraday pour lui flanquer une raclée.
— Tu n'es pas tombé loin.

Henry le fusilla du regard.
— Si jamais tu touches à un cheveu de sa tête, je te fous en tôle.
— Merci, Henry. C'est lui qui bat sa femme et c'est moi que tu veux arrêter.
— C'est un crétin et toi tu vaux mieux que ça. Sans compter que Maddie n'apprécierait pas ton comportement. Les gens penseraient qu'il y a quelque chose entre vous. Laisse-moi régler le problème à ma façon.
— Henry...
— Autre chose. Tu mènes ta vie comme tu l'entends. À condition de ne pas chercher la bagarre et de ne pas tourner autour d'une femme mariée. Rends-toi utile, sois serviable avec les habitants de cette ville. Ils n'en reviendront pas.
— Merci beaucoup, grommela P.C. en se levant.
— Je n'ai pas fini.
P.C. se figea.
— Laisse Maddie tranquille. Elle a des voisins et elle n'a pas besoin que tu viennes rôder dans les parages.
— Je ne rôde pas, dit P.C. d'un air offensé.
Henry et son flair infaillible !
Il sortit du bureau frustré, culpabilisé, bouillant du désir d'agir. Henry avait raison, cela ne ressemblait à rien d'aller s'incruster chez Maddie. D'autre part, Henry avait promis d'intervenir auprès de Brent. Oui, mais P.C. avait un besoin pressant de voir Maddie, de la toucher. Sauf qu'il oubliait les voisins. Et s'il partait à la recherche de Brent pour lui casser la figure...
Perdu dans ses pensées, il se dirigea vers sa Mustang. Il devait trouver un moyen d'aider Maddie, sinon il allait devenir fou.

Maddie venait de débarrasser l'entrée des derniers meubles brisés quand le téléphone sonna. *Je vais jeter cet appareil,* songea-t-elle. *Les autres vivent leur vie, moi j'ai des conversations téléphoniques.*

C'était Candace qui l'appelait de la banque.

— Je suis terriblement désolée, Maddie, mais ton compte est à découvert.

Maddie se laissa tomber dans un fauteuil. Le pied de chaise cassé qu'elle tenait à la main lui échappa.

— Pardon ?

Candace paraissait sincèrement désolée.

— J'ai pensé que si tu te déplaçais pour faire un dépôt cela t'éviterait la taxe sur les chèques impayés.

Sans compter les cris de joie quand la ville découvrirait qu'elle avait signé des chèques sans provision. Sa mère en ferait une crise cardiaque. Maddie se passa la main sur le front et essaya de réfléchir. Il était impossible qu'elle ait un découvert. Elle avait reçu son relevé de compte la semaine précédente. Quelque chose n'allait pas, mais elle n'avait pas envie d'en parler maintenant.

— Tu n'as qu'à transférer de l'argent du compte d'épargne sur le compte courant. Je peux autoriser cela par téléphone, non ?

— Ton compte d'épargne est également à sec.

— Que veux-tu dire ?

— Il te reste cinq dollars et soixante-trois cents.

Candace avait l'air terriblement gênée, ce qui était gentil de sa part, vu que ce n'était pas son problème.

— Bien. Je te remercie, Candace. Donne-moi une minute.

Maddie se frotta les tempes. La douleur était devenue intolérable. Où était passé cet argent ? Brent avait dû tout retirer ce matin. Oui, mais dans quel but ? Et maintenant, comment allait-elle combler le découvert ? Son salaire ne tomberait pas avant une semaine.

— Une seconde, dit-elle à Candace.

Si elle demandait de l'argent à sa mère, celle-ci commencerait à poser des questions. Treva?...

— As-tu quelque chose au coffre? suggéra Candace. Avec deux cent quarante dollars, tu couvres les chèques.

Il y avait là-dedans une ou deux actions. Elle aurait probablement à payer une taxe pour les avoir touchées trop tôt, mais, pour le moment, c'était sans importance.

— J'arrive. Merci, Candace.

Elle alla vers le petit bureau Empire qui lui venait de son grand-père pour y prendre la clef du coffre. Le tiroir du milieu coinçait. Toute sa colère rentrée envers Brent refit alors surface. L'imbécile! Il savait bien qu'il ne fallait pas brusquer les tiroirs. Il le savait.

Elle se retint de crier ou de fondre en larmes. Ce n'était pas le moment. Les tiroirs n'avaient aucune importance, même s'ils résumaient assez bien l'attitude de Brent dans la vie. Il se conduisait selon son bon plaisir et se fichait éperdument des autres.

Elle ouvrit le tiroir où elle rangeait la clef du coffre, mais celle-ci avait disparu. Brent avait dû la prendre. Que faisait-il avec leur argent? Maddie fouilla le bureau de fond en comble, cherchant désespérément un démenti à ses idées noires.

Elle finit par trouver la clef dans le tiroir du milieu. Tout au fond. *Dieu soit loué,* songea-t-elle. Elle appela Em pour qu'elle l'accompagne à la banque mais, quand elles sortirent, Maddie se souvint qu'elle n'avait plus de voiture. Brent avait pris la Cadillac la veille et la Civic n'était plus qu'une épave échouée dans le garage de Leo. Le centre-ville n'était qu'à un kilomètre cinq. Certes elle pouvait y aller à pied. Mais elle eut le sentiment que sa vie s'était transformée en course d'obstacles. Quelqu'un avait assassiné sa voiture et maintenant elle se sentait piégée.

Mme Crosby apparut sur sa véranda.

— Bonjour, madame Crosby!

Maddie se sentit gênée à cause de son œil au beurre noir puis se souvint que Mme Crosby était complètement myope.

— Vous allez vous promener ? dit celle-ci.

— Pfff... fit Em.

— Nous allons juste faire un tour en ville, répondit Maddie.

Puis elle entendit le téléphone sonner. *Et merde*. Em leva les yeux au ciel et s'assit sur les marches de la véranda pendant que Maddie allait répondre.

— Madame Faraday ?

— Oui ?

— John Albrech. C'est au sujet de votre Civic.

Les agents d'assurances, maintenant.

— Cela va nous prendre un certain temps avant que nous puissions régler votre dossier...

Maddie perdit brusquement patience.

— Pas du tout. Vous allez arranger ça tout de suite. Ça fait douze ans que je vous paie mes échéances sans le moindre retard. Je veux que cela soit réglé lundi, c'est clair ?

— Vous ne comprenez pas, madame Faraday...

— Je comprends parfaitement. Vous me faites réparer cette voiture chez Leo ou vous me faites un chèque d'ici à lundi.

— La réparer est hors de question et...

— J'ai besoin d'une voiture !

Sa voix frisait l'hystérie.

— Calmez-vous, madame Faraday. Vous pouvez en louer une...

— Je n'ai pas l'intention de me calmer !

— Je vous rappellerai lundi.

Et il raccrocha. Maddie rejoignit Em.

— Nous y allons à pied.

Em prit la chose avec philosophie et Maddie lui en fut

reconnaissante. Elle ne se sentait pas d'humeur à lui vanter les bienfaits de l'exercice physique. Sa tête la faisait souffrir et il lui fallut rassembler toute son énergie pour parvenir à mettre un pied devant l'autre. Et pendant ce temps, les pensées se bousculaient dans sa tête. La situation ne s'arrangeait pas. Qu'allait-elle faire d'Em ? Et que pensait Em de P.C. ? Quelque chose ne tournait pas rond du côté de Treva. Il fallait qu'elle en connaisse la raison afin de lui donner un coup de main. Sans oublier l'enfant de Kristie, en admettant que ce soit bien elle la maîtresse de Brent. Et puis que signifiaient ces chèques en bois qui atterrissaient dans toute la ville ? Et où était passé Brent ? Il travaillait dur en tenue de bowling... Et P.C. ? Maddie se souvint brusquement qu'au lycée il était connu pour son tempérament violent. Elle se demanda s'il n'était pas en train de flanquer une raclée à son mari. Côté sexe, il n'avait pas changé et pour le reste non plus, sans doute.

Sa vie trop étriquée, dans une ville trop petite, ne résisterait pas à tous ces coups de théâtre. Elle songea à faire un réunion dans son living... Elle leur dirait à tous de s'asseoir bien tranquillement et de garder le silence. Le temps qu'elle trouve ses repères.

Avec Em, elle fit le trajet jusqu'à la banque au pas de charge et en silence. Elle croisa des gens qu'elle connaissait. Ils la regardèrent d'un air effaré, d'où elle conclut que son maquillage n'était pas très réussi.

— Je suis rentrée dans une porte, annonçait-elle d'un air triomphant.

Tout le monde semblait la croire. Visiblement, ils l'en croyaient capable.

L'intérieur de la banque était frais et sombre. Maddie dut retirer ses lunettes pour trouver son chemin jusqu'au guichet de la caissière.

— Je voudrais jeter un coup d'œil à mon coffre, lui dit-elle en lui montrant son permis de conduire. Que dois-je faire ?

La jeune fille, qui devait avoir une vingtaine d'années, la regarda bouche bée. À l'évidence, elle mourait d'envie de lui demander ce qui lui était arrivé mais préféra s'abstenir.

— Attendez-moi, madame Faraday, dit-elle en tapotant la main de Maddie. Quelqu'un va venir s'occuper de vous.

Qui c'est cette fille ? songea Maddie qui n'était pas d'humeur à supporter ce genre d'attitude condescendante. Elle baissa les yeux et vit son nom posé devant elle. *June Webster*. Était-ce avec June que Brent se livrait à des activités extraconjugales ? À vue de nez, elle devait lui revenir cher.

Harold Whitehead sortit de son bureau et traversa la salle pour rejoindre le bureau de Candace. Il salua Maddie au passage. Il n'avait rien remarqué. Cher Harold, toujours dans la lune.

Quand il retourna dans son bureau, Candace aperçut Maddie et lui sourit. Puis ses yeux s'agrandirent. Elle se leva et se dirigea vers elle, très digne dans son tailleur jaune pâle.

— Tu vas bien ? demanda-t-elle.

Maddie sourit.

— Je me suis cognée dans une porte.

Candace n'eut pas l'air convaincue, mais elle ne posa pas de questions.

— Qu'as-tu décidé pour les chèques ?

— D'ouvrir le coffre.

Maddie lui tendit la clef.

— Et peux-tu me fournir un relevé de compte que je puisse voir où nous avons commis une erreur ?

— Mais certainement.

Candace tendit la main à Em.

— Nous avons des tampons qui t'amuseront. Tu

pourras jouer avec pendant que ta maman et moi nous serons en bas, Emily. Ça te plairait de tamponner des papiers ?

— Oui, merci, dit poliment Emily.

Et elle prit sans trop d'enthousiasme la main qu'on lui tendait. La tolérance d'Em à l'égard des adultes était visiblement sur le déclin.

— Madame Faraday ?

La jeune caissière était de retour.

— Voici M. Webster, qui va vous escorter.

Un autre Webster ? On aurait dit le frère et la sœur. Pâles, blonds et condescendants. M. Webster était plus âgé, vingt et quelques années, et il était sérieux. Très sérieux. Il fronça les sourcils en voyant le visage de Maddie, lui fit signer des papiers pour l'ouverture du coffre et la mena dans une petite pièce dont les murs ne montaient pas jusqu'au plafond.

— Je vous laisse, lui dit-il.

Maddie eut l'impression de se retrouver au cœur d'une conspiration.

— Excellente idée. Comme ça je ne vous entraînerai pas dans ma chute quand ils découvriront le pot aux roses.

M. Webster la regarda d'un air ahuri.

— Je vous demande pardon ?

— Je plaisantais. Merci beaucoup.

Il sortit de la pièce. L'endroit était si tranquille que Maddie songea à y passer le restant de ses jours. Pas de téléphone. Elle ouvrit le coffre posé sur une table et cligna des yeux.

Il était rempli de billets de cent dollars.

— Oh non ! bafouilla-t-elle.

Le jeune Webster réapparut.

— Vous êtes sûre que ça va ? demanda-t-il.

Puis ses yeux tombèrent sur les billets.

— Oui, oui, dit Maddie d'une voix faible en le congédiant d'un geste de la main.

Il la regarda d'un air indécis et s'éclipsa.

Elle fit un bref inventaire du coffre. Les bijoux de sa grand-mère étaient bien là, sous les billets, et aussi les obligations pour payer l'université d'Em, et les actions. Mais les liasses de billets occupaient la plus grande partie du petit coffre. Dix mille dollars par paquet. Il y en avait vingt-huit. Deux cent quatre-vingt mille dollars. Elle n'avait jamais vu autant d'argent de sa vie, et elle était sûre qu'elle et Brent n'en possédaient pas autant. En tout cas légalement.

Réfléchis, se dit-elle. Mais c'était difficile.

Donc, non content d'avoir une maîtresse, Brent s'était livré en plus à d'autres activités. À moins qu'il ne se soit fait payer en espèces pour ses services... Mais personne ne le paierait aussi cher. Il n'était pas bon à ce point.

Il fallait qu'elle en parle à quelqu'un. Henry Henley ou un autre. Mais elle ignorait d'où venait cet argent. Et si Brent l'avait gagné légalement ? Elle aurait l'air malin de le dénoncer à la police. Frog Point adorerait. Non, il fallait d'abord qu'elle parle à Brent.

— Excuse-moi mais, après avoir découvert le slip, je suis tombée sur un tas de fric, et ça me contrarie. Es-tu un voleur et un mari adultère ou juste un mari adultère ? Mon avocate aimerait une réponse précise et circonstanciée.

Elle ne savait plus où elle en était. Elle referma le coffre, puis le rouvrit. Mieux valait en faire l'inventaire, au cas où il cacherait d'autres surprises. Elle retira les bijoux, les actions, les obligations, l'argent. Tout au fond reposait une grande enveloppe en papier kraft.

Sa première réaction fut de ne pas y toucher. Puis elle se dit qu'après tout ce qui lui était arrivé elle était blindée. Son mari était violent, il la trompait, il était aussi sans doute un escroc et sa voiture à elle avait rendu l'âme. *Courage,* se dit-elle. Elle ouvrit l'enveloppe et en versa le contenu sur la table : deux billets d'avion et deux passeports.

C'étaient des billets pour Rio, pour le lundi 19 août. Brent partait pour l'Amérique du Sud avec quelqu'un. Deux jours plus tôt, Maddie aurait été choquée. Maintenant, elle se disait que ce serait beaucoup plus facile d'obtenir le divorce s'il disparaissait de la circulation. En somme, il s'agissait d'une assez bonne nouvelle. Il pourrait envoyer des cartes postales à Em qui collectionnerait les timbres.

Puis les deux passeports éveillèrent sa curiosité. Elle allait enfin connaître l'identité de la blonde. Le premier passeport était rédigé au nom de Brent et elle le rangea dans le coffre. Quand elle ouvrit le deuxième, son sang se glaça dans les veines. Un bourdonnement lui emplit la tête. *On se calme. Voyons comment je vais bien pouvoir me sortir de là.*

La bonne nouvelle, c'était qu'il n'emmenait pas une salope en Amérique du Sud.

La mauvaise nouvelle, c'était que le second passeport était au nom d'Emily.

Chapitre 9

Maddie avait à nouveau des vertiges. *Respire,* se dit-elle, mais le monde manquait d'oxygène.

Brent allait emmener Emily au Brésil. Il avait fait des démarches pour lui obtenir un passeport et maintenant il l'emmenait au Brésil.

Elle remit tout à la hâte dans le coffre, à l'exception du passeport, et fit claquer le couvercle. Quand elle sortit de la pièce, elle faillit se heurter à M. Webster et courut jusqu'au hall de la banque.

Pas d'Emily.

Brent. Sous l'effet de la panique, Maddie ne parvenait plus à reprendre sa respiration. Il était venu à la banque, il avait trouvé Em et...

— Maman ?

Em apparut derrière le bureau de Candace, les doigts tachés d'encre.

— Candace a des timbres vraiment super.

Maddie dut se contrôler pour ne pas sortir en courant de la banque, entraînant Em à sa suite.

— Il faut que nous partions. Merci, Candace.

Elle prit la main d'Em et la chaleur de sa paume la fit s'agenouiller.

— Je t'aime, Emily, dit-elle en serrant sa fille contre elle.

— Moi aussi, maman, je t'aime.

Le ton de la voix d'Em disait *Tu te conduis bizarrement.*

Maddie se releva sans prêter attention à Candace qui les regardait, interdite.

— Allons déjeuner, d'accord ?

Brent ne pourrait pas kidnapper Em dans un lieu public. Tôt ou tard, il leur faudrait rentrer à la maison, mais il lui fallait d'abord remettre de l'ordre dans ses pensées. *Burger King.*

Elles traversèrent la rue. En chemin, Maddie arracha des pages du passeport d'Em et les jeta dans trois poubelles différentes. La couverture était trop difficile à déchirer et elle la lança dans la benne à ordures derrière le restaurant. Un passeport déchiré n'était pas valide, mais en admettant qu'il le soit Brent devrait fouiller dans trois poubelles différentes pour le recomposer.

Il avait fait faire un passeport à Em dans son dos et maintenant il voulait l'enlever. Mais ça ne se passerait pas comme ça.

Elle garda la photo d'Em, qu'elle fourra dans son portefeuille. Sa fille n'irait nulle part.

Pendant ce temps, la fillette restait silencieuse.

— Je sais que j'ai un comportement un peu étrange, lui dit Maddie quand elles se retrouvèrent dans le restaurant. On va rentrer et j'irai m'allonger un peu.

Em hocha la tête et mangea son *cheeseburger* et ses frites tout en surveillant sa mère du coin de l'œil. Maddie bénit son silence, qui lui permettait de réfléchir et de se convaincre que Brent ne pourrait pas lui enlever Em. Une fois calmée, elle se prépara à agir comme si elle se trouvait dans son état normal. Elle allait ramener Em à la maison, fermer toutes les issues afin que Brent ne puisse pas rentrer, et attendre tranquillement lundi. Si elle tenait le coup jusque-là, Brent partirait seul pour Rio et elle pourrait obtenir le divorce pour abandon du domicile conjugal.

Aujourd'hui, le divorce lui semblait beaucoup moins traumatisant que la veille.

Une fois chez elle, Maddie mit les verrous et les chaînes aux deux portes d'entrée, fouilla la maison pour s'assurer que Brent ne s'y cachait pas et n'allait pas brusquement lui apparaître, tel un diable jaillissant de sa boîte. Puis elle s'assit sur les marches de l'escalier et porta la main à son front. Ce n'était pas juste qu'elle souffre autant dans un moment pareil. D'ailleurs, elle avait mal partout. Elle aurait tellement voulu que quelqu'un la prenne dans ses bras en lui disant « Pauvre chérie ».

Dans le rôle, P.C. aurait été parfait.

— Maman, tu as mal ?

Maddie sourit à sa fille.

— Un peu, ma puce. Va te détendre en regardant un bon navet à la télé. Je t'emmènerai au musée une autre fois.

Em hocha la tête d'un air méfiant et monta à l'étage. Maddie se rendit dans le living et s'affala sur le sofa. Le regard vide, elle fixa les deux verres et la bouteille de vin posés sur la table basse. Elle entendit Em composer un numéro de téléphone. Sans doute appelait-elle Mel. *Ma mère est bizarroïde*, dirait-elle. *Je l'appelle la bizarroïda. Mon père m'apprend l'espagnol.*

Elle vivait un cauchemar, mais si elle ne bougeait pas d'ici et gardait les portes verrouillées elle n'avait aucune crainte à avoir. Elle s'étendit sur le sofa et remarqua à nouveau la bouteille et les deux verres. Ça faisait désordre.

Elle entendit Em parler au téléphone puis raccrocher. Elle ne discutait sûrement pas avec Mel car elle avait pris sa petite voix polie.

— Em, qui as-tu appelé ?

— Papa, au travail.

Maddie se redressa brusquement et sa tête faillit exploser.

— Pourquoi ?

— Je crois que tu devrais retourner à l'hôpital, tu n'es pas bien.

Maddie essaya de contrôler sa voix, qui, sous l'effet de la panique, avait pris des sonorités métalliques.

— Qu'a-t-il dit ?

— Je sais pas. Oncle Howie a dit qu'il était pas là.

— Ah !

Maddie respira. Encore un choc comme celui-ci et c'était la crise cardiaque. Là, sur le sofa.

— J'appelle tante Treva, dit Em.

— Non, c'est inutile.

Maddie s'allongea précautionneusement. Elle se sentit tellement mieux qu'elle décida de ne plus jamais se relever.

— Et si on appelait ce type, là, P.C. Il pourrait t'emmener.

Il m'a déjà emmenée la nuit dernière. Pendant un court instant, ce souvenir la rasséréna. Puis la panique reprit le dessus.

— C'est inutile, ma chérie. J'ai juste besoin d'un peu de repos.

Je vais dormir comme un loir jusqu'à lundi.

— D'accord. Si ça va pas, tu cries.

Em monta dans sa chambre et Maddie s'autorisa à se détendre un peu. Tout allait s'arranger. Elles étaient enfermées dans la maison et Brent ne pourrait pas entrer. Des visions de Brent enfonçant une porte vinrent la tourmenter. Et si elle poussait des meubles devant les portes ? Non. Em était déjà suffisamment traumatisée par les récents événements, mieux valait se comporter le plus normalement du monde. Pas de meubles. Mais peut-être que...

Le téléphone sonna. Em répondit et cria :

– Maman !

Maddie se leva. Ce n'était sûrement pas Brent, Em serait restée plus longtemps au téléphone.

Brent n'emmenait pas Emily. Le reste n'avait pas d'importance. Elle décrocha en bas.

– Oui ?

– Maddie ?

La voix était bizarre. Graveleuse et hésitante.

– Ici Bailey.

– Bailey ?

Le gardien de la Pointe. Il n'appartenait pas vraiment à la liste de ses correspondants habituels.

La voix de Bailey grinça sur la ligne.

– Je voulais juste vous dire que je n'avais parlé à personne de ce que j'avais vu hier soir.

– Merci, dit Maddie.

– P.C. et moi nous nous connaissons depuis longtemps, et je ne ferai jamais rien qui puisse le contrarier.

– Tant mieux. Je suis sûre qu'il appréciera.

– Je me demandais si vous sauriez l'apprécier vous aussi. Vous voyez ce que je veux dire ?

– Pas du tout, répondit Maddie. Venez-en au fait.

– Que diriez-vous d'une centaine de dollars ?

De surprise, Maddie faillit laisser échapper l'écouteur.

– Vous voulez me faire chanter ?

– Non, non, dit Bailey, soudain affolé. Je ne ferais jamais une chose pareille. C'est illégal. Je pensais que vous pourriez simplement avoir envie de me montrer votre gratitude.

Sa gratitude !

– Et si je refusais ?

– Eh bien, c'est une histoire sacrément bonne. Ce serait dommage qu'elle se perde.

Elle faillit lui dire *Mais enfin Bailey, pauvre idiot, si ça s'appelle pas du chantage, qu'est-ce que c'est?* Mais il ne comprendrait pas. Et puis elle s'en moquait.

— Vous savez, Bailey, à n'importe quel autre moment, votre coup de fil serait assez incongru...

— Écoutez, Maddie...

— ... Mais vu la semaine que j'ai eue, vous vous intégrez parfaitement dans le paysage.

Il n'était pas question qu'elle entre dans son jeu, mais il fallait qu'elle le fasse patienter. Ensuite, elle appellerait Henry.

— Comment je fais pour vous remettre ces cent dollars ?

— Je pourrais passer chez vous.

Dans le rôle du maître chanteur, Bailey était presque attendrissant de stupidité.

— Pour le moment, j'ai pas mal de problèmes sur les bras. Je vous rappellerai, d'accord ?

— N'attendez pas trop longtemps, dit Bailey. C'est une histoire...

Elle raccrocha. Décidément, les coups n'arrêtaient pas de pleuvoir. Elle allait appeler Henry, quand elle se souvint que P.C. ne voulait pas que son oncle soit informé de ses relations avec une femme mariée.

— Et merde, dit-elle en reposant l'écouteur.

Elle devrait d'abord en parler à P.C. Elle retourna s'étendre sur le sofa. Là, elle essaya de se rappeler à quoi elle pensait avant qu'Em lui ait fait prendre dix ans en essayant de joindre son père, et que Bailey soit saisi par la folie des grandeurs. Ah ! oui. Ranger un peu cette maison qui ressemblait à un bateau ivre. Jeter la bouteille de vin.

Maddie fronça les sourcils devant la bouteille vide. Vide ? Il restait pourtant tout à l'heure un fond de vin. Avec suffisamment de Tylenol dedans pour tuer un cheval. Ou du moins le faire sombrer dans le coma.

Qu'était-il donc arrivé ?

Maddie se redressa. Quelqu'un l'avait bu. Treva détestait le vin. P.C. n'était pas entré dans le living. Em n'irait certainement pas boire de l'alcool.

Une seule personne pouvait avoir fini la bouteille.

Oh ! mon Dieu, se dit Maddie. J'ai tué mon mari.

— Ma mère a reçu un coup de fil bizarre, dit Em qui avait appelé Mel depuis la chambre de Maddie. Un type veut la faire chanter.

— Génial ! lança Mel. Comme au cinéma.

— Non, c'est pas génial, dit Em d'une voix aiguë. Je te parle de ma maman. Il veut cent dollars.

— C'est pas beaucoup, fit remarquer Mel. Dans les films, ils demandent des millions.

— Il lui a parlé de ce qui s'était passé hier. Je te parie que c'est pour ça qu'elle a un œil au beurre noir.

— Eh ben !

Mel resta un instant silencieuse.

— Elle va lui donner ?

— Elle lui a dit qu'elle le rappellerait. Et puis ce bonhomme, il connaît P.C., le type qui est venu aujourd'hui.

— Il a parlé de mes parents ?

— Non, juste de ma mère et de ce qui s'est passé hier soir. J'aimerais bien que mon père soit là. Il pourrait arranger ça.

— Il est où ?

— Je sais pas.

Em avala sa salive.

— Je sais rien du tout. Qu'est-ce qu'on va faire ?

— On pourra rien savoir du bonhomme au téléphone si on connaît pas son nom. Il nous reste ce P.C. Il faut que tu le fasses parler.

— D'accord, dit Em, mais comment ?

— Les adultes aiment bien bavarder avec les enfants. Ça leur donne l'impression qu'ils ont un bon contact.

— C'est bête, dit Em d'un ton sans réplique.

— Si tu commences comme ça avec ce P.C., tu es fichue. Sois gentille, pose-lui des questions. Peut-être qu'il te dira ce que tu veux savoir et que tu le trouveras sympathique.

Em envisagea l'idée de faire des grâces à un étranger.

— Ça me donne envie de vomir.

— Si t'es si maligne, t'as qu'à trouver une autre idée.

Em réfléchit. Elle ne voyait pas d'autre solution.

— D'accord, dit-elle à Mel. Mais ça va pas être de la tarte.

Il faisait frais dans le living, dont les rideaux avaient été tirés. Maddie posa une serviette humide sur les yeux, s'étira sur le sofa et essaya de revenir à des pensées rationnelles.

Brent n'était peut-être pas mort.

Bon. Elle avait empoisonné le vin. Il ne s'était pas renversé, Brent était la seule personne qui ait pu le boire et il avait disparu.

Scénario catastrophe : il avait bu le vin, était monté dans sa voiture et tombé d'une falaise.

Quelle falaise ? La Pointe était juste un promontoire au-dessus d'un fossé. Un fossé très profond... Bon, d'accord, c'était une falaise.

Maddie poussa un gémissement. Au moins, s'il s'était rendu à la Pointe, il ne risquait plus de kidnapper Emily. Mais on retrouverait son corps bourré d'analgésiques. Et on l'enverrait, elle, en prison. Sa mère devrait élever Em. Non. Surtout pas ça. Em deviendrait comme Maddie. Folle. Les enfants de Treva s'en sortaient très bien. Treva pourrait peut-être se charger d'Emily.

Maddie se rendit dans l'entrée, décrocha le téléphone et entendit Em qui disait à Mel : « Ça va pas être de la tarte. »

— Mel, tu peux appeler ta mère ?

— Maman ? dit Em.

Mel laissa échapper l'écouteur et, une minute plus tard, Treva prit la communication.

— Allô ?

— Treva ? Viens ici tout de suite.

— Il t'est arrivé quelque chose ? Rien de grave, j'espère ?

— Non, non. Viens ici. J'ai besoin de toi.

Maddie chassa Em de sa chambre afin de pouvoir se reposer et lui donna des instructions pour qu'elle n'ouvre qu'à Treva et à personne d'autre. Dix minutes plus tard, Treva poussait la porte de sa chambre.

— Que se passe-t-il ? On n'y voit rien, là-dedans.

— Surtout n'ouvre pas les rideaux. J'ai atrocement mal à la tête.

Maddie entendit Treva traverser la pièce et venir s'asseoir au pied de son lit.

— Je t'écoute.

— J'ai tué Brent.

— Hein ?

La tête de Maddie l'élança plus fort.

— Le fond de vin qui restait dans la bouteille a disparu. J'y avais fait tomber mes pilules parce que j'étais bouleversée, et maintenant elle est vide.

— Il a bu le vin ?

— Sans doute. En tout cas, c'est pas moi.

Maddie ôta la serviette de ses yeux et chercha Treva du regard.

— Treva, il n'est pas à son travail. Il n'est pas ici. Il est mort. Je l'ai tué.

Dans l'obscurité, la voix de Treva semblait mal assurée.

— Arrête de te faire peur. Tu ne peux pas avoir tué Brent. Cette histoire est trop invraisemblable.

Maddie remit la serviette sur ses yeux.

— D'accord. Tu me promets de t'occuper d'Em jusqu'à ce que je sorte de prison ?

— On ne va pas en prison parce qu'on a accidentellement drogué son mari.

— Qui croira que c'est un accident ? Il me trompe et toute la ville est au courant.

Puis Maddie se rappela ce qu'elle avait fait la veille au soir et poussa un gémissement de désespoir.

— Sans compter qu'hier je me suis fait pincer sur le siège arrière de la voiture de mon mari à la Pointe en compagnie d'un mec, et maintenant le gardien de la Pointe veut me faire chanter. Si je ne lui donne pas de l'argent, il va le dire à tout le monde.

— Pardon ?

— Et Brent a justement choisi ce moment-là pour me taper dessus.

Et il veut kidnapper ma fille et l'emmener en Amérique du Sud avec un tas d'argent tombé du ciel. Il fallait qu'elle fasse quelque chose au sujet de cet argent. Plus tard. Elle ôta la serviette de ses yeux et regarda Treva.

— Pour les mobiles, il y a l'embarras du choix, la police n'a plus qu'à se baisser pour les ramasser.

— Oublie les mobiles, revenons-en à la Pointe. Les flics t'ont surprise avec qui ?

— Pas les flics, Bailey. Je faisais l'amour avec P.C. Sturgis.

La voix de Treva monta d'un cran.

— À l'arrière de la voiture de Brent ?

— Tu me trouves nulle ?

Treva éclata de rire.

— Non, je trouve ça super. Oh ! mon Dieu, je regrette de ne pas avoir été là.

— Je le regrette aussi, dit Maddie, toujours paniquée mais qui puisait un certain réconfort dans l'attitude de

Treva. Tu m'aurais servi de témoin. Ça faisait toujours un mobile en moins.

— Comment c'était ?

Maddie se redressa et appuya la tête au dossier du lit.

— Je viens de te dire que j'ai tué mon mari, en plus de ça on veut me faire chanter, je peux être arrêtée d'une minute à l'autre et tu me demandes comment c'était ?

— Tu n'as pas tué ton mari, répliqua Treva en haussant les épaules. Réfléchis deux secondes. Quelques Tylenol dans un peu de vin n'ont jamais tué personne. Brent n'est pas mort. Tu as reçu un choc au cours d'un accident de voiture, plus deux coups de poing dans la figure — que ton mari aille rôtir en enfer ! — et je pense que tu ne sais plus très bien ce que tu racontes. Vu les circonstances, c'est tout à fait normal. Étends-toi.

Maddie se glissa sous les couvertures.

— Tu as raison. Je vais mal.

Treva s'installa plus confortablement sur le lit et croisa les jambes en tailleur.

— Avant de mourir, dis-moi comment c'était ?

— Tu es un vampire.

— Pourquoi ? Tu as fait l'amour avec un cadavre ? C'était nul à ce point ?

Maddie ne put s'empêcher de sourire.

— Hein ? s'exclama Treva. Non seulement ce n'était pas raté, mais c'était génial ?

Elle sauta de joie.

— Arrête, tu fais bouger le lit. C'était cosmique.

— Sans blague ?

Le sourire de Maddie s'élargit.

— Il s'est beaucoup exercé depuis la dernière fois. Je n'avais jamais connu une extase pareille. On va emménager à l'arrière de la Cadillac.

Treva éclata d'un rire sonore.

— C'est merveilleux. Absolument magnifique ! Attends que je raconte ça à Howie.

Maddie voulut se redresser.

— Non !

Sa tête la rappela à l'ordre. Elle la reposa sur l'oreiller.

— Non, tu ne dis rien à Howie.

— Allez ! De toute façon, il l'apprendra.

— Tu le dis à personne !

— Pourquoi ?

— Je suis mariée.

Le sourire de Treva s'effaça.

— Ah oui ! J'avais oublié.

— Je vais divorcer, ajouta Maddie, mais en attendant je dois rester prudente.

— À ce propos, cette boîte que nous avions trouvée au bureau...

On sonna à la porte.

— Brent ! s'écria Maddie.

Elle se leva à grand-peine.

— Il est venu chercher Em !

— Et il sonne à la porte de chez lui ? s'étonna Treva.

La voix d'Em résonna dans l'escalier.

— Maman ! Le monsieur, P.C., il est revenu. Et tu devrais voir ce qu'il a apporté !

Maddie se sentit tellement soulagée qu'elle s'appuya au mur. Tant que ce n'était pas Brent, le monde pouvait attendre.

Court sur pattes, la démarche mal assurée, c'était un chiot trapu, blanc et brun, avec un nez comme une boule. Em et Mel en étaient déjà amoureuses.

— Je vous présente Phébé, annonça P.C. d'un ton solennel.

Treva se mit à rire et Maddie resta prostrée.

— Phébé ?

— Em vient de le baptiser, annonça P.C. J'avais pensé à Hilda. Tu ne trouves pas qu'il a une tête à s'appeler Hilda ?

— Tout à fait ! s'exclama Treva.

Em s'extasiait :

— Il est parfait !

— Parfait ! dit Mel en écho.

Phébé était pourtant très loin de la perfection. De proportions inhabituelles, il ne ressemblait à rien de connu : trop long pour un beagle, trop court pour un teckel, et trop gros pour l'un comme pour l'autre. Son dos présentait de grosses taches à la beagle, mais ses flancs et ses pattes étaient mouchetés de petites taches à la façon d'un dalmatien.

— C'est peut-être un beagle extensible ?... proposa Treva.

— Non, un chien de garde, corrigea P.C. Je l'ai amené pour qu'il vous protège.

Le chien de garde s'avança en tremblotant, s'effondra aux pieds d'Em et posa la tête sur ses genoux.

P.C. haussa les épaules.

— Il devient méchant quand on l'attaque.

— Il ne pèse même pas trois kilos, fit remarquer Maddie. Si on est attaquées par une créature plus grosse qu'un écureuil, on n'aura aucune chance de s'en sortir.

— Oui, mais il va beaucoup grandir.

— Hein ?

— C'est juste un chiot.

L'avenir assez instable de Maddie venait de s'enrichir d'un beagle mutant. C'était plus qu'elle n'en pouvait supporter.

— P.C., c'est très gentil de ta part de nous avoir arrangé la location temporaire de ce chien, mais...

P.C. lui adressa un large sourire.

— Ce n'est pas une location, c'est pour toujours.

— Oh ! merci, merci beaucoup, piailla Em.

Elle serra l'animal contre elle et Treva fut prise d'un tel fou rire qu'elle dut s'asseoir sur les marches.

Maddie hocha la tête d'un air lugubre.

— Quelle taille ? demanda-t-elle simplement.

— Assez importante. Tu penses, un mélange de beagle, de teckel, de setter et de dalmatien...

P.C. baissa les yeux sur Phébé.

— ... Et de quelques autres choses encore... C'est une bête très américaine.

— Et cette « bête très américaine » va beaucoup grossir ?

— Je l'ignore. C'est le premier spécimen que je rencontre.

Maddie s'assit sur les marches à côté de Treva. Au moins, ce nouveau désastre n'impliquait pas d'argent, d'adultère, de kidnapping ou de divorce. Il ne lui manquait plus qu'un traumatisme mineur.

— Comment tu t'es procuré ce truc ? C'est le résultat d'une expérience génétique à la fourrière ?

— Non. Un ami d'Henry avait un genre de beagle qui a rencontré un bâtard tendance teckel. Un peu comme nous la nuit dernière.

Nouvel éclat de rire de Treva.

— Très drôle, dit Maddie.

P.C. la regarda droit dans les yeux.

— Tu as besoin de ce chien, Mad.

Maddie regarda sa fille. Elle était rayonnante.

— O. K., d'accord pour le chien, soupira-t-elle.

— Mais je ne t'ai pas oubliée, mon chou, ajouta P.C. Il y a un four à micro-ondes dans le coffre de la Mustang. Ensuite, nous irons te louer une voiture. P.C. Sturgis, à votre service vingt-quatre heures sur vingt-quatre...

— Oui, c'est ce qu'on m'a raconté, intervint Treva.

— Treva, tu te tais ! s'exclama Maddie.

Mais P.C. partit d'un grand éclat de rire. Treva se leva malgré les protestations de sa fille.

— Viens, Mel. Nous reviendrons plus tard. Nos amies ont de la visite.

P.C. insista pour qu'elles restent mais la décision de Treva était ferme. Après leur départ, Em emmena Phébé dans le jardin. Elle le couvait du regard et s'extasiait sur chacun de ses mouvements. Pendant que P.C. déballait le four à micro-ondes, Maddie observait Em par la fenêtre de la cuisine.

— Je te remercie beaucoup mais il ne fallait pas...

— Si.

P.C. se pencha un peu pour voir si Em les regardait et il l'embrassa très doucement dans le cou. Maddie se laissa aller contre lui.

— Tu fais ça très bien, murmura-t-elle.

— Mes talents sont multiples... J'ai une idée.

— Oublie-la, ma gamine est dans le jardin.

Elle aurait voulu rappeler Em mais elle ne savait pas comment s'y prendre. *Rentre, ma chérie, papa pourrait te kidnapper.*

— Mes pensées étaient très pures, protesta P.C. Je songeais simplement à vous inviter toi et Em à venir passer quelques jours à la ferme.

Maddie cligna des yeux.

— Chez Anna ?

— Tu as traversé des moments difficiles, fit-il observer. Quant à Brent, je l'ai cherché partout et je ne l'ai pas trouvé. Mais il peut très bien rentrer ce soir. Je ne suis pas tranquille. Viens chez nous, tu y seras en sécurité.

En sécurité. Brent n'aurait jamais l'idée de venir chercher Em à la ferme. Et même si cela lui traversait l'esprit, il devrait alors se mesurer à P.C. et à Henry. C'était une excellente solution.

Oui, mais, demain matin à l'église, les gens de Frog Point s'en donneraient à cœur joie.

Que préférait-elle ? Rester chez elle pour éviter que les gens ne parlent ou mettre sa fille à l'abri ?

— Je sais que tu t'inquiètes de l'opinion des gens, mais...

— J'accepte ta proposition avec plaisir, coupa Maddie. Va parler à Em et, pendant que tu y es, ne la quitte pas des yeux.

— Mais elle va très bien...

— Fais ce que je te dis.

Il la regarda d'un air perplexe et se dirigea vers le jardin.

Em était assise sur les marches de la véranda, les bras passés autour du petit corps chaud de Phébé. Ce miracle accaparait toute son attention. Phébé gigotait contre elle, lui léchait la figure et, quand P.C. vint s'asseoir, elle s'essuya la figure en riant.

— Ça va ? lui demanda-t-il en grattant Phébé derrière les oreilles.

— Super bien. Il est formidable.

— Mais toi, ça va ?

Il avait l'air de parler sérieusement, mais c'était difficile de lui répondre. Elle ne le connaissait pas. Em lui jeta un regard en biais. Il avait une bonne tête, du genre à sourire souvent, bien que maintenant il ait l'air un peu soucieux. Malgré cela Em le trouvait sympathique, surtout depuis qu'il lui avait donné Phébé. Et maintenant, elle devait l'espionner.

— Je l'adore, merci beaucoup, lui dit-elle, évitant de répondre à sa question.

Phébé gigotait de plus en plus fort. Em le laissa s'échapper, le regarda trotter dans le jardin et se soulager dans l'allée.

— Je vois, on avait du travail en retard, dit P.C., et Em ne put s'empêcher de rire. L'herbe est trop haute, poursuivit-il. Ça lui chatouille le ventre. C'est difficile de faire pipi quand on vous chatouille, non ?

— Oui.

Phébé inspectait le bord de la route et Em ne le quittait pas des yeux.

— Viens ici, Phébé !

Elle était terrifiée à l'idée que le chien s'échappe. Elle entendait dans sa tête les crissements des pneus et voyait déjà Phébé écrasé au milieu de la route.

Le chien revint en bondissant, se faufila entre eux, et Em le serra contre elle, se cramponnant à la vie et à la chaleur qu'il dégageait.

— Il faut installer une barrière, dit P.C. en s'écartant pour laisser un peu de place à Phébé. Ensuite, on ferme cet espace ouvert entre l'allée et la maison, on met un portail pour que vous puissiez accéder à la voiture, et je tondrai la pelouse pour qu'elle ne lui chatouille plus le ventre.

Em se sentit brusquement glacée.

— C'est mon papa qui coupe l'herbe.

Elle l'observa à la dérobée. Elle aurait bien aimé être gentille avec lui mais elle ne comprenait pas très bien ce qu'il faisait dans sa vie. Et puis il y avait cette histoire de chantage. Si elle ne l'interrogeait pas, Mel la tuerait. Em serra les dents. *Êtes-vous amoureux de ma maman ?* ne semblait pas un très bon début.

— Vous connaissez mon papa ? demanda-t-elle à la place.

Elle nota le léger mouvement de recul. *Il va mentir,* se dit-elle.

— J'ai connu tes parents au lycée. Par la suite, j'ai déménagé, et je ne suis revenu que rarement. Je n'ai donc pas parlé à ton papa depuis longtemps.

Em soupesa sa réponse. Il avait une bonne tête et il la

regardait droit dans les yeux. Elle estima qu'il disait la vérité. Et puis il lui parlait comme à une adulte, sauf qu'il avait l'air plus sérieux avec elle qu'avec sa mère.

— Vous me racontez pas des craques ? lui demanda-t-elle, toujours méfiante.

Phébé lui échappa.

— Bien sûr que non.

P.C. était visiblement contrarié par la question.

— Excusez-moi, mais des fois, les gens me disent n'importe quoi pour ne pas me faire de la peine.

— En ce qui me concerne, ne compte pas sur moi pour te raconter des histoires, même si la vérité doit te contrarier. Mentir ne fait que compliquer les choses. On oublie ce qu'on a dit et juste après on se fait coincer. Résultat, ça vous coûte très cher. Autant dire tout de suite la vérité et en subir les conséquences.

On aurait juré qu'il parlait d'expérience. Em sourit, oublia brièvement ses soucis et son projet d'interrogatoire.

— Ça vous est arrivé de vous faire coincer, hein ?

P.C. lui rendit son sourire.

— Oui. Par mon oncle. Je te jure qu'il sait lire dans les pensées.

— J'aimerais pas ça.

Em réfléchit à tout ce qu'elle devait cacher en ce moment, elle qui ne croyait à rien de ce que lui racontait sa mère.

— Moi non plus, ajouta P.C. Mais j'ai appris à vivre avec. Eh ! Phébé, reviens ici tout de suite.

Le chien trotta dans leur direction. P.C. reprit :

— Tu sais, il faudrait une chaîne pour attacher Phébé dans le jardin.

Em hocha la tête.

— Plus une écuelle, de la nourriture, un collier et une laisse.

Elle se leva.

— Je vais chercher un papier pour faire la liste.

P.C. l'arrêta.

— J'ai amené de la nourriture pour chiots. Quant au reste... assieds-toi, je vais t'apprendre un truc.

Em s'assit.

— Ça s'appelle une image mentale.

Phébé se glissa entre eux et grimpa sur les genoux d'Em.

— C'est mon oncle qui me l'a appris. Bien. Combien de choses devons-nous nous rappeler ?

— Quatre. Non, cinq. Il nous faut aussi des biscuits pour chien.

— Ferme les yeux. Maintenant, tu vois Phébé portant un collier, une laisse, et... quoi d'autre, déjà ?

— Une chaîne... attachée à la laisse.

— Tu as tout compris. Bravo ! Et après ?

— Il mange des biscuits pour chien dans une gamelle.

— Concentre-toi.

Elle aimait bien la voix de P.C. Ni trop forte ni trop brusque. Un peu lointaine.

— Ça y est ?

Em voyait Phébé manger des biscuits bruns dans une gamelle rouge, porter un collier bleu autour du cou avec une laisse d'un vert vif. Attachée à la laisse, il y avait une lourde chaîne en métal brillant.

— La chaîne est trop longue, dit-elle à P.C., et elle se sentit stupide parce que c'était bien elle qui l'avait imaginée ainsi, non ?

— Il faut en choisir une plus courte.

Elle avait craint qu'il ne la prenne pour une idiote mais non, sa voix était gentille.

— Tu as imaginé une longue chaîne parce que ça te déplaît de voir Phébé attaché. Mais avec la palissade, elle deviendra inutile. Elle protégera Phébé jusqu'à ce que l'on ait posé la clôture.

La chaîne prit des proportions plus raisonnables. Em faillit demander pourquoi ce serait lui qui finirait la clôture et pas son papa. Puis elle réfléchit, la truffe noire et humide de Phébé posée sur sa main. Elle avait une *image mentale* de tout ce dont elle devait se souvenir. Elle avait un nouveau tour à montrer à Mel, et elle avait posé une bonne question et obtenu des informations. Inutile d'en demander plus. Les interrogatoires n'étaient pas son truc, même si elle se débrouillait pas mal.

– O. K., dit-elle, j'ai tout compris. On ajoute une balle et un Frisbee ?

– Où sont-ils ?

– Le Frisbee blanc est sous la gamelle et la balle violette sur la tête de Phébé, dit Em en riant. Ça fait sept choses, c'est ça ?

– Exact. Et je te parie que tu n'en oublieras aucune.

Em avait envie d'ajouter *Je n'oublie jamais rien*, mais elle se contenta de caresser la tête de Phébé et de se remémorer l'image. Elle s'en souviendrait, tout comme du visage de sa mère, du maître chanteur et de l'obstination de P.C. à finir la clôture à la place de son père.

– Si on emmenait Phébé à la ferme de mon oncle ? dit P.C., et Em se crispa parce que, pour la première fois, ce qu'il disait sonnait faux.

– Parlons sérieusement, poursuivit-il d'une voix normale. Je pense que ta maman a besoin qu'on s'occupe d'elle, et ma tante Anna sait prendre soin des gens mieux que personne. Et Phébé se plairait beaucoup à la ferme. Toi et moi, on pourrait aller à la pêche. Enfin bref, on prendrait un peu de vacances. Qu'en penses-tu ?

Je pense que toi et ma mère vous avez déjà décidé à ma place, songea Em. *Et tu te fiches pas mal de ce que je pense*. Mais elle se contenta de dire :

– D'accord.

Maddie regarda P.C. installer Em sur le siège avant de la voiture. Elle-même était reléguée à l'arrière, emmitouflée dans une écharpe et luttant contre le vent. Il fit la conversation à sa fille tout au long du trajet, lui parla de la ferme, de la rivière, de la pêche. Il lui expliqua pourquoi Phébé allait adorer cet endroit. Sa voix était si tendre que Maddie se sentit plus amoureuse que jamais.

Près de la ferme des Drake, maintenant abandonnée, Em ouvrit la bouche pour la première fois.

— C'est encore loin ? demanda-t-elle.

— Environ une vingtaine de kilomètres, répondit P.C. On va jusqu'à la nationale 31, on prend la route de Porch, et puis on continue tout droit jusqu'à Hickory. Ce qui fait trente et une personnes sous le porche de la maison qui mangent des noisettes d'Hickory.

— Hein ? dit Maddie, mais Em sourit et peu lui importait d'être tenue en dehors de la conversation puisque sa fille était contente.

Et en sécurité.

— Il faut compter vingt-cinq minutes si on conduit prudemment, précisa P.C.

Brent s'éloignait à toute allure et Maddie commença à se détendre.

— Avec toi au volant, on y arrivera en dix minutes, fit-elle remarquer.

— J'ai beaucoup changé, protesta P.C. Je suis un citoyen responsable. Je ne fais plus jamais d'excès de vitesse.

Elle rit et il enclencha une cassette.

Dix minutes plus tard, P.C. tourna dans un chemin et Maddie reconnut la ferme blanche d'Henry avec la grande pelouse derrière la maison qui descendait en pente douce vers la rivière. Il y avait des arbres et un petit embarcadère, comme P.C. l'avait annoncé. Maddie n'était pas venue ici depuis des années, mais elle s'en souvenait comme si c'était hier.

Ils descendirent de voiture et Anna, la tante de P.C., sortit sur le perron.

— Bonjour, Maddie, comment vas-tu ? dit-elle en s'efforçant visiblement de dissimuler son émotion devant le visage de la jeune femme.

— Bonjour, Anna.

Maddie s'avança vers le perron en tenant Em par la main.

— C'est si gentil à vous de nous accueillir.

— Attends-moi ici, Em, dit P.C. Je vais chercher les cannes à pêche.

Anna sourit à Em.

— C'est un plaisir pour nous. Et voilà la petite Emily. La dernière fois que je l'ai vue, elle marchait à peine.

— Bonjour, madame, dit poliment Em.

Elle se pencha pour caresser le chiot, qui trottinait à ses côtés d'un pas chancelant.

— Je vous présente Phébé. P.C. me l'a donné.

Les yeux d'Anna s'agrandirent sous l'effet de la surprise.

— Très aimable de la part de P.C.

Elle jeta un coup d'œil interrogateur à Maddie et parut soulagée en la voyant sourire.

— Em, voilà les cannes à pêche, annonça P.C. Nous aurons du poisson pour le dîner.

— Je n'en doute pas, dit Anna, mais j'ai préparé un rôti de bœuf. Au cas où.

— Parfait, dit P.C. Une obligation de résultat aurait pu entraver nos efforts.

Il se dirigea vers la rivière, suivi d'Em et de Phébé qui ne la quittait pas d'une semelle.

— Fais attention à ce que la petite ne tombe pas dans la rivière, cria Anna.

P.C. leva les yeux au ciel.

— Viens, Em. Elles vont nous gâcher le plaisir.

Anna et Maddie les regardèrent s'avancer jusqu'à l'embarcadère. P.C. avait réglé son pas sur celui d'Em et Phébé activait ses petites pattes pour ne pas se faire distancer.

— C'est une enfant charmante, Maddie.

Maddie suivit Anna dans la maison.

— Oui, elle ne nous a jamais causé aucun souci. Et maintenant, je sais que vous allez la gâter avec votre délicieuse cuisine. Auriez-vous prévu de la purée de pommes de terre, par hasard ?

Une heure plus tard, les pommes de terre étaient pelées, Maddie et Anna papotaient gaiement et passaient en revue tous les potins de la ville. Par on ne savait quel miracle, rien n'avait filtré des ennuis personnels de Maddie.

— Gloria Meyer !

Anna secoua la tête.

— Ce ménage était mal assorti, elle aurait dû se douter que cela ne durerait pas.

— Il arrive qu'on s'en rende compte trop tard, dit timidement Maddie. Ça commence bien et puis ça se termine mal.

Anna rinça les pommes de terre pelées.

— Je vais divorcer, avoua brusquement Maddie.

Les joues rouges et les yeux baissés, elle se sentait complètement stupide et se prépara à entendre un sermon.

Anna s'essuya les mains à un torchon et mit les pommes de terre sur le feu.

— Quand on ne peut pas l'éviter, il n'y a pas de honte à ça... La petite risque de prendre un coup de soleil si elle reste trop longtemps dehors.

Elle poussa la porte à claire-voie.

— Emily, reviens, ma chérie. Nous allons faire des

biscuits au chocolat. P.C., si tu tondais la pelouse avant que ton oncle rentre du travail ?

Elle revint dans la cuisine.

— Je ne sais pas pourquoi je vous ai raconté ça, balbutia Maddie.

— D'un certain côté, ça me soulage. Merci de m'avoir mise au courant, lui répondit Anna.

Maddie, qui ne cessait de lutter avec tout ce qui lui tournait dans la tête et qu'elle ne pouvait raconter, leva les yeux vers Anna et lui sourit.

Puis elle regarda pendant une heure Anna expliquer à Em comment on faisait des biscuits au chocolat.

Ensuite, elles s'employèrent à déposer de petits tas de pâte sur du papier huilé.

Épuisé, Phébé dormait dans un coin.

Anna meurt d'envie d'avoir des petits-enfants, songea Maddie. Et comme P.C. ne montrait guère d'empressement dans ce domaine, Anna était visiblement ravie de s'occuper d'Em. Maddie faillit lui dire *Anna, ne vous emballez pas en ce qui concerne mes relations avec P.C.*, mais à quoi bon ? Cela aurait été cruel et inutile. Autant lui laisser ses illusions.

Elle regarda par la fenêtre. P.C. avait ôté sa chemise et il poussait une vieille tondeuse à gazon le long de la rivière. Beau comme un astre, il transpirait au soleil, qui mettait sa musculature en valeur. Elle fut tentée d'aller le rejoindre au bord de la rivière. *Mieux vaut ne pas y songer*. En présence d'Anna, non mais à quoi pensait-elle ? Maddie se détourna de la fenêtre pour l'aider à finir de préparer le dîner.

Une demi-heure plus tard, Henry arrivait.

— Heureux de te revoir, lui dit-il d'un ton bourru.

Et il emmena Em sur le perron pour lui apprendre à jouer aux dames. P.C. ne tarda pas à interrompre son travail pour les rejoindre et tous se retrouvèrent assis autour de la grande table ronde d'Anna. Ils se passèrent le rôti de bœuf cuit à point, la purée crémeuse à souhait, la sauce couleur acajou, les petits pois frais. Em mangeait avec une concentration inhabituelle et Maddie la regarda en souriant. Em n'avait jamais connu de tels repas. Si elle continuait à manger à ce rythme sur une période prolongée, elle aurait les artères bouchées et une crise cardiaque à l'âge de neuf ans. Mais elle aurait goûté au paradis.

Vers la fin du dîner, quand tout le monde fut rassasié, Henry et P.C. eurent une discussion très animée sur les tondeuses au fuel. Quant à Anna et Emily, elles échangeaient leurs impressions sur les biscuits au chocolat, qui finissaient de refroidir.

Henry pointa sa fourchette en direction de P.C.

— Cette tondeuse marche aussi bien que le jour où je l'ai achetée.

Anna se pencha vers Em.

— Tu prends les petites boules de pâte et tu les roules dans la cannelle.

P.C. secoua la tête.

— Henry, j'ai perdu cinq kilos dans la journée et je n'ai pas fait la moitié du travail. Un de ces jours tu feras une crise cardiaque.

— Avec les doigts ? demanda Em.

— Les citadins ! s'exclama Henry d'un air ironique.

Anna hocha la tête.

— Bien sûr avec les doigts. Puis tu les écrases un peu sur le papier huilé.

P.C. ne prêta aucune attention aux sarcasmes de Henry.

— Je finirai la pelouse tout à l'heure. Je n'aurais manqué le dîner et les biscuits d'Emily pour rien au monde.

— La prochaine fois que je viendrai, je ferai des biscuits à la cannelle, lui chuchota Em dans le creux de l'oreille.

— Ce sera dur d'attendre jusque-là, lui répondit P.C.
Henry se gratta la gorge.

— Quand tu étais jeune, tu ne t'es jamais plaint de cette tondeuse.

Anna se leva.

— Qui veut goûter aux biscuits au chocolat d'Em ?

P.C. afficha un air supérieur.

— C'est parce que j'étais un gamin docile.

Anna et Henry le regardèrent en silence.

— Je suis partant pour les biscuits d'Emily, lança P.C. pour changer de sujet.

— Je vais les chercher, annonça Em.

— Pourquoi vous me regardez comme ça ? reprit P.C. J'étais quand même pas un délinquant !

— Un délinquant, non, mais un emmerdeur fini, oui ! précisa Henry.

— Bon, eh bien... je vais finir de tondre la pelouse, dit P.C. en attrapant quelques biscuits au passage. Merci, Em.

— C'était un enfant à problèmes ? demanda Maddie.

Elle était en train de faire la vaisselle avec Anna pendant qu'Em et Henry entamaient une dernière partie de dames sur le perron.

— Oh oui ! s'exclama Anna. Et voilà pourquoi nous en avons hérité. Ma sœur Susan voulait le mettre dans une maison de redressement et nous avons préféré l'amener ici. J'ai d'abord cru qu'Henry y laisserait sa santé, et puis finalement on s'en est sortis. C'est un brave garçon, poursuivit-elle en rinçant le plat du rôti. Il avait juste besoin qu'on l'aime et qu'on lui flanque une raclée de temps en temps quand il faisait des bêtises.

Maddie n'avait jamais pensé à l'enfance de P.C. Elle l'imagina à l'âge d'Em.

— Quel genre de bêtises ? demanda-t-elle.

— Des bagarres. Il n'arrêtait pas de se battre. Et il lui arrivait d'amocher les gens.

Anna s'immobilisa et regarda au loin.

— D'ailleurs, cette violence demeure un mystère parce qu'avec moi il a toujours été adorable. Et il traitait les animaux avec une infinie délicatesse. Vous auriez dû le voir. On a même pensé qu'il pourrait devenir vétérinaire. Il aimait aussi beaucoup les enfants. Et puis il s'emportait contre quelqu'un et lui démolissait le portrait.

Anna secoua la tête.

— Il avait toujours une bonne raison. On s'était mal comporté avec un ami à lui, ou alors on l'avait traité de haut, bref, il voyait rouge et il frappait.

Maddie avala sa salive.

— Mais maintenant, il est guéri ?

— Bien sûr. Disons que ça lui a pris un peu plus longtemps qu'aux autres gars pour se calmer.

Anna ôta le bouchon en plastique et l'eau s'engouffra par le trou de l'évier.

— Je me souviens qu'une fois Henry l'avait envoyé acheter de grandes poubelles en métal...

Anna tordit le chiffon à vaisselle et le mit à égoutter sur le robinet.

— ... Mais elles étaient emboîtées et il ne parvenait pas à les séparer. Il s'est énervé, a tiré comme un fou et, comme rien n'y faisait, il a couru à sa voiture, en a sorti sa batte de base-ball et a tapé sur ces malheureuses poubelles jusqu'à les réduire à un tas de ferraille.

— Qu'avez-vous fait ? demanda Maddie, brusquement glacée.

Était-il possible que P.C... ? Elle essaya de se rappeler l'enchaînement des événements. Quand il était arrivé, il avait l'air très content... jusqu'à ce qu'il voie sa figure. Il était alors parti à la recherche de Brent. Il avait assuré qu'il ne l'avait pas trouvé, mais...

— Je ne suis pas intervenue, répondit Anna. Il est retourné en ville et il est revenu avec deux poubelles qu'il avait payées avec son argent de poche. Cette fois-ci, il avait pris la précaution de ne pas les emboîter. On n'en a jamais reparlé.

— Eh bien...

Anna adressa à Maddie un sourire rassurant.

— Il a fini par s'adoucir. Maintenant, il est absolument charmant. Mais Dieu merci, l'ancien P.C. n'est pas tout à fait mort. Il a gardé un côté têtu, obstiné. Quand il veut quelque chose, il l'obtient toujours. Aujourd'hui comme hier.

Pas sûr, songea Maddie.

Em entra dans la cuisine, Phébé à sa suite. Cela faisait quelques minutes que la tondeuse s'était tue et la nuit tombait. Anna tendit deux canettes de bière à Maddie.

— Allez porter ça à P.C. Em et moi, nous allons regarder la télévision.

Elle sourit à Em.

— Tu vas dormir dans l'ancienne chambre de P.C.

— Phébé aussi ? demanda Em d'une voix soudain anxieuse.

— Phébé aussi.

Escortée de son chien, Em suivit docilement Anna qui portait un plateau avec un verre de lait et une assiette de biscuits au chocolat.

— Elle ne voudra jamais rentrer à la maison, dit Maddie.

— Moi, cela ne me dérange pas, répondit Anna qui s'apprêtait à aller regarder les *Simpson* pour la première fois de sa vie.

Chapitre 10

Maddie descendit vers la rivière et contourna les arbres pour retrouver P.C. qui s'était effondré dans un hamac.

— C'est pas vrai ce que j'ai dit à Henry, soupira-t-il quand elle écarta une branche pour le rejoindre. Cette putain de machine va me tuer avant lui.

Maddie lui tendit les canettes de bière.

— Bois. Ça va te remettre.

Il en ouvrit une et but à longs traits.

— Viens t'asseoir près de moi.

Sa voix rauque la fit frissonner. À peine vingt-quatre heures plus tôt, elle était sur le siège arrière de la Cadillac et Em chez Treva.

— Non, merci, dit-elle.

Elle admira le paysage et leva le nez vers les étoiles pour tenter de penser à autre chose.

— C'est bien joli, ici.

— Sais-tu que te prendre dans mes bras dans ce hamac est un de mes grands fantasmes ? J'ai besoin de câlins.

Maddie s'assit par terre, hors de portée de P.C. et de ses tentations.

— Anna dit que tu volais des trucs quand tu avais dix ans.

— Si tu dois me jeter mon passé à la figure, autant que tu t'en ailles tout de suite.

Excellente idée. De toute façon, rester ici dans le noir avec P.C. présentait toutes sortes de dangers. Maddie se leva. Il se pencha hors du hamac et la rattrapa par l'ourlet de son short.

— Mais non. Ne pars pas. Assieds-toi et prends une bière. Je suis prêt à partager.

Il tira à nouveau sur son short et elle sentit la chaleur de ses doigts sur sa cuisse. Une sensation délicieuse. Il fallait arrêter cela tout de suite. Elle tira sur le tissu et se rassit. Sa peau la brûlait où il l'avait touchée. Elle changea de sujet pour ne pas sauter dans le hamac.

— Comment c'était de grandir ici ?

— Sympa, la plupart du temps. J'ai mené la vie dure à Anna. Elle était tellement triste quand je faisais des conneries. Ça me rendait malade.

— Ma mère, elle, savait très bien me culpabiliser et j'étais incapable de lui résister.

Maddie s'allongea dans l'herbe fraîche.

— Elle n'a d'ailleurs pas beaucoup changé. « Les voisins vont penser que je t'ai mal élevée » est une de ses expressions favorites. J'ai parfois l'impression que j'ai passé toute ma vie à prouver aux voisins que ma mère m'avait donné une bonne éducation.

— Elle a fait du bon travail. Tu frises la perfection.

Il se trompait. Il parlait de l'autre Maddie, celle qui avait joué le jeu pendant trente-huit ans. Elle ressentit une certaine irritation en comprenant que P.C. en restait lui aussi à la fausse Maddie. S'il pensait toujours qu'elle était une gentille fille après les cris qu'elle avait poussés la nuit dernière à l'arrière de la voiture, libre à lui.

Ce qui lui rappela Bailey.

— Pas si parfaite que ça, répliqua-t-elle. On veut me faire chanter.

P.C. se redressa.

— Bailey exige cent dollars pour se taire.

— Quel con !

P.C. s'allongea à nouveau dans le hamac.

— Je m'en occupe. J'espère que ses divagations ne t'ont pas contrariée ?

— Tu plaisantes. Vu ce que je traverse, Bailey est un intermède comique. Mais j'apprécierais que tu t'occupes de lui.

— À votre service, chère madame. Tu veux une bière ?

Maddie l'observa dans l'obscurité.

— Essaierais-tu de me soûler ?

— Avec une bière ? Sans compter que cette saleté de tondeuse m'a épuisé. Viens ici et console-moi.

— Tu ne changeras jamais... Au fait, je me suis toujours demandé ce que « P.C. » signifiait.

— Rien.

— Comment, rien ? À ta naissance, ta mère t'a donné des initiales comme prénom ?

— Non, ma mère m'a appelé Wilson. Je sais... c'est un nom de famille.

— Wilson Sturgis !

Maddie pouffa de rire.

— Mais alors, « P.C. » ça signifie quoi ?

— Pipi de Chat.

Elle le fixa d'un air incrédule.

— Un jour, je devais avoir sept ou huit ans, ma mère parlait de ma sœur à une voisine. « Denise est si éveillée, si affectueuse, Denise par-ci, Denise-par là. » Alors je me suis écrié : « Et moi alors, qu'est-ce que je suis ? Du pipi de chat ? » Denise m'a appelé Pipi de Chat pour me faire enrager, puis elle l'a raccourci en P.C. et ça m'est resté.

Maddie n'en croyait pas ses oreilles.

— Ça ne te dérangeait pas ?

— C'était toujours mieux que Wilson.

Il porta la canette de bière à ses lèvres.

— Finalement, je crois que ça me plaisait de m'être

autobaptisé. J'allais pouvoir décider de mon avenir. L'opinion de ma mère, je m'en fichais.

Maddie resta songeuse. Se donner un nom afin de conquérir sa liberté lui semblait un programme dangereux. Mais diablement intéressant. Elle s'étendit dans l'herbe et contempla la lune, ronde et haute dans le ciel, lumineuse et voilée.

— C'est vraiment beau, ici.

— Un jour, nous ferons l'amour dans ce hamac.

Apaisée par la contemplation du ciel, elle se sentit à nouveau envahie par le désir.

— Arrête.

Elle se leva.

— Je te trouve génial, je te suis plus que reconnaissante de ce que tu as fait pour Em et physiquement tu m'attires beaucoup.

Elle marqua une pause.

— Mais...

— Je sais, pas maintenant. Henry et Anna sont à cent mètres, tu n'as pas encore divorcé et je peux bien patienter un peu. Quant à Em, je m'en occupe parce qu'elle me plaît, rien à voir avec toi, inutile de te montrer reconnaissante. Em et moi on se débrouille très bien tout seuls.

Il avait dit « Em et moi », comme si Em n'avait aucun lien avec la femme dont il était amoureux. Il la considérait donc comme une personne à part entière, il la jugeait indépendamment de la relation qu'il avait avec Maddie. Cela lui fit tellement plaisir que le désir de se glisser près de lui dans le hamac s'intensifia. Elle mourait d'envie de s'abandonner dans ses bras pour qu'il la décharge du fardeau qui l'accablait.

— Il faut que je rentre, dit-elle. Anna et Henry vont se demander où je suis passée.

Elle partit en courant, et chaque pas était un arrachement. Arrivée sous la véranda, elle se retourna et vit P.C.

qui l'observait dans le clair de lune. Elle se dit que la volonté et le sens du devoir se payaient décidément très cher.

P.C. se réveilla de bonne heure — il dormait sur le sofa, qui n'était pas excessivement confortable — et rejoignit Henry à la table du petit déjeuner débordant de victuailles : crêpes, fraises, pommes de terre sautées, beurre frais et sirop d'érable.

— Tu veux que j'aille réveiller Em et Maddie ? demanda-t-il.

Anna ouvrit la bouche, mais Henry la devança.

— Laisse-les dormir. Il faut que je te parle. Ne penses-tu pas qu'il serait temps pour toi de reprendre ton travail ?

— Henry ! s'exclama Anna en posant un pot de lait frais sur la table avant de s'asseoir avec eux.

Elle tapota la main de P.C.

— Il est ici chez lui et nous ne profitons pas assez de sa présence.

— Moi je pense qu'il a besoin de prendre un peu de distance, dit Henry. Il reviendra plus tard.

— À ce propos, dit P.C., cette offre du terrain à côté de la maison tient toujours ?

— Oh, P.C. ! s'écria Anna.

Henry fronça les sourcils.

— Tu retournes chez toi, tu y réfléchis, mais tu commences par te calmer.

— Le terrain est à toi, tu en fais ce que tu veux, intervint Anna.

— Je me demandais si je pourrais en toucher deux mots à Howie Basset, poursuivit P.C. Henry, tu ne serais pas content de m'avoir comme voisin ? Comme ça, on pourrait aller à la pêche quand tu prendrais ta retraite.

Anna hocha la tête en souriant. Elle avait certainement

donné un coup de pied sous la table à son mari parce que P.C. le vit tressaillir.

Henry paraissait tiraillé par des sentiments contradictoires.

— P.C., je te préviens...

Mais son avertissement manquait de conviction et Anna lui coupa la parole.

— Va voir Howie aujourd'hui. Ramène-le ici pour qu'il voie le terrain. Si tu veux t'installer avant Noël, il a intérêt à s'y mettre tout de suite. Il pourrait très bien construire la maison avant Noël, qu'en penses-tu, Henry ?

Henry empoigna sa fourchette en jetant un regard courroucé à P.C.

— S'il ne se calme pas, il l'aura fait construire d'ici à la fin du week-end.

Il pointa sa fourchette en direction de son neveu.

— Tu es une tête brûlée. Ça t'a pourtant coûté assez cher et c'est pas fini. Contrôle-toi un peu et tiens-toi à distance de...

Il croisa le regard d'Anna.

— Enfin, fais attention à ne pas t'attirer des ennuis.

Anna passa les pommes de terre sautées à P.C.

— Va voir Howie aujourd'hui. C'est dimanche, il aura sûrement un peu de temps de libre.

— Oui, madame, répondit P.C., et il remplit son assiette en évitant le regard d'Henry.

Il fallait y aller doucement. Mais Anna avait raison. S'il voulait loger Maddie et Em dans une maison convenable d'ici à la fin de l'année, il devrait voir Howie aujourd'hui. Juste après Brent.

— Je t'aurai prévenu, P.C., dit Henry par-dessus ses crêpes.

— Je t'ai reçu cinq sur cinq, Henry, dit P.C. qui songeait à Maddie et Em, bien en sécurité dans une maison neuve.

Avant d'aller prendre son petit déjeuner, Maddie appela sa mère depuis sa chambre.

— Maman, c'est Maddie. Il est inutile que tu viennes garder Em ce matin. Elle est à la ferme d'Henry et Anna Henley.

— Mais que fait-elle là-bas ?

— Nous y passons le week-end.

Maddie se lança dans le discours qu'elle avait soigneusement répété la veille au soir.

— Ces derniers temps, j'ai eu une vie très agitée et je suis venue ici pour me reposer un peu.

— Où est Brent ? demanda aussitôt sa mère.

— Je l'ignore.

— Maddie, que se passe-t-il ?

Maddie prit une profonde inspiration.

— Je vais le quitter, maman. J'ai rendez-vous demain avec un avocat.

Le long silence qui suivit apprit à Maddie que ses problèmes conjugaux ne surprenaient pas sa mère. Sinon, celle-ci se serait écriée : « Ce n'est pas possible, qu'est-ce que tu me racontes ? » Le silence indiquait simplement qu'elle s'interrogeait sur la stratégie à adopter. *Oublie ça, maman, tu ne me feras pas changer d'avis.* Le problème, c'était que la plupart du temps sa mère avait suffisamment d'influence sur elle pour parvenir à ses fins. Oui, mais cela c'était avant la nouvelle Maddie. Celle qui couchait avec d'autres hommes et empoisonnait son mari.

Quand sa mère retrouva sa voix, Maddie comprit qu'elle avait opté pour la douceur.

— Écoute, Maddie, je sais qu'il s'est mal comporté avec toi, mais tu dois prendre le temps de réfléchir.

Tu n'as aucune idée de ce dont il est capable, ma petite maman.

— Je ne fais que ça. Et voilà pourquoi j'ai appelé un avocat.

— Pas Wilbur Carter, j'espère ?

— Non, Jane Henries, à Lima.

— Très bien. Qui tu veux mais pas Wilbur Carter.

Puis sa mère s'en voulut d'avoir laissé échapper cette appréciation et elle repartit aussitôt à l'attaque.

— Tu ne m'empêcheras pas de penser que tout cela est un peu précipité. Je sais bien que ta génération considère cela comme une formalité mais...

— Ma génération ne pense rien de tel.

— ... c'est une épreuve terrible. Songe à la réaction d'Emily.

Justement. Emily détesterait Rio.

— Maman, je sais très bien ce que je fais.

— De toute façon, tu as tout le temps. On ne prononce pas un divorce en vingt-quatre heures.

C'était vrai, et ça l'arrangeait. Une fois Brent au Brésil, elle attendrait vingt ans pour divorcer si ça lui chantait.

— Ne t'inquiète pas, maman, je n'ai pas l'intention de précipiter les choses.

— C'est tout ce que je te demande.

Pour l'instant, songea Maddie.

— Et si tu changes d'avis pour Em, tu sais que je suis à la maison.

Le ton de sa mère sous-entendait qu'on pouvait toujours compter sur elle, et que ce n'était pas le cas de sa fille.

— Es-tu sûre de te sentir assez bien pour rendre visite à ta grand-mère ?

— Mais oui. Ah, j'oubliais ! Em a un chien.

— Hein ?

— Hier, P.C. Sturgis lui a fait cadeau d'un chiot. Ils ne se quittent plus.

— Maddie ? Tu as revu cet homme ?

Maddie ferma les yeux.

— Maman, t'a-t-on raconté que je le fréquentais ?

— Non, répondit sa mère à regret.
Maddie respira. Bailey s'était tenu tranquille.
— Ne penses-tu pas qu'à l'heure qu'il est tu en aurais déjà entendu parler ?
— Gloria a dit que vous étiez restés assis à la table de pique-nique à boire de la vodka pendant des heures.
— Gloria ? Celle qui a loué les services de Wilbur Carter ?
— Sans doute, sans doute. Comment gagne-t-il sa vie, le petit Sturgis ?
— Je t'ai déjà dit que je n'en savais rien. Il faut que je parte.
— Appelle-moi en rentrant de la maison de retraite.
Maddie raccrocha.

Em prit place en face de sa mère à la table du petit déjeuner. Elle tendit la main pour s'assurer que Phébé était bien à ses pieds et, comme le chiot mendiait sans relâche des caresses, elle caressa son poil soyeux.
— Je l'adore, dit-elle à Maddie.
— Je sais... Moi aussi, je le trouve sympa.
Em revint à ses crêpes.
— Et j'aime bien P.C. aussi.
Sa mère s'agita, ce qui était mauvais signe. Habituellement, sa mère était tellement calme qu'elle en devenait ennuyeuse.
— Oui, c'est un garçon sympathique. Tu veux du sirop d'érable ?
— À toi aussi il te plaît ?
— C'est un vieux copain. On était au lycée ensemble.
Em se servit docilement du sirop d'érable. La nourriture ne la passionnait pas beaucoup, mais la cuisine d'Anna était vraiment très bonne.
— Il était aussi au lycée avec papa ?
— Oui.

Sa mère découpa un gros morceau de crêpe.

— On était tout un groupe : papa, tante Treva, oncle Howie et plein d'autres personnes que tu ne connais pas. On ne se quittait jamais, comme toi et Mel.

Elle avala son morceau de crêpe et Em attendit qu'elle ait fini de mâcher pour poser la question suivante. Sa mère n'avalait jamais de grosses bouchées. C'était mal élevé. D'où elle conclut qu'elle essayait de gagner du temps.

Cela dit, le lycée était une diversion qui ne manquait pas d'intérêt. Elle et Mel allaient grandir, et leurs amis aussi. Certains partiraient pour toujours. Elle se demanda à quoi ressemblerait Jason Norris s'il réapparaissait après vingt ans d'absence. Peut-être à Doug dans *Urgences*. Et il reviendrait la voir, comme P.C. avec sa mère.

Em fronça les sourcils.

— Est-ce qu'il a été ton petit ami ?

— Non.

Sa mère lui passa les fraises.

— Je n'ai jamais eu d'autre petit ami que ton père. Pas très passionnant, hein ?

— Ça dépend.

Em avala sa salive et ne put s'empêcher de poser la question qui lui brûlait les lèvres.

— Où est papa ?

Sa mère cligna des yeux.

— Je crois qu'il travaille sur un dossier difficile au bureau, dit-elle d'un air enjoué.

Em se figea. Elle était sûre que sa mère mentait ou qu'elle lui cachait quelque chose. Ça sonnait faux. « Un dossier difficile au bureau » sonnait faux. Surtout vu la façon dont sa mère le disait.

Anna sortit de la cuisine.

— Em, as-tu besoin de quelque chose ? demanda-t-elle.

Et Em sut qu'elle ne devait plus poser de questions sur son père.

— Non, merci, c'est délicieux.

Mais elle avait brusquement perdu l'appétit. Elle voulait comprendre ce qui se passait.

— C'est dimanche et il faut que j'aille à la maison de retraite, intervint sa mère. Toi tu restes avec Anna, Phébé pourra courir dans le jardin. D'accord ?

— Bon.

— Anna a parlé de faire une tarte aux fraises. C'est chouette, non ?

— On va bien s'amuser, déclara Anna d'un ton ferme.

— Attends un peu de voir le collier que je vais offrir à ton arrière-grand-mère, poursuivit Maddie.

En réalité, sa voix était triste, et Em cessa d'y croire.

— Montre-le-moi.

Sa mère prit le collier dans son sac. Il était vraiment laid, un tas de verroterie rouge accroché à une chaîne dorée. Em hocha la tête.

— Elle va adorer. Tu ne porteras pas d'autres bijoux ?

— Non. Ils seront cachés dans mon sac.

Sa mère semblait rassérénée. Mais Anna les regardait sans comprendre.

— Quand je lui rends visite, ma grand-mère veut toujours que je lui offre ce que j'ai sur moi, expliqua Maddie. Alors on distrait son attention avec des objets auxquels on ne tient pas. N'est-ce pas, Em ?

Em hocha la tête pour faire plaisir à sa mère.

Maddie mit le collier et embrassa sa fille.

— Amuse-toi bien. Tu n'oublieras pas d'aider Anna à faire la vaisselle.

— Ne parle pas de Phébé à Mamie. Elle serait capable de me le prendre.

Maddie avait emprunté son break à Anna

(« Aujourd'hui je ne m'en servirai pas. Prends-le, cela ne me dérange pas »), et elle se sentait infiniment soulagée depuis qu'elle était à nouveau motorisée. Dans une petite ville comme Frog Point, une voiture n'était pas vraiment indispensable ; mais elle lui donnait l'illusion de la liberté : elle pourrait prendre la fuite en cas de besoin. À tort ou à raison, la voiture la rassurait.

Malheureusement, elle n'échapperait pas à sa grand-mère pour autant.

Elle trouva Lucille Barclay vêtue d'un déshabillé en mousseline de soie « vert tempête », trônant dans son lit aux draps rose pêche assortis aux murs de la chambre : mauvaise parodie de la jeune femme des années vingt qu'elle avait été. Ses cheveux noir de jais coupés au carré encadraient son visage de nymphe flétrie, où seuls ses petits yeux rusés et durs comme l'obsidienne demeuraient inchangés. Comme sa grand-mère le lui avait répété maintes fois, Maddie n'avait pas hérité de ses qualités : beauté, esprit d'entreprise, obstination, courage... Mais étant donné que Mamie était par la suite devenue le plus grand fléau de la famille, Maddie ne se formalisait pas trop de ce caprice de la génétique.

— Tu ne peux pas imaginer ce que j'ai enduré, avait l'habitude de dire la mère de Maddie. Cette femme m'a humiliée. Il ne me serait jamais venu à l'idée de me comporter comme cela avec toi.

Contemplant sa grand-mère, Maddie remercia sa mère en silence et se promit de protéger également Em de ce comportement. Pourvu qu'elle ne devienne pas la nouvelle Mamie des années quatre-vingt-dix... Maddie s'angoissait. On prétendait que certains traits de caractère sautaient une génération. Elle venait d'avoir cette aventure avec P.C. à la Pointe... Si elle continuait comme ça, elle serait élue à l'unanimité « Mamie de l'an 2000 ». Il fallait absolument qu'elle reprenne sa vie en main. Elle s'y attellerait juste après la visite.

Elle traversa la pièce — ignorant délibérément les sarcasmes de sa grand-mère, qui l'accueillit en lui disant qu'elle avait pris du poids et paraissait bien son âge — et entrouvrit les rideaux pêche qui donnaient sur une petite terrasse.

— Trop de lumière, grinça la voix de Mamie. Mauvais pour ma peau. Et aussi pour la tienne, encore que tu n'aies jamais eu un joli teint.

Si Maddie avait laissé les rideaux fermés, elle aurait gémi qu'elle n'y voyait rien.

— Alors, Mamie, dit Maddie d'une voix joviale en venant s'asseoir à son chevet, comment ça va ?

— À quatre-vingt-quinze ans, que veux-tu que je te réponde ?

Maddie se retint de lui faire remarquer qu'elle n'en avait que quatre-vingt-trois. Se lancer dans une polémique avec elle reviendrait à une guerre des tranchées dans le Sud-Est asiatique.

— Tu as une mine superbe.

— C'est parce que je ne m'expose pas bêtement au soleil comme certaines personnes de ma connaissance.

La vieille dame se pencha en avant.

— Cette Janet Biedemeyer, dans la chambre à côté, c'est une véritable épave. Elle ressemble à une valise en peau d'alligator. Tu lui mets une poignée sur le dos et tu l'envoies dans la soute à bagages. Et elle a vingt ans de moins que moi. Si j'avais...

Mamie s'arrêta net et loucha sur le visage de sa petite-fille.

— Mais qu'est-ce qui t'est arrivé ?

Maddie étouffa un soupir.

— Je me suis cognée dans une porte, Mamie, tout va bien.

— Ah ! je le savais.

Elle retomba sur ses oreillers, visiblement ravie.

— Il t'a frappée, n'est-ce pas ? Tout à fait le genre de Brent.

— Pas du tout. Il ne m'a jamais battue. J'ai trébuché et je suis tombée sur un coin de porte.

— C'est ça. Ce qui explique la présence de ces deux entailles, là sur ta joue. Brent porte bien une chevalière ?

Maddie se recula.

— Ma petite fille, tu as choisi la bonne personne pour te donner des conseils.

Ça m'étonnerait, se dit-elle.

— J'ai moi aussi traversé ce genre d'épreuve. Alors voilà...

— Grand-père ne t'a jamais frappée ! s'exclama Maddie, oubliant sa réserve. Tu devrais avoir honte de...

— Je ne parle pas de ton grand-père, hurla la vieille dame d'une voix stridente. Il n'a jamais levé la main sur moi.

Elle fit la grimace. Rétrospectivement, cette mansuétude l'agaçait.

— Je te parle de mon premier mari.

Maddie se renversa dans son fauteuil.

— Tu en as eu deux ?

— Oui. Le premier s'appelait Buck Fletcher. Un bon à rien.

Maddie retint un sourire.

— Buck ? Tu as épousé quelqu'un qui s'appelait Buck ?

— C'est encore mieux que Brent, ricana sa grand-mère. Tu imagines ce que peut être la vie avec un type qui porte un nom pareil !

— Je ne peux pas croire que tu aies été mariée une première fois et que personne ne m'en ait parlé !

Mamie haussa les épaules.

— Il est mort avant ta naissance. Je ne l'ai pas beaucoup pleuré, gloussa-t-elle avant de revenir à Maddie. Ça ne sert à rien de s'abriter derrière du maquillage, mon petit.

— Merci, Mamie.

Maddie aurait bien aimé faire une escapade du côté de Buck-le-premier-mari-caché, mais les femmes battues étaient vraiment le dernier sujet qu'elle avait envie d'aborder avec sa grand-mère.

— Je t'ai apporté des chocolats.

Elle se pencha pour ouvrir son sac et laissa le collier rouge se balancer brièvement dans le vide.

— Merci, dit Mamie en arrachant à Maddie la boîte dorée qu'elle venait à peine de sortir de son sac. Esther Price. Très bien, reprit-elle.

Elle défit le ruban rouge.

— Petite boîte.

— Je t'en apporterai une autre la semaine prochaine. Comme d'habitude.

— Tu es une gentille fille, Maddie.

Mamie choisit une tortue au chocolat au lait et mordit dedans. Elle avait une habitude qui portait sur les nerfs de Maddie : elle commençait toujours par les tortues et crachait les noisettes. Une noisette fut catapultée à travers la pièce.

— Excellent, commenta la vieille dame.

Elle fixa le collier.

— Ravissant.

Maddie jeta un coup d'œil à la verroterie.

— Un bijou de famille. Côté Faraday. C'est un de mes préférés.

— Tu sais, je ne vais pas rester avec vous bien longtemps, dit Mamie d'une voix faible en se renversant brusquement sur ses oreillers, la boîte de chocolats dans une main et la tortue mutilée dans l'autre. Je suis vieille, murmura-t-elle, les yeux fixés au plafond.

Sans blague.

— Tu nous enterreras tous. Tu es en meilleure forme que moi.

Vu l'état pitoyable dans lequel elle se trouvait, elle exagérait à peine.

Mamie renifla.

— Je peux vous quitter d'un moment à l'autre.

Elle remit la tortue à moitié rongée dans sa boîte et haleta, une main sur le cœur.

— Mamie, arrête. Y a-t-il quelque chose que je puisse faire pour toi ?

— Ce collier irait tellement bien avec mon déshabillé.

Elle tapota la mousseline. Maddie imagina la verroterie rouge s'étalant sur le vert peu appétissant. Ce serait atroce, mais de toute façon, même « au naturel » Mamie était horrible.

— Ça m'embête, Mamie. Il appartenait à la mère de Brent et...

— Cette femme !

D'indignation, la vieille dame en oublia ses récents problèmes cardiaques.

— Helena Faraday n'a jamais su s'habiller.

Elle faillit s'étouffer de colère, puis, se rappelant qu'elle était à l'agonie, se renversa à nouveau sur ses oreillers.

— Je suis certaine qu'elle n'aura aucune objection à ce que tu prêtes ce collier à ta grand-mère mourante. Après tout, Maddie...

Les yeux baissés, Mamie affichait un air pieux et détaché des choses de ce monde qui lui allait aussi bien que des plumes à un alligator.

— ... tout te reviendra après ma mort.

— Si tu crois que cela peut t'aider à te sentir mieux...

soupira Maddie, lassée de ce numéro à la Sarah Bernhardt.

Elle retira le collier et le passa autour du cou de sa grand-mère, qui se remit aussitôt à grignoter la tortue.

Maddie se leva.

— Je te trouve beaucoup mieux, Mamie. Je crois qu'il est l'heure de...

— Assieds-toi, ordonna sa grand-mère d'une voix de stentor. Je ne t'ai pas encore donné les nouvelles.

Maddie se rassit et jeta un regard plein de convoitise à la boîte de chocolats. Si elle devait écouter les scandales de la maison de retraite, quelques friandises l'aideraient à tenir le coup. Mais si elle s'avisait de soustraire un chocolat à sa grand-mère, celle-ci lui sauterait à la gorge.

— Mickey Norton joue à nouveau les exhibitionnistes.

Mamie reposa la tortue mutilée et attaqua un chat fourré à la crème d'amande.

— Abigail ! Rock, deuxième porte à droite, en est toute retournée. Enfin, Mickey n'a toujours pas perdu espoir... Ed Keating, au bout du couloir, ne sort plus de son lit. Les hommes sont bien peu de chose. Avec l'âge, ils se désintègrent.

— Oh, ça dépend !

— Tu penses à ton mari ? s'exclama Mamie d'une voix méprisante.

— Excuse-moi mais il faut que j'y aille, dit Maddie qui pensait à P.C.

La vieille dame lui ordonna de se rasseoir et elle n'osa pas la contrarier. Elle dut subir toutes les réflexions méchantes que sa grand-mère avait mises de côté depuis une semaine. Heureusement qu'elle avait un débit de mitrailleuse : en une demi-heure, la gazette de la maison de retraite était terminée.

— Et puis il y a toi, conclut-elle. Ah, tu es belle ! Tout

le monde ici sait que tu es ma petite-fille. Ma réputation est fichue.

Elle parut un instant désolée et se réconforta avec une grenouille pralinée.

— Ton nom n'est pas en cause, fit remarquer Maddie. Il s'agit de Brent Faraday et des Martindale. Pour un scandale Barclay, il faut remonter à trois générations.

Mamie se pencha en avant, l'air féroce.

— Et tu crois qu'ils vont se priver ?

Maddie se rejeta en arrière. Elle avait oublié que pour les gens de cette maison de retraite trois générations ne comptaient pas.

— Tu as raison. Désolée pour mon œil au beurre noir, Mamie. J'attendrai d'être à nouveau présentable pour revenir te voir.

— Ah ! hurla sa grand-mère. Et tu t'imagines peut-être que ton absence va passer inaperçue ? Je t'attends dimanche prochain, comme d'habitude. Tu n'as qu'à prendre quelques cours de maquillage. Non mais !

Maddie se leva.

— Assieds-toi !

— Impossible, répliqua Maddie qui battit en retraite vers la sortie. Il faut que j'y aille. À la semaine prochaine. Au revoir, Mamie.

— La semaine prochaine, je serai morte.

Elle prit un nouveau chocolat, au nougat celui-là, avec une noisette sur le dessus.

— Ce collier te va très bien, Mamie.

Maddie referma la porte juste avant qu'une noisette ne vienne s'y écraser avec un bruit sec.

Quand Maddie arriva chez elle, la porte de derrière était entrouverte. Quand on ne la claquait pas, elle s'ouvrait toute seule. Mais elle l'avait claquée quand elle était partie.

Elle resta bêtement plantée là, la clef à la main.
Brent.

Elle poussa timidement la porte, qui n'opposa pas de résistance, et passa le seuil.

Rien n'avait bougé. Après tout, elle avait peut-être oublié... Non, elle se revoyait claquant cette porte avant de la fermer à double tour. Maintenant, elle en était certaine.

— Brent ?

Elle posa son sac sur le plan de travail et pénétra dans le living. Tout était en ordre... à part le secrétaire, dont les tiroirs n'étaient pas tout à fait en place. Après vérification, elle constata que la clef du coffre avait disparu.

Brent était revenu chercher cette clef... et Emily. Il reviendrait ce soir et, à moins que Maddie ne l'en empêche, il l'emmènerait.

Elle décrocha le téléphone et appela la police.

— Je n'en suis pas absolument certaine, mais je crois qu'un rôdeur est entré chez moi, annonça-t-elle à l'agent de service.

Les officiers de police relevèrent les empreintes sur le secrétaire et n'y trouvèrent que les siennes. Puis ils lui posèrent des questions auxquelles elle fut bien en peine de répondre. (« Je n'ai aucune idée de la raison pour laquelle le rôdeur s'intéresserait à la clef de notre coffre. ») Ils avaient l'air sceptiques.

Puis elle dit :

— Je vous en prie, faites surveiller la maison cette nuit.

Le ton de sa voix trahissait son anxiété et ils acceptèrent de poster un véhicule devant chez elle. Si elle tenait Brent à distance jusqu'à demain, elle parviendrait ensuite à remettre de l'ordre dans sa vie.

Et si elle pouvait convaincre Em de passer la nuit à la ferme, elle serait tout à fait rassurée.

Ces exigences ne semblaient pas démesurées.

Quand la police fut partie, elle fouilla la maison, cherchant de nouvelles preuves du passage de Brent. Il avait vécu ici tellement longtemps... Ses magazines, ses chaussures de travail, la menue monnaie qu'il avait sortie de ses poches traînaient un peu partout. Il était grand temps qu'elle se débarrasse des marques de sa présence. Elle alla chercher des cartons dans le garage et commença à emballer ses affaires.

Trois heures et quelques cartons plus tard, elle attaquait le placard de leur chambre. Elle ouvrit les deux derniers cartons pour y empiler les vêtements de Brent. Ses chemises en coton préférées, ses jeans, un costume clair, ses chaussures de bowling n'étaient plus dans le placard. Elle comprit qu'il avait déjà fait ses valises. Quand elle eut terminé, elle traîna les cartons dans le garage et revint trier ses affaires de sport entassées au fond du placard.

Elle mit de côté sa batte de base-ball. S'il réapparaissait, ça pourrait toujours servir. Dire que ce salaud avait fait ses valises dans son dos ! Une telle lâcheté la rendait malade. Jeté à terre, le sac de golf se renversa. Une douzaine de balles se répandirent sur le plancher et les clubs cliquetèrent en glissant hors du sac.

Maddie redressa le sac et essaya d'y remettre les clubs, mais elle ne parvenait pas à les enfoncer. Alors elle le vida, le secoua, et un petit paquet en tomba.

Assise sur son lit, elle le contempla avec hostilité. Dieu sait ce qui l'attendait ! Des photos pornographiques ? De la cocaïne ? Les cendres de Jimmy Hoffa ? Plus rien ne pouvait la surprendre.

En réalité, le paquet contenait de l'argent. Quatre liasses de billets de cent dollars. Quarante mille dollars en tout. Elle avait l'impression de jouer au Monopoly.

— Mais qu'est-ce qu'il a foutu ? dit-elle à voix haute.

Puis elle songea : *de l'argent pour fiche le camp.*

On frappa à la porte d'entrée et elle se réveilla brusquement de son accablement. Elle poussa les billets sous le matelas, jeta le papier qui les avait emballés dans la corbeille et se précipita en bas.

— Pourquoi diable ne répondais-tu pas ? demanda P.C. quand elle ouvrit la porte. J'ai cru que tu étais morte.

Il ne plaisantait qu'à moitié.

— Je réfléchissais.

— Fais attention, c'est dangereux.

Il pénétra dans le hall d'entrée.

— Ton visage a dégonflé. Tu as l'air mieux.

— Comment gagnes-tu ta vie ?

— Je suis comptable.

Il referma la porte derrière lui.

— J'espère qu'Em est toujours à la ferme ?

— Oui. D'ailleurs...

Il l'embrassa et elle oublia tout. Ses lèvres étaient brûlantes. Elle se laissa aller contre lui pour prolonger son baiser, profiter de sa chaleur. Lui seul l'apaisait, maintenant qu'elle avait perdu ses repères et que sa vie tanguait comme un bateau ivre. Il lui avait affreusement manqué. Garder le contrôle de soi-même quand tout vous poussait à céder à vos instincts exigeait une volonté de fer.

Quand les mains de P.C. s'égarèrent sur ses reins, elle le repoussa.

— Arrête. Quelqu'un pourrait nous voir.

Il l'attira dans un coin du living à l'abri des fenêtres.

— Henry a dit que le rôdeur t'avait rendu visite.

Maddie tenta de reprendre le fil de leur conversation.

— Alors tu es comptable ?

P.C. soupira.

— Pourquoi, ça te dérange ?

— Pas du tout. Ça me semble bizarre, c'est tout.

Elle réfléchit une seconde.

— Je ne parviens pas à t'imaginer en train d'exercer une profession.

P.C. la tint à bout de bras et la regarda droit dans les yeux.

— Merci beaucoup. Et maintenant, si tu me parlais de ce rôdeur ?

— Pourquoi t'intéresse-t-il à ce point ?

— Un étranger s'introduit chez la femme que j'aime et tu me demandes si ça m'intéresse ? répondit P.C. sur un ton agacé.

— Il n'était pas nécessairement étranger à cette maison, répliqua Maddie, préférant ignorer pour le moment cette déclaration d'amour indirecte, qu'elle n'était pas prête à affronter. Hier, j'ai tout fermé avant de partir. La personne qui est venue ici savait ouvrir les portes. Ou alors elle avait les clefs.

P.C. s'assit.

— Et qui a les clefs ?

— Ma mère, Treva et Brent.

— C'est Brent. Inutile de chercher plus loin.

— Sans doute.

— Et selon toi, que cherchait-il ?

— Hier, je suis allée à la banque. J'ai examiné le contenu de notre coffre.

— Continue.

— J'y ai découvert deux billets d'avion pour Rio et deux passeports.

P.C. émit un sifflement prolongé.

— Il veut se faire la malle.

Maddie hocha la tête.

— Les billets sont pour lundi. L'un des passeports était au nom d'Em.

Il tressaillit.

— Tu as dû recevoir un sacré choc.

— J'ai déchiré le passeport d'Em. C'est peut-être ça qu'il est venu chercher. Et la clef du coffre a disparu.

Elle songea aux vêtements qu'il avait emportés.

— Tout comme lui, j'espère.

— Continue comme ça, tu es sur la bonne voie.

P.C. se pencha et l'embrassa, effleurant si légèrement ses lèvres qu'elle en frissonna de la tête aux pieds.

— J'aime quand tu m'embrasses ainsi, murmura-t-elle.

Il l'embrassa à nouveau. Très, très doucement. Et alors que la fièvre les envahissait, une portière claqua. P.C. sursauta.

— Cette ville, soupira-t-il.

Il alla regarder à la fenêtre.

— Respire, ce n'est pas ta mère. Juste la voisine. Une blonde platine.

— Gloria.

Maddie se sentait à la fois déçue et soulagée qu'il se soit éloigné d'elle.

— Je me demande si ce n'est pas avec elle que Brent me trompait.

P.C. ouvrit de grands yeux.

— Seigneur ! Il est fou !

Elle sourit.

— Merci, c'est gentil.

— Mais je le pense. Et maintenant, tu ne bouges pas d'ici et surtout tu n'ouvres à personne. Je vais dire à Henry de garder un œil sur ce coffre.

— Non, tu vas tout gâcher, protesta Maddie. Je veux que Brent disparaisse de cette ville.

— Je ne te contredirai pas sur ce point, dit P.C. en se dirigeant vers la porte. Mais il y a quelques personnes qui aimeraient bien lui demander des comptes avant son départ. Cela nous simplifierait la vie qu'il réponde à leurs questions.

Maddie le suivit.

— P.C., il se passe ici des choses qui m'échappent. Ne pourrais-tu m'expliquer... ?

— Chut ! Je suis moi-même un étranger dans cette ville.

Il l'embrassa avec fougue. Elle voulut le retenir mais il était déjà parti avant qu'elle ait eu le temps de lui demander quoi que ce soit.

Elle le regarda s'éloigner.

— Attends un peu que je t'attrape, murmura-t-elle.

Pour le persuader de parler, elle disposait de certaines armes féminines auxquelles il lui serait difficile de résister. Il lui suffisait de dépasser le syndrome « paralysée par le désir » dont elle souffrait à chaque fois qu'il s'approchait d'elle. Ce qui ne saurait tarder.

Elle retourna dans sa chambre et compta l'argent dissimulé sous le matelas. Quarante mille dollars. Brent allait sûrement venir les récupérer. Il ne pouvait pas les avoir oubliés.

Et si le rôdeur n'était pas Brent ?

Ridicule. C'était sûrement Brent. Personne d'autre ne viendrait voler la clef du coffre.

Fous le camp, songea-t-elle. *Disparais de ma vie.* Puis elle se rappela les pilules. L'avait-elle déjà mis hors d'état de nuire par inadvertance ? Quelle horreur !

Elle fourra l'argent sous le matelas et attrapa son sac. La pharmacie n'était qu'à un kilomètre. Elle avait juste le temps de s'y rendre avant la fermeture.

À Revco, Maddie montra le flacon d'analgésiques au pharmacien.

— En cas de surdosage, ce médicament est-il dangereux ? demanda-t-elle. Admettons que j'aie avalé sept ou huit pilules, que va-t-il se passer ?

Le pharmacien la sermonna et lui enjoignit d'un ton

sévère de toujours respecter les prescriptions. Puis il la rassura en confirmant qu'une telle dose avait peu de chances de causer des dommages irréversibles.

— Cela peut tout au plus altérer votre jugement et vous plonger dans le sommeil.

Il la regarda d'un air réprobateur.

— Dépasser les doses prescrites n'est pas très recommandé.

— Je suis tout à fait d'accord avec vous, répliqua Maddie avec un grand sourire.

Elle n'était pas une meurtrière. Le jugement de Brent avait toujours été altéré et dormir un bon coup lui avait certainement fait le plus grand bien... Elle demanda s'il était possible de renouveler la prescription. Le pharmacien s'exécuta sans enthousiasme. Puis Maddie rentra finir son nettoyage et rayer définitivement Brent de son existence. Elle lui dirait : « Tu connais la nouvelle ? Pendant que tu dormais, tu as déménagé. »

Elle mit le reste de ses affaires dans le garage, sac de golf compris. Ce dont il avait besoin pour partir pour Rio, il pouvait toujours le prendre dans le garage.

Alors qu'elle en refermait la porte, une Ford flambant neuve s'arrêta devant la maison. La femme qui en descendit était totalement inconnue de Maddie.

C'était une belle rousse au regard dur. Ce ne pouvait donc pas être la dernière conquête de Brent. Mais Maddie se prépara au pire. Peut-être s'agissait-il d'une ancienne maîtresse furieuse d'avoir été trompée. Ou alors de la deuxième femme de P.C., dont il aurait omis de lui signaler l'existence. Elle tressaillit à cette dernière pensée et tenta de se calmer tandis que la femme s'avançait à sa rencontre.

— Vous organisez une vente dans votre garage ?

Maddie cligna des yeux.

— Pardon ?

— On est dimanche, et le dimanche, les gens organisent des ventes pour les objets dont ils veulent se débarrasser.

La femme recula d'un pas et jeta un regard circulaire.

— Excusez-moi si je me suis trompée.

— Attendez une minute.

Maddie rouvrit le garage.

— J'ai effectivement des vêtements d'homme dont je n'ai pas l'usage. Et aussi des affaires de sport.

Puis elle se rappela l'argent et précisa :

— Je garde les clubs de golf.

La femme plissa les yeux.

— De quelle taille, les vêtements ?

C'était mal de vendre les affaires de Brent à une étrangère, mais après tout il avait dilapidé leurs économies et elle n'avait plus un sou.

— Très grande taille. Faites-moi une offre.

Dix minutes plus tard, la femme repartait avec la totalité des affaires de Brent. À l'exception des clubs de golf. Maddie retourna dans sa chambre et mit ses propres sous-vêtements et tee-shirts dans les tiroirs vides. Quand elle eut terminé, elle se sentit soulagée et pas culpabilisée le moins du monde.

Elle avait retrouvé sa liberté. Elle regarda autour d'elle. *Je déteste cet endroit. Il est terriblement laid. Il va falloir que je déménage*.

Le dossier du lit de couleur pêche était particulièrement vilain. C'était Brent qui l'avait choisi, naturellement. Il fallait qu'elle s'en débarrasse sur-le-champ.

Elle prit un tournevis et se mit au travail. Le dossier se détacha d'un coup. Puis elle le traîna sur le sol, il rebondit sur les marches de l'escalier et elle le jeta dans le garage.

Gloria Meyer sortit pour voir ce qui se passait.

— Mais c'est ton lit !

— Nettoyage de printemps.

Maddie jeta un coup d'œil à Gloria et songea : *Vampire, hein ?* Et elle retourna à l'intérieur, prête à affronter tout ce qui se mettrait en travers de son chemin.

On était dimanche. P.C. se rendit au bureau de Brent au cas où il s'y cacherait, mais il tomba sur Howie.

— Tu fais la semaine de sept jours ? demanda P.C. quand il vint lui ouvrir la porte.

Il n'avait pas beaucoup changé depuis le lycée, et dégageait toujours la même assurance tranquille. Il lui manquait juste quelques cheveux.

— Tu tombes bien, dit Howie en s'effaçant pour laisser entrer P.C.

— Je cherchais Brent, s'excusa P.C.

— Il se terre quelque part. Oublie-le. J'aimerais que tu jettes un coup d'œil aux livres de comptes.

— Sans blague ? plaisanta P.C. Voilà trois jours que je cours après Brent pour qu'il m'y autorise.

Howie avait allumé son ordinateur et son bureau était couvert de listings.

— Il ne l'aurait certainement pas fait.

Howie lui indiqua une chaise et s'assit à son bureau.

— Il détournait du fric. J'en suis absolument convaincu. Il ne me reste plus qu'à trouver les preuves.

— Donc, Sheila avait raison.

P.C. rapprocha son siège de celui d'Howie.

— Elle possède un sixième sens en ce qui concerne le fric. Tu en es où ?

— Je n'arrive pas à m'y retrouver. Brent s'occupait des ventes et des comptes, et moi j'étais chargé des plans et de la construction. Ça marchait très bien jusqu'à l'année dernière : les ventes ont augmenté alors que les rentrées ont baissé.

— Aïe ! dit P.C.

Howie hocha la tête.

— C'est alors que Dottie Wylie est intervenue. Elle avait décidé de vendre la maison que nous avions construite pour elle il y a un an. Je pensais que Brent avait sous-évalué le devis, ce qui n'était pourtant pas son genre. Il voulait toujours faire monter les coûts. Cette maison valait facilement deux cent mille dollars, et il l'a vendue cent quatre-vingt mille.

P.C. plissa les yeux.

— Et de quoi se plaint Dottie ?

— Elle assure qu'elle va perdre de l'argent sur sa maison, et elle demande vingt mille dollars. Je suis allé lui parler et elle m'a montré ses factures. Elle a payé deux cent vingt mille.

— Brent a donc empoché quarante mille. Décidément, il escroquait tout le monde.

— Et grâce à Dottie, toute la ville est au courant.

Howie se massa les tempes et P.C. fronça les sourcils.

— Dans ce cas, je ne comprends pas pourquoi Stan a voulu acheter des parts.

— Des parts de quoi ? demanda Howie.

— De l'entreprise. Il a racheté la moitié de la part de Brent, c'est-à-dire un quart de l'affaire, pour deux cent quatre-vingt mille dollars. Sheila en est malade.

En voyant le visage d'Howie, P.C. comprit qu'il n'était pas au courant.

— Brent possède un quart de l'affaire, précisa Howie, et non la moitié. Treva, Maddie et moi nous nous partageons le reste.

— Donc il a liquidé tout ce qu'il possédait ?

Leurs regards se croisèrent.

— Il s'est fait la valise, dit Howie. Sans compter qu'il a cédé ses parts sans notre accord et que son contrat de vente est illégal.

Il secoua la tête.

— Que pense Maddie de tout cela ?

P.C. se tassa sur sa chaise.

— Difficile à dire. Je ne sais même pas si elle est au courant. Elle croit qu'il la quitte parce qu'il a rencontré une autre femme, mais c'est plus compliqué que cela. Dans un sens, elle continue de le protéger.

Il baissa la tête.

— Elle refuse que l'on aille voir ce que contient son coffre à la banque parce qu'elle veut se débarrasser de lui à tout prix.

— Difficile de le lui reprocher. Si j'étais marié à Brent, je souhaiterais vivement qu'il disparaisse de la circulation. Le salaud ! Il me disait l'autre jour qu'il ne supportait plus Frog Point, son nom, l'obligation de se présenter aux élections municipales. On dirait qu'il a fini par réagir.

À ces mots, P.C. retint un sourire. Em était en sécurité, Maddie avait recouvré sa liberté et il allait pouvoir fonder une famille.

— Bravo, Brent ! dit-il. Pour une fois, cet abruti a pris la bonne décision.

— Moi, cela ne m'arrange pas tellement, soupira Howie.

Il montra à P.C. les chiffres sur son écran d'ordinateur.

— Puisque tu es comptable, tu pourrais peut-être m'aider ?

— D'accord. D'ailleurs, moi aussi j'ai besoin de tes services. Je voudrais me faire construire une maison.

Howie ouvrit de grands yeux.

— Ici ? À Frog Point ?

— Ouais, dit P.C. J'en suis aussi surpris que toi. Et maintenant, je vais passer un coup de fil à Sheila pour lui annoncer la mauvaise nouvelle et on verra comment on s'organise.

Quand Em appela de la ferme, Maddie venait de terminer son grand nettoyage.

— Phébé et moi on veut rentrer à la maison, dit Em sur un ton qui frisait l'hystérie. Je veux voir papa.

— Je ne pense pas qu'il rentrera ce soir, répondit Maddie. Ne crois-tu pas qu'il serait préférable...

— Je veux rentrer !

— Très bien. Je passe te prendre dans une heure. À tout de suite, ma chérie.

Bon. Si Em voulait rentrer chez elle, Maddie n'avait aucun moyen de l'en empêcher. Mais comment assurer sa sécurité ? P.C. pourrait venir passer un moment avec elles, mais il n'était pas question qu'il reste la nuit dans la maison. Et sans lui, Maddie n'était pas complètement rassurée, même avec la police qui montait la garde.

Sa tête se remit à lui faire mal.

Alors qu'elle passait en revue toutes les solutions possibles, le téléphone sonna.

— Maddie ?

La voix de Treva.

— Il paraît que le rôdeur t'aurait rendu visite. Qu'est-ce que c'est que cette histoire ?

— Mais comment...

— Howie est tombé sur P.C. Tu te sens bien ?

— Très bien.

Maddie se regarda dans la glace. Son œil offrait un dégradé de couleurs allant du violet au rose en passant par le jaune sale.

— J'ai une tête à faire peur mais je vais bien.

— Howie dit que P.C. se fait du souci à ton sujet, et aussi qu'il envisage une relation sérieuse avec toi.

— Oublie P.C. J'ai un problème. J'ai peur que Brent ne vienne enlever Em.

— Il veut la... la kidnapper ? bégaya Treva.

— La situation ne s'arrange pas. Il faut absolument que je trouve une solution jusqu'à demain. J'ai emmené Em à la ferme des Henley la nuit dernière, mais elle ne veut pas y rester. Ça fait deux jours qu'elle n'a pas vu Brent. Elle a peur.

La voix de Maddie se brisa.

— Et moi aussi, ajouta-t-elle d'une voix à peine audible.

— Je vais venir avec Howie et les enfants. Il ne pourra pas l'emmener si nous sommes tous là.

— Vous ne pouvez pas passer la nuit ici. Je ne sais plus quoi faire.

— On a tout le temps d'y réfléchir. Tu vas la chercher maintenant ? On te rejoint dès que tu seras rentrée. On dira aux enfants qu'on a décidé de dîner tous ensemble autour d'une pizza. Ils n'y verront que du feu.

Maddie s'appuya au mur, soulagée de ce nouveau sursis.

— Merci infiniment, Treva.

— Ne me remercie pas, dit Treva d'une voix bizarre. Tu ne me dois rien du tout. Au fait, tu ne veux pas que je t'aide à ouvrir la boîte qu'on a trouvée dans le bureau de Brent ?

Les lettres. L'enfant de Kristie.

— Maintenant je m'en fous.

Maddie feignait l'indifférence pour ne pas exciter la curiosité de Treva.

— Finalement, je crois que je vais me débarrasser de cette saleté.

— Surtout pas. Elle pourrait contenir des documents concernant l'entreprise. Je viens la chercher.

Maddie fronça les sourcils.

— Je te la donnerai ce soir. Ce sera plus simple.

— Très bien. Et surtout ne t'inquiète pas au sujet de cette boîte. Elle ne nous apprendra sans doute rien de bien intéressant.

— D'accord.

Maddie raccrocha et songea : *Pourquoi diable Treva s'intéresse-t-elle tellement à cette boîte ?*

Treva avait une clef de la maison. Et elle connaissait déjà l'existence du rôdeur. Pour quelles raisons P.C. et Howie s'étaient-ils rencontrés ? Quand il était passé chez elle, P.C. était déjà renseigné grâce à Henry. S'il n'avait pas parlé du rôdeur à Howie, comment Treva était-elle au courant ? Elle n'avait même pas demandé à Maddie si on lui avait pris quelque chose. Et si c'était *elle* qui avait cambriolé la maison ?

Non. Maddie secoua la tête. Elle devenait paranoïaque. Treva était sa meilleure amie. Et P.C. la protégeait. Si elle continuait comme ça, elle allait bientôt soupçonner sa mère. *Oublie tout ça, et occupe-toi du dîner.* Elle passa une commande pour trois grandes pizzas qui lui seraient livrées à huit heures.

Puis elle se prépara à retourner à la ferme et ferma la porte du garage avant que Mme Crosby ne remarque combien elle était désordonnée, empilant des cartons en tous sens.

Le jour commençait à tomber lorsqu'une camionnette s'arrêta devant sa porte.

Le chauffeur en descendit et remonta l'allée. Elle reconnut Stan Sawyer.

Ouf, ce n'était pas Brent ! Tant que ce n'était pas Brent, rien n'avait d'importance.

— Maddie ?

— Salut, Stan.

Maddie avait fait un effort pour paraître cordiale, mais le ton de sa voix avait dû transmettre un message comme : *Qu'est-ce que tu viens m'embêter ?* car Stan s'arrêta et se balança maladroitement d'un pied sur l'autre.

— Euh... Brent est dans le coin ?

— Non. Tu veux que je lui dise de t'appeler quand il rentrera ?

— J'avais rendez-vous avec lui hier matin mais il n'est pas venu. Il faut que je lui parle, c'est urgent. Très urgent.

Stan fit quelques pas dans sa direction et Maddie commença à se sentir mal à l'aise, ce qui lui parut aussitôt ridicule. Il ne pouvait strictement rien lui arriver à Frog Point. D'ailleurs, tout le pâté de maisons les regardait.

— Tu es sûre qu'il n'est pas là ?

— Howie va arriver d'une minute à l'autre. Il est sans doute au courant de ce que tu voulais demander à Brent.

— Non. Je crois que Brent prépare un mauvais coup. Il va mettre les voiles.

Moi aussi c'est ce que je crois, mais je n'ai pas envie d'en discuter avec toi.

— Je ne sais rien, dit Maddie avant de battre en retraite vers sa maison.

Stan l'attrapa par le bras.

— Attends un peu. Il m'a piqué du fric.

Elle essaya de se dégager, mais il la tenait fermement.

— Toi aussi tu es dans le bain.

À cet instant, les phares d'une voiture qui tournait dans l'allée les éblouirent.

— J'espère que c'est Brent, dit Stan.

La voiture s'arrêta, les phares s'éteignirent, et P.C. descendit du véhicule.

— Lâche-la, gronda-t-il en avançant sur eux.

Chapitre 11

— Mêle-toi de tes affaires, dit Stan. J'ai un problème à régler avec les Faraday.

— Lâche-la, je te dis.

Maddie essayait de se dégager, mais Stan refusait de la libérer. Le visage de P.C. était méconnaissable, elle ne l'avait jamais vu ainsi.

— Attends une minute, P.C., commença Stan qui se comportait comme si Maddie n'existait pas. C'est de ta faute. Depuis que tu es rentré ici, tout va de travers. Fous le camp et laisse-moi régler mes problèmes.

Il lâcha Maddie. Elle recula et il la rejoignit aussitôt.

— Si j'avais su que...

Stan n'eut pas le temps d'achever sa phrase. P.C. lui envoya un direct dans la mâchoire et Maddie frissonna de dégoût en entendant le bruit mat des chairs meurtries. Stan perdit l'équilibre et tomba en arrière. Il jurait comme un beau diable.

— Je t'interdis de toucher à Maddie, hurla P.C. Ne recommence jamais ça.

Mme Crosby apparut sur sa véranda.

— Maddie ? Que se passe-t-il ?

— Mais qu'est-ce que tu fais ? Tu es fou ? s'écria Maddie.

— Maddie ?... chevrota Mme Crosby.

— Ce n'est rien, madame Crosby. Stan a juste perdu l'équilibre. Tout va bien.

Mme Crosby ne bougea pas d'un pouce.

P.C. se frottait la main, les yeux fixés sur Stan.

— Rentre chez toi, Maddie.

Il fit un signe de tête à Stan.

— Ça fait longtemps que tu attends ça, hein ? Eh bien, allons-y.

— Non !

Maddie s'interposa entre les deux hommes.

— Il n'en est pas question. Non mais qu'est-ce qui vous prend ? Vous n'avez plus seize ans. Ça suffit.

P.C. essaya de l'écarter.

— Maddie...

— Arrête !

Il se figea un instant, puis se détendit. Il passa un bras autour des épaules de Maddie et la serra contre lui. Elle songea : *Mme Crosby va adorer ça.* Mais peu lui importait. Le sentir à nouveau près d'elle était une sensation si délicieuse.

— D'accord, soupira P.C. C'est complètement idiot.

Stan, assis par terre, les fixait d'un air ahuri.

— Excuse-moi, grommela P.C. Et maintenant, laisse Maddie tranquille. Elle n'est au courant de rien.

— Ça c'est la meilleure !

Stan se releva et se frotta la mâchoire. Puis il se mit à rire.

— Toi et Maddie ! Brent est au courant ?

P.C. le fusilla du regard et Maddie agrippa son jean, pour le cas où il lui prendrait à nouveau la fantaisie de frapper Stan au beau milieu de la rue.

— Tu tiens à tes dents ? gronda P.C.

Stan rit à gorge déployée.

— Elle est vraiment bonne. Bien fait pour Brent. Je ne

vais pas me fatiguer à te casser la gueule. Brent s'en chargera. Tel que je le connais, il vous tuera.

— Ça te ferait plaisir, hein ? dit P.C.

Toute animosité l'avait abandonné. Maddie se tourna vers lui. Sa colère s'était envolée comme par enchantement.

Stan secoua la tête.

— Elle est vraiment bonne, répéta-t-il. Attends que je raconte ça à Sheila.

Et il s'éloigna en riant. P.C. serra les dents.

— J'aurais dû taper plus fort, comme au bon vieux temps. Il ne pourrait plus en articuler une.

Super. Maintenant, on en est au bon vieux temps. Maddie s'éloigna de lui. Elle avait froid.

— De quoi s'agit-il ? Qu'est-ce que c'est que cette histoire ? demanda-t-elle.

— Je ne le sais pas moi-même. Je suppose qu'épouser mon ex-femme doit lui porter sur le système.

P.C. la prit par la taille et l'entraîna vers la maison.

— Sheila a dû lui raconter des horreurs sur moi.

— Maddie ?

Mme Crosby revenait à la charge.

— Bonsoir, madame Crosby, lança Maddie.

Puis elle secoua la tête, se tournant vers P.C.

— Il parlait de Brent et il a dit que c'était de ta faute. Pourquoi lui as-tu répondu que je n'étais au courant de rien ?

— Écoute, Mad...

P.C. était devenu grave.

— Il se passe des choses bizarres dans l'entreprise. Ça sent mauvais. Pas mal de gens veulent demander des comptes à ton mari et ils ne sont pas contents du tout.

Ils firent le tour de la maison.

— Et ce n'est pas terminé, soupira Maddie.

— Comme tu dis.

P.C. ouvrit la porte de la cuisine et s'effaça pour la laisser passer.

P.C. se chargea d'aller récupérer Em et Phébé à la ferme. Treva et les siens arrivèrent peu de temps après leur retour, suivis de près par la mère de Maddie, lassée d'attendre un coup de fil qui ne venait jamais. Tout le monde s'installa dans la salle de séjour. Em n'avait jamais été aussi entourée.

— Tu as la boîte du bureau ? chuchota Treva dans l'entrée.

— Oui, je suis parvenue à l'ouvrir, répondit Maddie. Tu ne devineras jamais ce que j'y ai trouvé.

Treva renversa son Coca-Cola et épongea les dégâts avec une serviette en papier.

— Des lettres d'amour. Celles de Beth sont vraiment pathétiques.

Treva la fixa un instant.

— Tu prends ça rudement bien.

— Elle aime mon mari et moi je ne peux plus le sentir. Tout cela est très troublant.

Maddie mordit dans sa pizza.

— Il n'y avait rien d'autre ? insista Treva.

C'est alors que Phébé avala son quarantième morceau de pizza, puis vomit sur le plancher. L'agitation fut à son comble et les enfants l'emmenèrent au-dehors.

— Attends, dit Maddie à Em, mais Three se leva aussitôt.

— Ne t'inquiète pas, tante Maddie, je m'en occupe.

Dehors, il ne quittait pas Em d'une semelle. Maddie s'était assise près de la fenêtre pour surveiller l'allée.

— C'est un chouette gamin, dit Treva. Avec lui, elle est en sécurité.

— Un gamin adorable, renchérit Maddie. Merci.

— Maddie, si tu me racontais un peu ce qui se passe ? intervint sa mère.

— Gloria est vraiment décidée à divorcer ? demanda innocemment Treva.

Le divorce de Gloria détourna l'attention de Mme Martindale pendant dix bonnes minutes. Maddie ne participait pas à la conversation. Elle regardait fréquemment en direction de P.C., qui avait allongé ses longues jambes sur le tapis. Il lui suffisait de le regarder pour se sentir soudain toute bizarre. Elle ne pourrait pas coucher avec lui ce soir — impossible avec Em dans la maison — mais elle prenait un intense plaisir à l'observer. *Je pourrais passer ma vie à l'écouter parler et rire,* songea-t-elle, et elle se força à participer au débat avant de laisser ses pensées s'égarer davantage.

La fille de Mme Crosby était au régime, Margaret Erlenmeyer à nouveau enceinte, et Harold Whitehead avait invité Candace Lowery à dîner alors que sa femme était morte depuis deux mois à peine.

— Il a prétendu que c'était un dîner d'affaires, dit la mère de Maddie.

Et elle renifla avant d'ajouter :

— Je n'en crois pas un mot.

Puis les enfants rentrèrent du jardin et Mel réclama bruyamment du dessert. La mère de Maddie se leva.

— Il est tard. Il faut que je parte.

Maddie la suivit jusqu'à la porte et jeta un regard à P.C. au passage. Il lui sourit et son cœur faillit s'arrêter de battre.

— Comment va Mamie ? demanda sa mère quand elles se retrouvèrent sur la véranda. Tu crois qu'elle est heureuse ?

Cette femme n'a jamais été heureuse un seul jour de sa vie et elle adore ça, songea Maddie.

— Elle est rayonnante. Mickey Norton a des crises

d'exhibitionnisme et sa voisine une peau affreuse. À ce propos...

Maddie regarda sa mère bien en face.

— J'ignorais qu'elle avait eu un premier mari.

Sa mère se détourna et traversa la véranda.

— C'était il y a si longtemps. Quelle importance, maintenant ? C'est très gentil à ce petit Sturgis d'avoir acheté un chien à Em.

Jolie contre-attaque, songea Maddie. *Beau travail, maman chérie.*

— Oui, n'est-ce pas ? Ne fais pas d'imprudences sur le chemin du retour.

— Tu as des amis charmants, reprit sa mère, qui ne pouvait se résoudre à descendre les marches.

— J'ai de la chance. N'oublie pas d'allumer tes phares.

— Mais enfin, Maddie, bien sûr que je vais allumer mes phares. Il fait nuit noire.

Elle fronça les sourcils.

— Madeline, y a-t-il quelque chose entre toi et cet homme que je devrais savoir ?

Maddie songea à tout ce qui s'était passé entre elle et P.C. Sturgis... Elle se sentait frustrée, et la tension qui l'habitait ne cessait de monter depuis le début de la soirée.

— Non, maman, répondit-elle.

— Surtout, ne précipite pas les choses parce que tu te dis que tu vas divorcer de Brent. Où est-il passé, celui-là ? Em est inquiète.

Maddie s'appuya à la rampe.

— Aucune idée. Sans doute avec sa dernière maîtresse en titre.

Sa mère se figea dans la lumière de la véranda.

— Tu n'avais jamais fait allusion à ses infidélités auparavant.

— Je suis surprise que tu ne sois pas au courant. Tu n'as entendu parler de rien ?

Sa mère se tassa un peu.

— Pas plus que d'habitude... Je suppose qu'entre vous, c'est terminé ?

— Oui, maman.

Maddie se sentait désolée pour sa mère. Elle-même allait retrouver sa liberté et faire l'amour avec P.C. — *Tiens-toi tranquille,* dit-elle à sa libido —, Em serait en sécurité, mais sa mère aurait à affronter un divorce et faire face à la famille.

— Si tu as besoin de quoi que ce soit, Maddie, tu m'appelles. Quoi que ce soit, tu m'entends ?

Maddie se mordit la lèvre. Il suffisait qu'elle se laisse emporter par son ironie pour que sa mère lui fasse une réflexion de ce genre. Et Maddie réalisait alors à quel point elle l'aimait.

— Je te remercie, maman. Et je te promets d'y penser.

— Je suis tellement désolée.

La voix de sa mère se brisa. Maddie descendit les marches pour la réconforter.

— Tout ira pour le mieux, dit-elle en passant un bras autour de ses épaules. Ça faisait longtemps que je n'étais plus heureuse. Je n'étais pas malheureuse non plus, remarque. Mais maintenant, je vais changer de vie.

— Tu sais bien sûr que je ne veux que ton bonheur.

Elle se redressa.

— En attendant, cette ville va s'en donner à cœur joie.

— Il faut croire que c'était notre tour. Ils n'avaient rien à se mettre sous la dent depuis que Mamie s'était séparée de Buck.

Sa mère fronça les sourcils.

— N'écoute pas cette femme. Elle raconterait n'importe quoi pour se rendre intéressante.

— Elle n'en a pas besoin. Sans même ouvrir la bouche, elle est un *one woman show* à elle toute seule.

— Oh, mon Dieu, je sais, je sais !

— Rentre chez toi, maman. Demain, tout va s'arranger. Je verrai mon avocat, et la ville jugera que Brent l'a bien mérité. Tout le monde sera désolé pour nous pendant deux semaines, et puis l'actualité reprendra ses droits et ils trouveront d'autres sujets de conversation. Nous sommes du bon côté de la barrière. Tout va bien se passer.

— D'accord...

Sa mère lui tapota le bras.

— Je t'aime. Prends bien soin d'Em. Ça va être dur pour elle.

— Je sais.

Maddie n'en pouvait plus.

— Je m'en occupe, ne t'inquiète pas.

— Très bien.

Nouvelles petites tapes sur le bras. Puis sa mère fit quelques pas et se retourna.

— Madeline, tu ne devrais pas t'afficher avec le petit Sturgis. Ça fait mauvaise impression.

Le petit Sturgis. Les yeux de braise de P.C. Ses mains brûlantes sur le siège arrière, puis dans l'entrée, dans le living... Ses mains glissant sous son tee-shirt, sous sa jupe...

Il fallait qu'elle arrête de penser à lui.

— Je sais, maman.

Elle allait devoir rester éloignée de P.C. Dieu merci, il retournait bientôt à Columbus !

Elle frissonna. Elle ne voulait pas qu'il parte mais qu'il reste près d'elle pour lui tenir chaud. Comme sur le siège arrière. Maddie croisa les bras sur sa poitrine. Elle le voulait nu, brûlant contre sa peau. Elle essaya de le chasser de ses pensées mais rien n'y faisait. Elle avait la chair de poule. Et devant sa mère, en plus. Décidément, elle perdait la tête.

Peut-être devrait-elle songer à aller faire des courses à Columbus. Trois ou quatre fois par semaine. Elle imagina l'appartement de P.C., dont le seul meuble consistait en un grand lit. Et ils faisaient l'amour.

— Attends un peu. Disons un an, proposa sa mère.

Maddie cligna des yeux. Un an ? Elle n'était pas certaine de pouvoir se retenir dans le quart d'heure qui allait suivre et sa mère lui demandait d'attendre un an ?

— Tu connais les gens.

— Oui, maman.

Dès que la voiture eut disparu, Maddie rentra chez elle en courant. Un an. Elle aurait le temps de visiter tous les magasins de Columbus. Plus les bars, les musées, les cinémas.

Dans le living, les trois adultes discutaient de Bailey en buvant de la bière, assis sur le tapis. Appuyé au sofa, P.C. avait relevé les manches de sa chemise sur ses bras bronzés. Il avait des cuisses magnifiques, ce que Maddie n'avait jamais remarqué auparavant. Elle devait être sérieusement atteinte, si elle en était au point de lorgner ses cuisses.

P.C. la regarda et lui sourit, et il dut remarquer l'étincelle dans ses yeux parce que son sourire se figea, et il plissa les yeux.

Oui, merci, ça me plairait beaucoup, songea Maddie, et elle se demanda combien de temps il faudrait avant qu'ils puissent à nouveau faire l'amour ensemble. Avec Em dans la maison et Brent dans les parages, elle devrait patienter des jours et des semaines. Elle s'assit en face de lui, allongea ses jambes près des siennes. Il reposa sa bière et effleura son mollet.

Le désir l'enflamma et elle frissonna.

Les lèvres de P.C. s'entrouvrirent et il la regarda fixement. Elle détourna la tête pour écouter Howie. S'ils ne se calmaient pas, ils allaient rouler sur le tapis. Une image si attrayante qu'elle en ferma les yeux.

P.C. changea de position et le tissu rugueux de son jean

caressa la jambe de Maddie. Son imagination ouvrit des portes qu'elle aurait dû laisser fermées. Elle se vit allongée sur lui, pressant son sexe contre le sien, l'embrassant à pleine bouche...

Ça suffit. Elle essaya de se concentrer sur Howie et Treva.

— Après s'être fait virer de la banque, il a touché du fric du casino dans le dos du patron de la boîte de nuit, disait Howie. Voilà pourquoi Henry ne pouvait plus le recommander comme garde.

Treva secoua la tête.

— Je ne comprendrai jamais pourquoi il a fait une chose pareille.

— Parce qu'il n'a qu'une vague idée des subtilités de la loi, dit Howie. Bailey est un brave gars mais il n'a pas inventé la poudre. Puisqu'il ne faisait de mal à personne, pourquoi ne pas prendre l'argent ?

Le petit doigt de P.C. lui chatouillait la cheville. Maddie ferma les yeux un instant. Elle n'avait jamais ressenti un chatouillement aussi cataclysmique. S'il continuait comme ça...

— Et puis l'entreprise l'a embauché, dit Treva. On dirait que Bailey n'est pas le seul brave gars un peu crétin de la région.

Howie haussa les épaules.

— C'était l'idée de Brent, pas la mienne.

Il avait brusquement changé de ton. Maddie sortit de sa torpeur en voyant le visage de Treva à la mention du nom de Brent.

— Pourquoi Brent tenait-il tellement à lui ? demanda-t-elle.

Howie écarta un carton à pizzas.

— Il y a un mois environ, il est venu raconter que des gamins se réunissaient à nouveau à la Pointe malgré les clôtures et que nous risquions un procès si l'un d'entre eux était blessé. Nous avons alors décidé de louer ses services.

Il but une gorgée de bière, cependant que Maddie croisait le regard de Treva.

— Après tout, ce n'était pas une mauvaise idée. Maintenant, nous avons quelqu'un qui surveille l'entreprise la nuit.

— Mais enfin, c'est bien le même type dont tu disais qu'il n'avait qu'une vague idée des subtilités de la loi, non ? intervint Treva.

Howie secoua la tête.

— Il n'oserait jamais voler quoi que ce soit dans l'entreprise. Bailey est loyal.

— Sans aucune doute, dit P.C. en posant sa bière près des chevilles de Maddie, qu'il coinça entre son poignet et sa hanche tout en continuant de parler à Howie et Treva. Il prenait toujours des raclées au lycée parce qu'il refusait de moucharder.

Il fronça les sourcils.

— En réalité, il prenait des raclées, point. Ce petit gars attirait les coups.

— Tu parles d'expérience ? demanda Maddie en pressant la cheville contre sa hanche. *Fais-moi l'amour.*

Howie éclata de rire.

— Tu parles ! Bailey était à l'origine de la moitié des bagarres de P.C. au lycée. P.C. cassait la gueule à tous ceux qui se permettaient de toucher à Bailey. Bailey pense que P.C. est le bon Dieu.

— Je ne tapais que sur ceux qui ne me plaisaient pas, répliqua P.C. avec un sourire satanique à l'adresse de Maddie. *Quand tu veux.*

Howie regarda P.C. droit dans les yeux.

— Comme Brent, par exemple.

Maddie se redressa.

— Tu es la seule personne dont Brent se méfiait, poursuivit Howie. Vos différends tournaient toujours autour de Bailey.

— Brent tapait sur Bailey et P.C. tapait sur Brent ? s'étonna Maddie.

— Juste une fois, précisa Howie. Et Brent ne tapait pas vraiment sur Bailey. Il le bousculait. Alors P.C. lui disait d'arrêter et il obtempérait.

Maddie ouvrit de grands yeux.

— Eh bien !

P.C. secoua la tête.

— Autant que je me souvienne, à l'époque je ne me séparais jamais de ma batte de base-ball.

— Donc, au lycée, tu étais armé ? demanda Maddie.

— Non, on jouait aussi au base-ball, répondit P.C. Brent et moi, on faisait équipe. On était potes.

— C'est ça, dit Howie en riant. De grands copains.

— Nous avons partagé certaines expériences, dit P.C. en laissant distraitement tomber sa main sur le mollet de Maddie.

Plus haut, songea-t-elle, tout en prenant garde de paraître s'intéresser à la conversation.

— C'est ce qu'on m'a raconté, répliqua Howie.

Treva lui donna un coup de pied. P.C. rit. Maddie regarda ses amis et songea : *P.C. s'intègre très bien à notre groupe. On jurerait qu'il n'est jamais parti.* Et son désir pour lui n'en fut que plus violent. *Pense à autre chose.*

Elle les revit tous au temps du lycée. Howie, très sérieux derrière ses lunettes, Treva vive et enjouée dans sa jupe de supportrice, ses cheveux attachés en couettes avec des nœuds multicolores, flirtant avec tout le monde. Brent, toujours en tenue de sport, l'air décontracté. Et P.C. avec sa chemise qui sortait de son jean, encore plus décontracté. Sans oublier les autres. Margaret Erlenmeyer et son ahurissante collection de jupes. Candace, sérieuse et discrète. Stan, toujours un peu à la traîne et qui faisait de son mieux pour rattraper le peloton. Gloria, pâle et insignifiante, qui les dévorait des yeux. Enfin, surtout, Brent. Mais les gens qu'elle aimait le plus étaient ici ce soir avec elle. Quand elle les regardait aujourd'hui, elle voyait un groupe assez disparate dont les membres n'avaient pas grand-chose en commun à part le sens de l'humour et des souvenirs de jeunesse. Mais ce n'était déjà pas si mal.

Les doigts de P.C. lui caressaient le mollet. Elle ne pensa plus à rien.

Les enfants rentrèrent avec Phébé et la pièce retourna au chaos. Em s'approcha de sa mère.

— Où est papa ? murmura-t-elle.

Un sentiment de culpabilité envahit Maddie. Elle replia les jambes.

— Je suppose qu'il est en train de travailler.

Em paraissait contrariée.

— Il va revenir ce soir ?

— Sans doute. Mais très tard, comme d'habitude.

— Eh ! Em, dit Three. Mel et moi on va s'acheter une glace à *Dairy Queen*. Tu viens avec nous ?

Maddie avait bien envie de la retenir, mais Em demanda :

— Je peux ?

Elle se dit que ça la distrairait et que Brent ne risquerait pas de la trouver si elle était là-bas.

— D'accord.

— Phébé peut m'accompagner ? demanda Mel. Il n'a jamais vu notre maison.

— Voilà pourquoi il n'y a pas de traces de vomi sur ta moquette, soupira Maddie.

Treva regarda Maddie, puis P.C.

— Je crois que Phébé devrait passer la nuit à la maison, dit-elle, prise d'une inspiration subite. Em peut venir aussi, bien sûr.

— C'est vrai ? s'écria Mel d'un air ravi.

Howie regarda sa femme comme si elle avait perdu la tête.

— C'est vrai, dit Treva. Va chercher le pyjama de Em.

La fillette sembla prise de court, mais Mel l'entraîna dans son sillage et Phébé les escorta, très excité. Em suivit le mouvement, jetant à sa mère un regard un peu perdu par-dessus l'épaule.

Ce n'était pas une mauvaise idée. Elle aurait dû garder Em auprès d'elle, mais la pensée de se retrouver seule avec P.C...

Elle en oubliait sa fille.

Em devait rester auprès d'elle. Elle ne pouvait pas choisir de faire l'amour avec P.C. en abandonnant sa fille.

— Treva...

— Avec ce rôdeur dans les parages, il vaut mieux qu'Em passe la nuit chez nous. Howie et Three la protégeront, l'interrompit Treva.

— Excellente idée, rigola Howie.

— Quoi ? dit P.C.

Treva hocha la tête.

— Maddie, tu as besoin de calme. Et il ne faut pas que tu restes seule, le rôdeur pourrait revenir faire un tour.

Tu es un peu lourde, Treva, songea Maddie.

— Treva, je t'aime bien. Je t'ai toujours beaucoup appréciée, soupira P.C.

— Maddie ? dit Treva.

Très bien. Elle était une mauvaise mère. Mais Em serait plus en sécurité chez Treva. Et elle désirait tellement P.C. qu'elle en aurait crié.

— Excellente idée. Je veux dire, d'emmener Em.

Tandis que Maddie raccompagnait tout le monde sur la véranda, P.C. fit le tour de la maison, vérifia les fenêtres et les portes. Il retrouva Maddie dans le hall, ferma le verrou et mit la chaîne de la porte d'entrée.

— Comment te sens-tu ? lui demanda-t-il. Tu viens de passer deux journées plutôt mouvementées...

Elle le regarda. Elle était fière de sa force, de ses larges épaules, de ses yeux brûlants et de ses mains puissantes, et plus il se rapprochait d'elle, plus elle avait du mal à respirer. *Tant que tu es près de moi, je me sens délicieusement bien.*

— Pas trop mal, répondit-elle. Aujourd'hui, je me suis débarrassée de tous les vêtements de Brent. Un vide-grenier.

P.C. se mit à rire.

— Rappelle-moi de ne jamais te contrarier. Tu es impitoyable.

Il la prit dans ses bras et Maddie s'arrêta de respirer. Elle sentit la tension monter dans son corps mais continua à lutter. Elle était sur le point de se retrouver enfin libre, sans compter qu'il y avait bien des questions auxquelles P.C. n'avait pas encore répondu. Mais comment lui résister ? Elle remit les questions à plus tard, de crainte qu'il ne s'éloigne d'elle.

— Je suppose que c'est le moment que tu vas choisir pour me renvoyer dans mes foyers, murmura-t-il dans ses cheveux.

Prends-moi là, sur le plancher. Sa voiture était garée dans l'allée, affichant clairement qu'ils étaient en train de faire l'amour... Elle aurait dû le mettre dehors, mais elle le désirait tellement...

— Arrête de penser, dit P.C. Je t'assure que c'est le meilleur moyen de se gâcher l'existence.

Il l'embrassa très doucement, goûtant ses lèvres avec la langue. Ses mains se glissèrent sous son tee-shirt et elle perdit tout contrôle d'elle-même.

— Tu as besoin de moi pour te protéger, mon amour. Mieux vaut que je passe la nuit ici.

Il l'embrassa dans le cou, elle releva la tête en s'accrochant à lui. Elle ferma les yeux et s'imagina qu'il la pénétrait, allait et venait en elle. Vu la situation dans laquelle elle se trouvait, était-il normal de ne penser qu'à ça ? Mais elle en avait un besoin vital et Treva avait emmené sa fille, lui laissant le champ libre. Et de toute façon, demain à Frog Point, tout le monde serait au courant de son divorce. Alors quelle importance ?

Nous serons du bon côté de la barrière, avait-elle dit à sa mère. À quoi bon ? Elle voulait revivre les moments passés sur le siège arrière à la Pointe : le déchaînement de la puissance sexuelle, le défi, le triomphe, la libération de ses instincts et l'intense satisfaction. La nouvelle Maddie refusait d'être une gentille fille. Elle voulait tout, tout de suite. Plus tard, on verrait bien.

— Oui, tu peux rester, dit-elle, et elle sentit les doigts de P.C. s'imprimer dans sa chair.

— Va garer ta voiture un peu plus loin et reviens en passant par la porte de derrière, ajouta-t-elle.

— Tu plaisantes?

Elle se retint de lui crier *Dépêche-toi* et se contenta de dire d'une voix très calme :

— Tu veux qu'Henry soit au courant?

P.C. tressaillit.

— Très bien.

Quand il s'écarta, elle faillit le retenir.

— D'accord, je vais changer ma voiture de place, mais tu as intérêt à être déshabillée quand je reviendrai.

— Promis juré.

Il n'était pas plus tôt sorti qu'elle courut se déshabiller dans la chambre d'amis. Elle se dit que nue mais pas dans le lit conjugal était un compromis acceptable et se glissa en frissonnant sous le drap.

Et puis il y avait tout cet argent caché sous le matelas dans leur chambre.

Dépêche-toi. Elle s'enfonça sous le drap et rêva aux mains de P.C.

Tout était éteint. P.C. la trouva aisément car la chambre d'amis était la seule pièce allumée. Une jolie pièce avec des murs bleu pâle et des flots de mousseline blanche aux fenêtres – mais il n'eut d'yeux que pour Maddie, son corps rond sous le tissu léger, ses seins et ses hanches, courbes neigeuses sous le drap, ses épaules nues et rosées à la lumière de la lampe, son beau visage aux lèvres pleines et aux yeux tendres, dont la trace des coups de Brent ne détruisait pas l'harmonie. Il ôta ses vêtements et la rejoignit.

– Tu en as mis du temps, murmura-t-elle en l'accueillant.

– C'est bien toi qui m'as demandé d'aller garer ma voiture à Columbus ?

Il l'attira à lui. Elle était tellement fraîche, douce, il la sentit se crisper sous ses doigts, vibrer sous ses caresses et il regarda le sang lui monter au visage.

Doucement, se dit-il. Il passa de la courbe de son cou à celle de ses seins. Sa peau sentait les fleurs et... la cuisine d'Anna.

– Tu sens le biscuit, murmura-t-il.

– C'est un parfum à la vanille, murmura-t-elle dans un souffle.

Il admira son visage aux yeux clos, sa chevelure répandue sur l'oreiller crémeux, ses lèvres entrouvertes... Il prit sa bouche, s'allongea doucement sur elle et sentit ses mains qui lui caressaient fiévreusement les reins. Il frissonna, résistant au désir de la pénétrer. Pas maintenant. Pas encore.

Cette maison, la maison de Maddie, avait sur lui un effet étrange. Ils venaient de passer une soirée chaleureuse avec des amis charmants dans une atmosphère familiale, et cette chambre où ils se trouvaient maintenant le troublait, prolongeait cette illusion d'un foyer qui semblait appartenir à une autre époque de sa vie. Maddie s'agitait contre lui et son désir de la prendre était de plus en plus fort. Mais il se retenait, explorant chaque centimètre de sa peau, et toujours cette jolie chambre bleue le pressait de ralentir. C'était une chambre innocente, familière, civilisée, et, quand ce cauchemar serait terminé, il vivrait jusqu'à la fin de ses jours dans une maison qui aurait une chambre comme celle-là. Il dormirait chaque nuit auprès de Maddie, dans des draps qui sentiraient la lavande. Elle le réchaufferait de sa présence, son corps rond s'étendrait contre le sien, et ils feraient tranquillement l'amour.

Maddie ondula contre lui et il s'immobilisa pour lutter contre des pulsions plus violentes qui le poussaient à la rudoyer, la posséder, la faire crier comme sur le siège arrière de la Cadillac. *Arrête de penser à ça.* Tout son corps lui faisait mal. Mais cette nuit sa passion s'était apaisée, il aspirait à autre chose, une union conjugale qu'il n'avait jamais envisagée auparavant, qui ferait soupirer Maddie dans un grand lit avec des draps bordés de dentelle. Cela le troublait et il n'était pas certain d'aimer ça. L'influence de Frog Point ?

Pendant ce temps, des pensées étranges s'insinuaient dans l'esprit de Maddie.

Elle avait tout ce qu'elle voulait : la tranquillité, la sécurité, un grand lit, plus de souci pour Em, et P.C. était là auprès d'elle, beau, sexy, fou amoureux, avec au fond des yeux une lueur sauvage qui aurait presque suffi à la faire jouir tant elle se sentait désirée.

Mais, brusquement, les choses se ralentissaient. Elle adorait les préliminaires, mais ayant songé à cet instant pendant tout le week-end et surtout toute la nuit précédente — torturée par les yeux de braise aux longs cils, la bouche sensuelle de P.C., qu'elle mourait d'envie de mordre... et ses mains, Dieu, ses mains partout sur son corps —, elle s'était donc déjà occupée des préliminaires en son absence... Maintenant, il était temps de passer aux choses sérieuses.

Elle manifesta son impatience mais il hésitait. Ce n'était pas que ses agissements lui déplaisaient mais à présent elle était tout à fait prête, merci. Et elle n'aurait pas dû avoir le temps d'analyser ce qui se passait. Elle se cambra et il la prit par les hanches mais alors qu'elle croyait qu'il allait enfin apaiser sa fièvre... il s'éloigna.

— P.C. ?

— Chut !

Il l'embrassa tendrement.

Génial. Puis il l'attira à nouveau à lui. Là où leurs corps entrèrent en contact, elle se sentit électrisée. Mais la douceur de son baiser la refroidit.

Très bien. Réfléchis, se dit-elle. Ce qui était un peu difficile car il était en train d'apprendre son épaule par cœur avec la bouche... Il ne s'agissait pourtant pas là d'une zone érotique essentielle. À ce rythme, il lui faudrait une bonne minute pour atteindre la base de son cou, puis son oreille, qu'elle avait particulièrement sensible.

Le problème ne venait pas de P.C. Un homme qui s'était comporté comme il l'avait fait sur le siège arrière de la Cadillac était capable de tout dans un lit. Le problème, c'était son approche lente et respectueuse et qui n'en finissait pas. Cela devait cesser dans les plus brefs délais.

Le lui dire n'était pas une bonne idée. Après seize ans de mariage avec Brent, Maddie avait appris que critiquer les performances d'un homme dans le feu de l'action n'amenait que des frustrations pour l'un et pour l'autre. Et donc, attraper P.C. par la peau du cou et lui crier « baise-moi, arrête de tourner autour du pot » ne résoudrait rien. Même si elle arrivait à exprimer la même chose de façon moins directe et plus salace.

Ce serait pourtant drôle d'exiger clairement ce qu'elle

voulait, de le crier de toutes ses forces. Mais P.C. serait choqué. Il la voyait toujours comme la Vierge Perpétuelle de Frog Point. En ce moment même, au lieu de l'envoyer en l'air, il lui exprimait son adoration. Il ne fallait surtout pas qu'elle le choque : il irait encore plus lentement.

Il s'arrêta pour mettre un préservatif et Maddie reprit espoir. Maintenant, ses lèvres étaient chaudes contre son cou. Elle sombra dans la brûlure de son baiser. Elle était trop exigeante avec lui, et aussi trop passive. Forcément, avec toutes ces idées qui lui tournaient dans la tête. Assez réfléchi.

Elle se cambra et le baiser dans son cou se répercuta dans ses seins, son ventre, ses cuisses. Elle enfonça légèrement ses ongles dans le dos de P.C.

Il s'écarta, la laissant si frustrée qu'elle en aurait pleuré. *Merde*, pensa-t-elle.

D'accord. Il n'aimait pas les femmes agressives qui lui griffaient le dos. Il revint à son cou. Mais ces baisers étaient bien pâles, comparés à l'étreinte qu'elle était en droit d'attendre. Et ceux qui suivirent bien trop doux. Elle gémit de fureur rentrée, ce qu'il dut prendre pour un encouragement parce qu'il ralentit encore son rythme.

Maddie abandonna la partie. Si c'était ce qu'il voulait, très bien. La frustration, elle connaissait. Elle avait été mariée avec Brent. Elle essaya de penser à un autre homme, mais au lieu de Brad Pitt ou Andy Garcia, c'est l'image de P.C. sur le siège arrière de la Cadillac qui se présenta à son imagination. Il l'attrapait par les cheveux, plantait son regard dans le sien, et la possédait avec violence, plus fort, plus fort...

Elle ouvrit les yeux et le vit dressé sur elle, toujours aussi sublime, et pensant à autre chose pour ne pas perdre le contrôle de lui-même. *Quel sombre crétin !* Elle eut un geste d'impatience.

Il cessa de lui caresser la poitrine.

— Maddie ?

Elle s'appuya sur un coude.

— Écoute, j'apprécie tes attentions, mais pourrais-tu s'il te plaît arrêter de tergiverser et me baiser un bon coup, là, tout de suite ?

— Hein ? Très bien... On en reparlera plus tard.

Et il la renversa sur les oreillers, l'empoigna et la pénétra, si vite et si fort qu'elle poussa un cri.

— Non ? dit-il en s'arrêtant aussitôt.

— Si, mon Dieu, si !

Elle se cambra, lui mordit l'épaule et il n'y eut plus que le poids du corps de P.C. sur le sien, le plaisir insoutenable tandis qu'il la prenait vite et fort, qu'elle enfonçait ses ongles dans son dos et que sa bouche à lui la dévorait avec rage.

Sa jouissance montait d'un cran à chaque coup de reins. Maddie ne fut bientôt plus que sensations, ivresse sauvage.

— N'arrête pas, lui cria-t-elle.

Et elle vit ses yeux. Si noirs qu'ils n'exprimaient plus rien que l'infini du désir. Il était perdu en elle, hors de tout contrôle, et elle monta encore un palier plus haut. Ils furent aspirés dans une spirale de feu qui éclata en une série de spasmes. Il la cloua sur le lit pour qu'elle aille au bout de son plaisir et il la regarda jouir avant de la rejoindre.

— Mon Dieu ! s'exclama P.C. quand ils eurent récupéré leurs esprits. J'ignorais qu'on pouvait avoir des sensations pareilles à Frog Point.

— On ne peut pas, dit Maddie contre son épaule. Merci.

Ses mains se refermèrent sur elle, la proclamant sienne, l'aimant, la désirant toujours davantage. Elle gémit un peu et il la lâcha.

— Je t'ai fait mal ?

Elle se pelotonna contre lui.

— Juste ce qu'il faut. Exactement ce qu'il faut.

Il se sentit à nouveau envahi par le désir. Dès qu'ils auraient trouvé Brent, elle serait à lui, elle divorcerait et elle se marierait avec lui, et ils vivraient ensemble pour toujours.

— Je t'aime, murmura-t-il contre sa peau.

Et ils roulèrent dans les draps, possédés par une faim insatiable.

Maddie s'étira contre P.C. Elle était amoureuse et elle ne s'était jamais sentie aussi légère. *Pourquoi diable me suis-je mariée?* se demanda-t-elle. Dès que Brent serait en Amérique du Sud, elle demanderait le divorce et serait enfin libre. Une pensée tellement enivrante qu'il lui fallut un certain temps pour réaliser que P.C. lui embrassait les seins et que sa bouche glissait sur son ventre. Elle s'enflamma à nouveau et l'attrapa par les cheveux pour l'arrêter.

— Si tu continues comme ça, je crois que je vais mourir.

Il lui sourit.

— Alors tu n'as qu'à m'arrêter.

Il glissa les doigts entre ses jambes et la dernière pensée rationnelle de Maddie fut qu'il était difficile de dire non à P.C. Sturgis quand on était nue.

Em n'était pas contente. En temps normal, elle aurait été très heureuse de partager Phébé avec Mel, manger des glaces et dormir dans le grand lit de sa meilleure amie. Mais ce soir, elle voulait voir son papa. Ça faisait deux jours qu'elle ne l'avait pas vu, il lui manquait. Et elle voulait s'assurer que tout allait bien.

— Ce P.C. est vraiment cool, dit Mel. Un peu comme Jason Norris.

Phébé agita la queue avec des yeux suppliants. Elles le soulevèrent et le cachèrent sous les couvertures, au cas où quelqu'un viendrait leur rendre visite pour une vérification de dernière minute.

– Il t'a même donné un chien, ajouta Mel.

– Ouais.

Em serra Phébé contre elle.

– Tu l'aimes pas ? insista Mel.

– Si, il est sympa.

Em enfouit son visage dans la fourrure de Phébé.

– On dirait pas, soupira Mel.

– Mais si.

Em se redressa, trop malheureuse pour dissimuler son chagrin.

– C'est juste qu'avec tout ce qui se passe chez moi...

– Je sais.

Mel hocha la tête.

– La figure de ta mère, c'est moche.

Elle se pencha, faillit tomber du lit et remonta, la figure toute rouge, une boîte de biscuits à la main.

– Je les ai piqués à la cuisine. Ne laisse pas Phébé en manger ou il va vomir sur le lit.

Après la pizza et la glace, Em se demandait si *elle* n'allait pas vomir sur le lit de Mel. Mais elle prit un gâteau quand Mel lui en tendit un.

– Où est ton père ? demanda Mel une fois qu'elles eurent mordu dans leur gâteau et léché la crème au milieu.

Em se sentit mal.

– Il est parti travailler.

– C'est ce que ta mère t'a raconté ?

Em hocha la tête et Mel haussa les épaules.

– D'accord.

Elle non plus, elle n'y croit pas, songea Em. Elle se crut obligée d'ajouter :

– Ils ne vont pas divorcer. P.C. est juste un ami du

lycée. Tout le monde le connaît bien, même ton père et ta mère. Ma mère n'a jamais eu de petit ami à part mon père.

— C'est pareil avec mes parents.

Mel fit la grimace. Les adultes étaient décidément très ennuyeux.

— Je me demande qui était la petite amie de P.C.

Ce n'était pas une très bonne question.

— Peut-être qu'il en avait pas, suggéra Em.

— Tu rigoles.

Mel avait l'air très sûre d'elle.

— Il est mignon. Et drôle. Il en avait sûrement une. Et aujourd'hui aussi.

Elle jeta un regard en biais à Em.

— Il sourit beaucoup à ta mère.

— Ce sont de vieux amis. Il sourit aussi à la tienne. Et à ton père.

Mel hocha la tête.

— Tu sais, si c'était un film...

— C'est pas un film. Les gens comme nous, il leur arrive jamais rien.

— C'est bien vrai, approuva Mel. On est vraiment rasoirs. Eh ! Phébé est en train de manger ton gâteau !

— Phébé !

Em récupéra un morceau de son gâteau et ne put s'empêcher de rire en voyant le nez de Phébé couvert de crème blanche. Un peu réconfortée, elle se leva pour jeter le reste du gâteau. Les gens comme eux menaient une vie ennuyeuse. Tous, sauf P.C. Elle retourna dans le lit.

— Tu sais quoi ? P.C. m'a appris un truc. Ça s'appelle les images mentales. Voilà...

Mel dressa l'oreille et Em effaça toute pensée de son esprit pour mieux se concentrer sur ce que P.C. lui avait enseigné.

Le téléphone sonna très tôt. Troublée de ne pas se

réveiller dans son lit, Maddie lutta pour recouvrer ses esprits. P.C., à moitié éveillé, décrocha avant qu'elle ait eu le temps de l'en empêcher.

– Hmm ?

– Qui est à l'appareil ?

La voix à l'autre bout du fil était si forte qu'elle parvint jusqu'aux oreilles de Maddie.

– Donne-moi le téléphone, siffla-t-elle entre les dents, mais P.C. s'était brusquement redressé.

– Henry ?

– P.C. ! Bordel de merde, veux-tu me dire ce que tu fiches là ?

– Je ne fais que passer, répliqua P.C. d'une voix faible.

– Il est sept heures du matin !

– Je sais, Henry.

Il se frotta les yeux.

– Que t'arrive-t-il ?

– Passe-moi Maddie Faraday, espèce d'abruti.

Maddie se rejeta sur les oreillers et réprima un fou rire. Qu'Henry soit au courant était très gênant et P.C. avait l'air mortifié... Ce n'était pas très gentil de se moquer de lui mais elle se sentait tellement heureuse et détendue... Au point où elle en était, quelques embrouilles de plus ou de moins ne changeraient pas grand-chose à son existence. Mais Henry était très à cheval sur les principes. P.C. n'avait pas fini d'en entendre parler.

– Je vais voir si elle est là, dit-il.

Il posa la main sur l'écouteur.

– C'est mon oncle. Ce serait peut-être mieux si... euh...

– On prétendait que tu viens d'arriver ?

Maddie sourit.

– Ça ne marchera pas. Je parierais même qu'il se doute que nous sommes tous les deux à poil.

— Eh bien, tu n'as qu'à jouer la comédie, dit P.C. d'un air agacé. Tu es toujours aussi en forme, le matin ?

— Tout dépend de la nuit que j'ai passée.

Elle l'attira à lui et l'embrassa tendrement. Quand il lui caressa le bras, son corps retrouva la mémoire des ébats de la veille.

P.C. se détacha d'elle et ôta la main de l'écouteur.

— Henry ? On peut te rappeler, le temps de se réveiller ?

Maddie n'entendait plus ce qu'Henry disait. Mais ce devait être important car P.C. avait brusquement changé d'attitude. Il écouta un moment, puis il dit :

— On arrive.

— Que se passe-t-il ? demanda Maddie quand il eut raccroché. On va où ? On prend pas le temps de se réveiller ?

— Ils ont retrouvé Brent, dit P.C. en sautant hors du lit.

— J'ignorais qu'il était perdu, dit-elle d'un ton léger.

Mais son cœur se serra. Brent ne partirait pas pour l'Amérique du Sud. Elle était coincée.

P.C. enfila son jean et remonta la fermeture Éclair. Puis il lui prit la main.

— C'est plus grave que ça. Il est mort. Quelqu'un l'a descendu à la Pointe.

Maddie le regarda fixement.

— Hein ? Mais qu'est-ce que tu racontes ?

— Quelqu'un a tiré sur Brent.

Maddie se répéta ces quelques mots, mais elle ne parvenait pas à en saisir la signification.

— Qui ? demanda-t-elle.

— Je l'ignore.

P.C. se leva et enfila sa chemise.

— J'espère qu'Henry en a une petite idée, sinon nous venons de lui offrir un joli mobile.

Chapitre 12

Il lui fallut un certain temps pour réaliser ce qui lui arrivait. Brent était mort. Il n'allait pas en Amérique du Sud, il était mort. Elle n'aurait pas besoin de divorcer, il était mort. Il n'allait pas enlever Em, il était mort. Elle ne parvenait pas à s'en convaincre. Brent ne pouvait pas être mort. Dans les pires circonstances, Brent s'en tirait toujours.

Mais Brent était mort.

Em serait ravagée par le chagrin. Il fallait qu'elle aille chercher Em.

— Maddie ?

Elle bondit hors du lit.

— Il faut que je parle à Em.

— Attends. Il faut d'abord que tu parles à Henry. Oublie Em pour le moment.

P.C. eut l'air atrocement malheureux de prononcer son nom.

— Tu lui annonceras la nouvelle quand tu seras libre de rester auprès d'elle.

Maddie imagina Em abandonnée à elle-même après un choc pareil.

— Tu as raison.

Em.

— C'est invraisemblable.
Elle commença à s'habiller.
— Henry est certain de ce qu'il avance ?
— Henry ne fait jamais d'erreurs de ce genre. S'il nous annonce que Brent est mort, c'est qu'il est mort. Je l'imagine assez mal disant « désolé, je me suis trompé ». Il est tout à fait sûr.
— Je n'arrive pas à y croire.

Ils lui montrèrent Brent sur un écran de télévision intérieur, avec un trou juste au-dessus de l'oreille. La vision était assez nette. L'autre moitié de la tête était recouverte d'un drap. Maddie avait lu quelque part qu'en ressortant, la balle faisait des dégâts. Il n'était donc pas nécessaire qu'ils enlèvent le drap. C'était bien Brent, le visage gonflé, beaucoup trop pâle et d'une couleur étrange.
— Il est vraiment de cette couleur ou c'est la télévision qui marche mal ? demanda-t-elle à P.C.
— Non, elle fonctionne bien.
Elle regretta d'avoir posé la question. *C'est mon mari*, songea-t-elle, et elle sentit ses jambes se dérober sous elle. Il l'avait prise dans ses bras, il l'avait aimée, trompée, frappée, et maintenant il était mort.
— Maddie ?
La voix d'Henry. Elle prit une profonde inspiration.
— C'est bien lui, répondit-elle.
Et elle se détourna de l'écran pour ne pas s'évanouir puis sortit dans le couloir, escortée de P.C. et Henry. Elle s'appuya au mur.
— Ça va ? demanda P.C. en lui prenant le bras.
— Asseyez-vous, dit Henry.
— Ça va, mentit Maddie. Finissons-en, que je puisse aller retrouver Em.
Ils suivirent Henry qui les conduisit dans son bureau, deux étages plus haut.

— Tu sais qui l'a tué ? demanda P.C.

— Pas encore.

Henry les fit asseoir, prit un pot de café posé sur un classeur et leur en servit deux tasses.

— Avez-vous une idée de ce qui s'est passé, Maddie ?

Une idée. Elle n'arrivait à penser à rien et il lui demandait si elle avait une idée.

— Il me trompait. Je ne suis peut-être pas la seule que cela a bouleversée.

— Tu n'étais pas vraiment bouleversée, intervint P.C.

— Quels étaient vos sentiments à son égard ?

— Henry ! s'exclama P.C.

— Je ne l'aimais plus. J'avais l'intention de demander le divorce. D'ailleurs j'avais pris rendez-vous avec Jane Henries à Lima.

— Mad, il serait peut-être préférable que tu parles en présence d'un avocat.

— Pourquoi donc ? demanda-t-elle d'un air ébahi. Tu ne crois tout de même pas que c'est moi qui l'ai tué ? D'ailleurs, j'ai passé toute la nuit avec toi.

P.C. regarda le plafond et Henry le fusilla du regard avant de reporter son attention sur Maddie.

— La nuit dernière ne nous intéresse pas, dit-il.

Maddie cligna des yeux.

— Mais alors...

— Nous attendons le rapport du médecin légiste, mais nous pensons qu'il a été tué entre vendredi soir et samedi matin.

— Vendredi ?

Donc il y avait plus de deux jours. Il était mort depuis tout ce temps ? Pendant qu'elle allait à la banque avec Em, puis au Burger King, il était mort à la Pointe ? Impossible. Elle avait vendu ses vêtements alors qu'il était mort, ils avaient mangé des pizzas alors qu'il était mort, elle et P.C...

Maddie enfouit son visage dans ses mains.

La voix d'Henry la ramena à la réalité.

— Que faisiez-vous vendredi soir, Maddie ?

— Vendredi ?

Que faisait-elle vendredi soir ? Son instinct de conservation la réveilla d'un coup. Mon Dieu ! Elle avait fait l'amour avec P.C. à la Pointe, son mari l'avait frappée et elle s'était renfermée dans sa chambre. Elle était dans de beaux draps.

— Vendredi soir, il n'était pas encore mort. Il est resté à la maison jusqu'à un peu après une heure du matin, c'est-à-dire samedi. Après ça je ne l'ai plus revu.

Il avait quitté la maison pour se faire assassiner, juste comme ça, boum !

— Quelle horreur ! s'écria-t-elle.

P.C. se leva.

— Henry, laisse-moi la ramener chez elle. Elle est en état de choc. Tu lui poseras des questions plus tard.

— Maddie, êtes-vous en état de choc ? demanda Henry.

Elle se sentait faible.

— Je suis sonnée, mais je ne pense pas que ce soit le choc. J'ai mal à la tête.

— Henry, je suis surpris par ton attitude... commença P.C.

Son oncle se tourna brusquement vers lui.

— Moi aussi. Je ne m'attendais pas à te trouver dans le lit d'une femme dont le mari vient de se faire assassiner.

P.C. changea de stratégie.

— Je vais t'expliquer.

Maddie l'observa d'un air morne. *Je me demande ce qu'il va bien pouvoir raconter. Moi-même, je ne suis pas sûre d'avoir des explications.*

Henry se renversa sur son siège.

— Je t'écoute.

— Eh bien, avec le rôdeur et tout le reste, j'ai pensé que Maddie ne devait pas rester seule.

Henry ne parut guère impressionné.

— C'est très aimable de ta part, mon garçon. Que faisais-tu dans son lit ?

— Nous avons passé le week-end ensemble.

P.C. était sur des charbons ardents.

— Vendredi soir, je cherchais Brent et, comme il n'était pas chez lui, j'ai passé un moment avec Maddie.

— Et alors ?

— Eh bien, elle pensait divorcer et... nous en avons discuté.

— Henry, vendredi soir, nous avons fait l'amour à la Pointe, intervint Maddie. Puis P.C. m'a raccompagnée vers une heure. Brent était là. Il était furieux, il m'a frappée, je lui ai dit que je voulais divorcer et je me suis enfermée dans ma chambre. J'avais déjà contacté Jane Henries. J'ai rendez-vous avec elle aujourd'hui.

Maddie s'arrêta brusquement.

— Vu les circonstances, je suppose que je n'aurai plus besoin de ses services.

— À ta place, je n'en serais pas si sûre, dit P.C. d'une voix grave.

Il se leva.

— On s'en va.

— Vers une heure du matin... dit Henry comme s'il se parlait à lui-même.

Puis il foudroya P.C. du regard.

— As-tu vu Brent Faraday quand tu as raccompagné Maddie ?

— Non. Malheureusement non.

— Pourquoi malheureusement ?

— Parce que c'est le moment qu'il a choisi pour frapper Maddie, explosa P.C. Bon Dieu, Henry...

— Assieds-toi.

Henry tourna sa grosse tête vers Maddie et ne prêta plus aucune attention à son neveu, qui s'assit d'un air maussade.

— Où allait-il quand il vous a quittée ?

— Je n'en sais rien.

Maddie se tassa sur sa chaise et raconta à Henry tout ce qu'elle savait.

— ... Elle a prononcé un seul mot, conclut-elle. « Parfait. » Elle avait l'air furieuse, mais il venait de lui dire que c'était terminé, et donc ça peut se comprendre. Mais un seul mot, c'est peu.

— Y a-t-il autre chose qui vous a paru bizarre ? demanda Henry.

— Oui. Les deux cent quatre-vingt mille dollars que j'ai trouvés dans le coffre samedi, et les quarante mille que j'ai découverts dans le sac de golf dimanche. Ça m'a assez contrariée.

— Quoi ? s'écria P.C. Et tu ne m'as rien dit ?

— Je n'en ai parlé à personne. Je pensais qu'il en avait besoin pour partir pour Rio.

Un quart d'heure plus tard, Henry s'était pris la tête dans les mains.

— Donc l'argent du coffre venait de Stan et les quarante mille dans le sac de golf...

— Je l'ignore.

— Vous avez tout laissé dans le coffre ?

— Oui, sauf le passeport d'Em. Je pensais que Brent était revenu prendre la clef samedi soir. La personne qui est entrée dans la maison avait les clefs et elle est allée droit au secrétaire.

Maddie se figea.

— Mais samedi soir, Brent était mort. Donc son meurtrier lui a volé ses clefs et...

— Pas nécessairement, l'interrompit Henry.

– On va tout de suite changer les serrures, intervint P.C.

Henry secoua la tête.

– Le cambrioleur n'avait pas besoin de clef. Le rapport dit qu'une simple carte de crédit suffit pour faire céder vos serrures. Je crois cependant préférable de les faire changer.

Il sourit à Maddie.

– Je préfère vous savoir en sécurité.

– Merci.

Elle commençait à se sentir vraiment mal à l'aise.

– Vous possédez une arme ? demanda Henry.

– Henry, ça suffit, gronda P.C.

– Ni vous ni Brent n'avez de permis de port d'armes, je l'ai vérifié, mais, si vous avez un revolver en votre possession, il faut nous le donner. Nous nous montrerons compréhensifs.

– Je n'ai pas d'arme, dit Maddie tandis que P.C. sautait sur ses pieds en s'écriant :

– On s'en va.

– P.C., je n'ai pas l'impression que tu comprennes bien la situation. J'ai ici deux personnes avec des mobiles très évidents et aucun alibi.

– Henry, répondit P.C. avec une patience exagérée, pourquoi l'aurions-nous descendu alors qu'elle pouvait divorcer ?

– L'argent. Ça rapporte plus d'être veuve.

– Elle possède un quart de l'entreprise.

Maddie sursauta. Comment était-il au courant ?

– Et je me débrouille très bien, merci. Un divorce nous aurait parfaitement convenu, dit-elle.

Henry soupira.

– Vous avez intérêt à prier pour ne pas tomber sur un os.

– Tout ira bien, dit P.C.

— Il me reste encore quelques questions...

— Pas maintenant.

P.C. prit la main de Maddie et l'obligea à se lever.

— Je n'aime pas le tour que prend cette conversation. S'il te reste d'autres questions à lui poser, tu le feras en présence de son avocat.

Henry fronça les sourcils.

— De quel bord es-tu, mon garçon ?

— Du sien. En toutes circonstances. Et il faut qu'elle aille annoncer à sa fille que son père est mort pendant que j'irai faire poser de nouvelles serrures chez elle et que je contacterai un avocat. De toute façon, elle ne va pas disparaître.

— Il vous est interdit de quitter la ville à tous les deux, dit Henry. Tu m'as compris, P.C. ?

Maddie se retint d'éclater de rire. Quitter Frog Point ?

— Et j'irais où ? lui demanda-t-elle.

— Quant à moi, dit P.C., je n'ai pas l'intention d'abandonner Maddie tant que tu entretiendras des pensées aussi tordues. Je suppose que je peux encore coucher à la maison ?

— Ça t'est même fortement recommandé. Il est beaucoup trop tôt pour aller consoler la veuve, déclara Henry d'un air digne.

Car maintenant elle était veuve. Totalement surréaliste. P.C. l'entraîna vers la porte.

— Nous t'appellerons dès que nous aurons un avocat, dit-il à Henry.

Et il la poussa dehors.

Sur le chemin du retour, P.C. observait Maddie du coin de l'œil. Elle avait l'air assommée, ce qui n'avait rien d'étonnant, et malheureuse — la perspective d'annoncer à Em la mort de son père devait être assez atroce.

— Je suis désolé, mon amour, lui dit-il en lui prenant

la main. Je voulais qu'il débarrasse le plancher, mais pas de cette manière.

— Ça va être affreux pour Em. Pauvre enfant !

Elle serra sa main dans la sienne, ce qui lui procura un plaisir que la situation n'autorisait pas.

— Je t'aiderai. Je ferai tout ce que tu voudras.

Maddie retira sa main.

— Tu dois disparaître. Si on continue à se voir, cela renforcera les présomptions qui pèsent sur moi.

Cette pensée le glaça. *N'importe quoi mais pas ça,* faillit-il répliquer. Mais ils étaient arrivés chez Maddie. À l'intérieur, sa mère attendait.

— Esther m'a appelée et je suis tout de suite venue, dit-elle à Maddie. Elle travaille au standard du commissariat, et je n'ai pas attendu ton appel. Je craignais qu'Em ne rentre à la maison. C'est affreux.

Tout à coup, elle remarqua la présence de P.C. et elle se figea.

Qu'est-ce que j'ai fait ? se demanda-t-il. Puis la mémoire lui revint. Il avait sans le moindre remords commis le péché de chair avec sa fille. Un péché qu'Esther, au commissariat, n'avait pourtant pas pu lui rapporter.

— Tu te souviens de P.C. ? dit Maddie avec un à-propos confondant.

— Oui... Je suppose que maintenant il va nous laisser seules.

— J'ai été ravi de vous revoir, madame.

P.C. recula d'un pas.

— Je vais chercher les serrures, annonça-t-il à Maddie. Combien as-tu de portes extérieures ?

— Deux, celle de devant et celle de derrière.

Sa mère en oublia son hostilité.

— Quelles serrures ? demanda-t-elle.

— Le rôdeur a une clef de la maison, maman. Nous

pensons que c'est peut-être lui qui a tué Brent. Et maintenant il peut entrer comme il veut.

Mme Martindale pâlit. Elle tendit la main vers le chambranle de la porte pour assurer son équilibre.

— Dieu du ciel, Madeline !

P.C. lui prit le bras et la conduisit vers une chaise.

— Ne vous inquiétez pas, madame Martindale, lui dit-il d'un ton rassurant. Je vais aller chercher de nouvelles serrures, beaucoup plus fiables, qu'on ne peut pas crocheter, et elles seront posées avant midi. Maddie, va chercher un verre d'eau pour ta mère.

Mme Martindale agita la main.

— Non, non, ça ira. Voulez-vous de l'argent pour les serrures ? De bonnes serrures sont certainement très chères. Où est mon porte-monnaie ?

P.C. se redressa.

— Je vous les offre. Ne protestez pas, j'insiste. Les magasins ne seront pas ouverts avant une heure ou deux, mais je vais d'abord passer prendre la boîte à outils d'Henry.

— Oui, oui. Jésus Marie !

La mère de Maddie tapota l'air, là où se tenait P.C. une seconde auparavant. Sa désapprobation s'était évanouie.

— Soyez prudent.

Maddie le suivit jusqu'à sa voiture et il dut se contrôler pour ne pas la toucher.

— Ta mère a failli avoir une crise cardiaque.

Maddie s'appuya à la Mustang.

— Elle est au courant, P.C. Esther lui a certainement tout raconté quand elle l'a appelée. La tête qu'elle faisait quand on est entrés !

— Oui, mais...

— Maintenant, elle pense que tu es le seul rempart entre moi et la mort. Elle t'aime bien.

Maddie lui adressa un sourire mélancolique et un élan

irrésistible le porta vers elle. Il monta dans sa voiture et claqua la portière avant de se laisser aller à un geste irréfléchi, comme la coucher dans l'herbe et lui faire l'amour sous les yeux de sa mère.

— Continue de faire des compliments à mon sujet à ta mère. Elle n'a pas fini de me voir.

Mais Maddie n'était pas d'humeur à plaisanter.

— Va chercher ces serrures pendant que j'appelle Treva. Em est chez elle.

Em. Pauvre gosse. D'une manière générale, P.C. n'accordait pas beaucoup d'attention aux enfants, mais il aimait bien Em. Il hocha la tête d'un air grave.

— Bonne chance, lui dit-il.

Et il fit une marche arrière pour sortir de l'allée.

Les serrures pouvaient attendre. Il allait d'abord passer voir Henry avant que le prenne la fantaisie d'arrêter sa future belle-nièce.

— Il se passe quelque chose de vraiment grave, murmura Mel à Em tandis qu'elles espionnaient par les barreaux de la rampe d'escalier, mais Em l'avait déjà compris.

Tante Treva était blanche comme un linge et elle s'appuyait au mur en cherchant sa respiration. On aurait dit qu'elle allait éclater en sanglots.

— Tu es sûre ? articula-t-elle d'une voix inhabituelle.

Elle était décomposée. Mais, au lieu de pleurer, elle se mit à rire et c'était un rire affreux.

Mel se leva.

— Maman ?

Tante Treva se redressa et regarda les deux fillettes sans les voir. Puis elle dit :

— Elles sont ici. Dépêche-toi.

Elle raccrocha et se dirigea vers l'escalier. Mel descendit les marches, lui passa les bras autour de la taille et commença à lui poser des questions. Em ne bougeait pas.

Le problème ne concernait pas cette maison. Elle savait déjà que les ennuis venaient de chez elle. Sa gorge se serra.

– Il est arrivé quelque chose à ma maman ?

Tante Treva tressaillit.

– Non. Non, elle va bien, elle va très bien. C'est avec elle que je parlais au téléphone.

– Qu'est-ce qui se passe ? l'interrogea Mel avec insistance. On nous cache tout.

– Il est arrivé quelque chose à mon papa ? demanda Em d'une voix éteinte.

Tante Treva eut l'air désespérée.

– Ta mère va venir tout de suite, ma chérie. Elle...

– Tu ne m'as pas répondu.

La peur la glaçait, et même Phébé qui avait dégringolé l'escalier pour se coucher à ses pieds ne lui apportait aucun réconfort.

– Il est blessé ?

Tante Treva posa la main sur la rampe.

– Écoute, ma chérie.

Tante Treva ne l'appelait jamais ma chérie. Jamais.

– Il est blessé ?

– Il est mort ? demanda Mel et tante Treva retira sa main.

Le cœur d'Em s'arrêta de battre. Sa poitrine était prise dans un étau et elle suffoquait.

– Monte, dit tante Treva à Mel. Monte tout de suite.

– Il est pas mort, dit Em en claquant des dents. Il est blessé, c'est ça ?

– Ta maman...

– Il est pas mort !

Le visage de sa tante-pour-rire s'affaissa. Elle baissa la tête et Em songea : *Mon papa est mort.*

– Non !

– Je suis désolée, ma chérie, ta maman va arriver.

Tante Treva monta l'escalier et entoura Em de ses bras. Em resta là, assise sur les marches, Phébé d'un côté et tante Treva de l'autre, jusqu'à ce que sa mère franchisse le seuil de la porte.

– Il est pas mort, dit-elle à sa mère, qui monta aussitôt les marches pour la prendre dans ses bras, et Em alors se mit à pleurer, parce que répéter cela ne changerait rien.

Son papa était bien mort.

Maddie ramena Em à la maison, tenant sa main tout en conduisant, articulant des mots sans suite pour l'apaiser tandis qu'Em pleurait désespérément, le menton sur la poitrine.

Quand elles se retrouvèrent chez elles, Maddie put enfin serrer sa fille dans ses bras.

– Je bénis le ciel que P.C. lui ait donné ce chien, murmura-t-elle à sa mère. Phébé l'aidera sans doute mieux que nous à traverser cette épreuve.

Mme Martindale hocha la tête, accablée.

– Ce n'est peut-être pas très bon pour elle de pleurer comme ça, chuchota-t-elle.

– Il vaut mieux que ça sorte, répondit Maddie, consciente qu'elle-même n'avait pas encore versé une seule larme.

Pouvait-elle pleurer Brent ? À une certaine époque de leur vie, ils avaient été heureux ensemble. Avant qu'il commence à aller mal, ils avaient beaucoup ri et passé de bons moments. Il aimait Em. Et il aimait Maddie aussi, sans doute, à sa façon. Quand elle avait découvert sa liaison avec Beth et menacé de divorcer, il avait juré que cela ne se reproduirait plus. « Je ne peux pas vivre sans toi, Maddie », disait-il d'un ton suppliant. Il s'était battu comme un fou pour la garder et elle avait fini par céder. Elle n'avait jamais souhaité sa mort, mais le pleurer serait difficile. Mais peut-être pleurerait-elle pour Em ?

Elle posa la joue sur les cheveux de sa fille et la berça jusqu'à ce que ses sanglots s'apaisent.

— Je t'aime, ma puce. Je t'aime tant.

Em poussa un long soupir entrecoupé et se blottit contre elle.

Mme Martindale entra dans la pièce avec un plateau.

— Je t'ai préparé du chocolat, Emmy. Et des gâteaux. Et des biscuits pour Phébé. Il a l'air d'avoir faim.

Em ne bougea pas.

Le téléphone sonna et Mme Martindale alla répondre tandis que Maddie regardait Phébé qui essayait de grimper sur sa jambe pour atteindre Em. Elle hissa le chien sur le sofa. Il atterrit sur les genoux de la fillette, qui lâcha Maddie pour s'en occuper. Phébé se mit en boule dans le giron de sa petite maîtresse, dont la respiration devint plus régulière. *Je remercie le ciel pour cet animal,* songea Maddie. Même si P.C. ne faisait jamais rien d'autre pour elle, elle lui en serait éternellement reconnaissante.

Sa mère se tenait dans l'embrasure de la porte du living.

— Maddie, c'est Leo, au garage. Je lui ai dit que ce n'était pas vraiment le moment, mais il insiste.

Maddie se dégagea d'Em et Phébé, et les laissa pelotonnées sur le sofa. Sa mère prit le relais auprès d'Em.

Leo fut bref.

— Il faut que vous vidiez la Civic. Le type de l'assurance va arriver dans une heure pour l'emmener à la casse. Y a-t-il quelque chose que vous vouliez récupérer dans cette voiture ?

La Civic. L'accident remontait à un siècle. Quatre jours et un siècle en arrière.

— Le type de l'assurance dit que vous avez insisté pour que le problème soit réglé aujourd'hui, mais il reste des affaires dans le coffre. Si vous voulez les prendre, c'est le moment.

— Laissez-moi réfléchir.

Elle se tourna vers Em.

— Chérie, as-tu laissé des affaires dans la Civic ?

Em hocha la tête.

— Mes poupées Barbie et mes livres sur les chiens que j'avais pris à la bibliothèque.

— Très bien, dit Maddie à Leo, j'arrive.

— Maman va aller les chercher, dit Mme Martindale à sa petite-fille, qui sanglota de plus belle.

Maddie ouvrit le placard de l'entrée, y prit son vieux sac en cuir et le sac en toile des Barbie d'Em.

— Fais attention à toi, ma chérie, dit Mme Martindale en berçant Em qui gémissait dans ses bras.

Maddie embrassa sa fille sur le front et lui caressa les cheveux.

— Je t'aime, Emmy. Je reviens tout de suite.

— Nous t'attendons, dit sa mère.

La voiture était derrière chez Leo, posée au milieu des herbes folles au fond du parking. Elle semblait abandonnée. Morte. Maddie eut les larmes aux yeux et elle en fut atterrée. Quel genre de femme était-elle donc ?

Peut-être pleurait-elle pour une épave à cause d'un mari décédé.

— Je suis vraiment désolée de ce qui nous arrive, dit-elle à la voiture. Vraiment.

Quelle bêtise de parler à une voiture ! Elle souleva le coffre, dont la tôle était froissée. Une demi-douzaine de poupées Barbie la fixaient de leurs yeux apathiques passés au mascara. Ce coffre ressemblait à un domicile pour anorexiques qui aurait été visité par une tornade... Elle entassa les poupées dans le sac en toile, et tira sur le tapis pour vérifier qu'elle n'en avait pas oublié.

Elle ne trouva aucune Barbie, mais des liasses de billets de cent dollars. Il y en avait partout.

— Et merde ! dit Maddie avant de refermer le coffre et de s'asseoir dessus.

Vu sous un certain angle, c'était assez comique tout cet argent qui surgissait à chaque instant. La partie de Monopoly n'en finissait pas. Au rythme où ça allait, elle serait bientôt en mesure de racheter la Cinquième Avenue et le Ritz. Très drôle.

Sauf que son mari était mort.

Maddie essaya de se concentrer. Il fallait qu'elle ramène cet argent à Henry. Elle allait le prendre et lui dire où elle l'avait trouvé.

« Vous avez intérêt à ne pas tomber sur un os », avait-il prévenu. Cela ne comptait pas. C'était les affaires de Brent. C'était lui qui avait dû cacher cet argent sous le tapis. Il savait que la voiture était immobilisée pour un bout de temps. Vraiment, c'était un endroit idéal pour y cacher de l'argent.

Mais, en y réfléchissant, elle se dit que cela allait paraître très suspect.

— Vous êtes sûre que ça va, madame Faraday ?

Maddie releva brusquement la tête. Leo se tenait devant elle dans son bleu de travail taché d'huile. Il semblait pressé et débordant de sympathie.

— Oui, Leo, ça va.

Il hocha la tête.

— Vous avez fini ?

— Presque.

Elle sourit, puis se rappela qu'elle était veuve et son sourire s'effaça.

— J'en ai pour une minute. Je vous rejoins tout de suite.

Elle le regarda s'éloigner en direction du garage, ouvrit le coffre, retira les Barbie du sac en toile, y entassa les liasses de billets de banque en les comptant au passage. Il y en avait deux cent trente. Cela lui importait peu. Ce qui importait, c'était qu'elle parte d'ici au plus vite. Elle remonta la fermeture Éclair du sac. Les Barbie trouvèrent un abri dans son sac en cuir avec les livres de la bibliothèque. À l'avant du véhicule, elle regarda sous les sièges. Elle pensait en avoir terminé quand son regard tomba sur la boîte à gants. Elle en sortit une trousse de secours, des cartes, des bonbons, des lunettes de soleil, et enfin un revolver.

— Et merde ! s'exclama-t-elle pour la seconde fois en regardant le revolver qu'elle tenait dans ses mains.

Et maintenant ses empreintes digitales étaient dessus. Elles n'étaient pas au bon endroit, ce qui ne la rassura pas pour autant. Elle essuya le revolver avec son tee-shirt et le mit avec l'argent dans le sac. Brent n'aurait jamais mis un revolver dans la boîte à gants. Il avait sans doute été tué avec celui-ci. Il fallait qu'elle réfléchisse avant d'en parler à qui que ce soit, parce qu'elle était certaine que c'était mauvais pour elle. Elle pourrait aller en prison et il ne le fallait pas parce qu'elle avait une petite fille. Elle bénissait Em d'avoir laissé ses livres et ses poupées dans la voiture, car sans cela quelqu'un d'autre aurait trouvé le revolver et on aurait appelé la police.

Maddie claqua pour la dernière fois la portière de la Civic. Elle songea à sa voiture perdue, puis au visage barbouillé de larmes d'Em, imagina quelqu'un venant la chercher, entendit ses gémissements d'impuissance. Alors elle posa le front sur la carrosserie et se mit à pleurer, sur Brent, sur elle-même, et surtout sur Em, la fragile petite Em, qui allait aussi perdre sa mère si Maddie ne mentait pas effrontément à tout le monde dans cette ville.

Quand Maddie arriva dans l'allée au volant du break d'Anna, P.C. changeait la serrure de la porte de derrière. Elle gara sa voiture près de la sienne, réfléchissant à la marche à suivre. Elle posa le sac avec l'argent et le revolver sur le siège arrière, tout en sachant qu'il ne pouvait pas rester là. Si elle le découvrait, Anna en ferait une crise cardiaque, sans compter que si elle roulait sur un nid-de-poule un coup pourrait très bien partir et tuer quelqu'un. Mais Maddie descendit de voiture comme si de rien n'était.

Tu es veuve, se dit-elle. *Rappelle-toi ça*. Elle s'était rapprochée du rôle quand elle avait pleuré au garage.

Em et Phébé regardaient P.C. travailler. Em lui tendait les outils en s'essuyant de temps en temps les joues avec sa main sale.

— J'ai presque fini de poser cette serrure, dit-il en souriant. Ça va vite, parce qu'Em me donne un coup de main.

Em hocha la tête et ferma les yeux. Deux larmes roulèrent de ses cils. P.C. n'y prêta pas attention et continua de travailler pendant que Maddie embrassait sa fille.

— Je t'aime, ma chérie.

Em renifla.

— Em est très efficace, dit P.C. Elle devine toujours ce dont j'ai besoin.

Il leva les yeux vers Maddie.

— Ça va ?

Non, mon enfant souffre et quelqu'un veut ma peau.

Et si elle lui parlait de l'argent ? Il fallait qu'elle le dise à quelqu'un. « Tu sais quoi ? Je viens de trouver deux cent trente mille dollars dans le coffre de la Civic. Non, j'ignore complètement ce dont il s'agit. Pourquoi ? »

Il fallait qu'elle réfléchisse.

Elle hocha la tête.

— Ça va.

Il n'y avait aucun endroit dans la maison où elle pourrait dissimuler autant d'argent. Celui qui l'avait planqué dans la Civic avait eu une excellente idée. Il lui fallait un coffre. Mais pas le sien. Et pas question d'utiliser le break d'Anna ou l'Accord de sa mère.

Elle alla dans la cuisine, où sa mère préparait à manger, et s'appuya à l'évier. Dans l'allée, la Mustang rouge vif de P.C., garée derrière le break, attira son attention.

Pourquoi pas ?... Elle n'avait aucune solution de rechange.

— Tu as fait ce qu'il fallait ? demanda sa mère.

— Oui...

Elle alla l'embrasser.

— Qu'est-ce que tu nous prépares ?

— De la soupe. J'attends beaucoup de monde. Esther et Irma sont déjà venues apporter des plats cuisinés. Oh ! et Vince est passé chercher de l'argent. Comme je n'étais pas au courant, il a dit qu'il repasserait.

— De l'argent ?

Le cœur de Maddie bondit dans sa poitrine. Henry serait-il déjà au courant ? Puis elle se rappela les quarante mille dollars dans le sac de golf.

— Ne t'inquiète pas, dit-elle. Cela concernait Brent.

— C'est pour ça qu'on l'a tué ? demanda sa mère d'une voix chevrotante. Pour de l'argent ?

— Je n'en sais rien, maman. Essaie de ne pas y penser.

Et elle sortit.

Le break dissimulait la Mustang, qu'on ne voyait pas de la véranda. Maddie ouvrit la portière du conducteur, appuya sur le bouton qui ouvrait le coffre, alla au coffre et repoussa tout ce qu'il contenait : un cric, des câbles de démarrage, une couverture, des lampes de poche. Elle ôta la bâche qui recouvrait la roue de secours, prit la roue et la jeta dans le coffre de l'Accord. Puis elle s'empara du sac en toile qui se trouvait dans le coffre du break et le vida dans l'espace laissé par la roue de secours de la Mustang. Le revolver tomba, elle le remit prestement dans le sac. Puis elle remit la bâche en place, y éparpilla le fouillis initial, referma le coffre et ramena le sac contenant le revolver dans la maison.

Ses mains tremblaient. Toute l'opération avait pris moins de cinq minutes, mais elle se sentait vieillie de dix ans.

— Tu es sûre que ça va? demanda P.C. quand elle passa près de lui.

— J'ai eu une journée difficile, répondit-elle.

Le téléphone sonna et elle décrocha dans l'entrée. C'était Henry qui demandait P.C. Elle l'appela et il dit :

— J'arrive.

Quand il eut raccroché, il jeta un coup d'œil pour voir si Em ou la mère de Maddie les regardaient, et embrassa Maddie subrepticement.

— Il faut que j'y aille. Je reviendrai plus tard pour la porte de devant.

— Attends une minute. Prends l'argent du sac de golf. Comme ça, Vince n'aura pas besoin de revenir.

— Quarante mille dollars dans un sac de golf !

Il secoua la tête.

— À l'avenir, nous procéderons différemment pour nos investissements.

Il l'embrassa à nouveau, s'attarda un peu puis sortit par la porte de derrière. Maddie l'entendit parler à Em avant de descendre les marches.

Et voilà. L'argent avait disparu. Il était là... il n'était plus là.

Maddie se retourna et vit que sa mère la regardait depuis la porte de la cuisine.

— Oui ?

Sa mère essaya de prendre un air sévère, mais elle était trop bouleversée.

— Maddie, depuis combien de temps as-tu des relations avec cet homme ?

Maddie soupira.

— Je l'ai embrassé pour la première fois depuis vingt ans vendredi soir. Mes relations, comme tu dis, datent de trois jours.

Le visage de sa mère s'affaissa.

— Maddie, c'est affreux.

— Je suis désolée, maman, dit-elle en se dirigeant vers la porte de derrière pour rejoindre Em. Nous aurions dû attendre que je sois divorcée.

— C'est la raison pour laquelle Brent t'a frappée ?

Maddie essaya de prendre un air outragé.

— Maman ! Je t'ai déjà dit que j'étais tombée sur un coin de porte.

Sa mère retourna dans la cuisine.

— Maddie, je ne suis pas aussi bête que j'en ai l'air. Tout le monde sait bien que tu n'es pas rentrée dans une porte.

Il aurait fallu qu'elle s'occupe de sa mère, mais Em passait avant elle. Maddie arriva sur la véranda à l'instant où Phébé sautait maladroitement des genoux de la fillette pour s'élancer dans le jardin. Em le suivit, le dos rond. Maddie lui emboîta le pas et alla s'asseoir à la table de pique-nique pour la surveiller.

Trois jours plus tôt, elle était assise à cette même table avec P.C. Brent était encore en vie et elle traversait une crise, mais sa fille n'était pas brisée par le chagrin. Em revint vers elle, traînant les pieds, les yeux vides, et Maddie réalisa alors que si Em avait dû souffrir autant d'un divorce elle serait restée avec Brent. Elle n'aurait jamais pu infliger cette douleur à sa fille.

— Viens ici, chérie.

Em la rejoignit.

— J'ai récupéré tes livres et tes Barbie.

— Merci, dit Em, et elle éclata en sanglots.

Maddie la prit sur les genoux et la berça.

— Pleure, pleure tout ton soûl. Je vais rester avec toi.

— Hier soir, j'ai eu peur, sanglota Em. Je savais que quelque chose n'allait pas. Je veux que mon papa revienne.

La culpabilité envahit Maddie. Pendant que son enfant avait peur, elle faisait l'amour en riant. *Le bonheur est toujours puni,* songea-t-elle. À Frog Point, être heureux coûtait très cher. Elle l'aurait accepté plus facilement si elle avait été la seule à payer. Mais Em avait dû affronter son angoisse seule, sans sa mère pour la réconforter.

— Je veux plus aller passer la nuit chez Mel.

— Rien ne t'y oblige.

— Et je veux plus aller à la ferme.

— D'accord.

— Je veux rester ici avec toi.

— On ne se quittera plus jamais, murmura-t-elle dans les cheveux d'Em. Je suis désolée, Emmy. Je te garderai toujours auprès de moi, je te le promets.

P.C. appartenait au passé. C'était inévitable. Elle ne supporterait pas qu'Em entende les rumeurs qui ne manqueraient pas d'accompagner les horreurs qu'elles auraient à affronter. Em passait avant toute chose. Maddie et P.C. étaient des adultes, ils survivraient l'un sans l'autre. Mais sans sa mère, Em ne parviendrait jamais à s'en sortir. Maintenant, Em était tout pour Maddie et P.C. devait partir.

— Oh ! Em... dit Maddie.

Et elle aussi se mit à pleurer.

Chapitre 13

— J'ai posé de nouvelles serrures sur la porte de derrière chez Maddie, annonça P.C. en entrant dans le bureau d'Henry. Maintenant, il faut que tu coffres ce salaud.

— Assieds-toi, dit Henry, et P.C. sut que ce qui allait suivre ne serait pas très réjouissant.

— Ce n'est pas elle. Je te le jure.

— Brent a été tué à la Pointe dans sa propre voiture. Les empreintes digitales de Maddie sont partout.

Henry leva la main pour prévenir les protestations de P.C.

— Ce qui est normal, vu que c'est aussi sa voiture à elle. On a également relevé celles de Brent, plus d'autres à moitié effacées que nous n'identifierons jamais. Mais il y en a une série sur le volant et les poignées des portières. Cette personne est également suspectée.

P.C. s'assit.

— C'est sûrement moi. Vendredi soir, nous sommes allés à la Pointe avec la Cadillac. Tu as trouvé des boutons sur le siège arrière ?

— Effectivement.

— Ce sont les miens. Les chemises de la ville ne sont pas bien solides. Les boutons tombent facilement...

Le visage d'Henry se ferma.

— P.C., ce n'est pas drôle. Si ces empreintes sont les tiennes, alors nous n'avons que trois personnes dans cette voiture.

— Ou trois personnes qui s'en fichaient et une seule qui préméditait un meurtre.

— Mais alors où est-elle passée ? Bailey jure ses grands dieux que cette nuit-là personne n'est venu à pied ou en voiture à l'entreprise après l'arrivée de Brent.

— Et tu le crois ?

P.C. secoua la tête.

— N'importe qui avec cinq dollars en poche peut acheter Bailey. Figure-toi qu'il a essayé de faire chanter Maddie parce qu'elle était avec moi à la Pointe. La prochaine fois que tu le verras, n'oublie pas de le lui rappeler.

— Quel abruti ! grommela Henry. Il n'y a pas d'empreintes de chaussures sur le chemin. Il est très vite détrempé. Et il pleuvait quand la Cadillac s'est arrêtée à la Pointe, parce que nous avons des traces de pneus.

— Donc celui qui a tiré a marché sur le gravier.

— Bailey n'a vu personne, répéta Henry.

— Facile. Le type a pris à travers bois.

— Les seules empreintes que nous avons sont probablement celles d'une femme. Nous allons devoir examiner les tennis de Maddie.

— Excellente idée, s'exclama P.C. Elle est innocente. Ses chaussures seront aussi claires que sa conscience. Tu pourras alors commencer à chercher le vrai...

Henry saisit un rapport, le posa devant P.C. et le frappa du plat de la main avec une telle force qu'Esther sursauta à son bureau.

— P.C., tu veux m'écouter une minute ? Nous avons là un homme qui trompe sa femme, la frappe, et met de côté un tas de fric dans un coffre. Puis il est assassiné et, quand j'appelle son épouse pour lui annoncer la nouvelle, elle est au lit avec un autre homme. Que penses-tu de ça ?

— Tu oublies que c'est Maddie.

— Écoute ta conscience, veux-tu ? Cette femme t'a tellement tourné la tête que tu ne sais même plus reconnaître ta droite de ta gauche.

— Je sais qu'elle n'a pas tué son abruti de mari, dit P.C., piqué au vif par cette accusation. Si tu es tellement sûr de toi, pourquoi ne l'as-tu pas arrêtée ?

— Parce qu'il me manque l'arme du crime. Et je ne possède aucune preuve que Maddie ait été sur la colline. Et je ne comprends toujours pas comment un gaillard aussi costaud que Brent Faraday a pu laisser quelqu'un lui poser un revolver sur la tempe sans réagir. D'ailleurs, il y a bien d'autres points à éclaircir... Mais, pour le moment, Maddie est mon unique suspect.

— Et la maîtresse de Brent ? dit P.C. qui se raccrochait à tout ce qui lui venait à l'esprit. Elle aussi était sur le point de se faire plaquer. Et le partenaire qu'il a escroqué ? Il allait le laisser le bec dans l'eau. Henry, tu as à peine commencé ton enquête et le méchant court toujours. Fiche la paix à Maddie.

Il se leva et Henry fronça les sourcils.

— Laisse-moi faire mon travail. Et toi, ne t'approche plus de cette femme. Elle est dangereuse.

P.C. poussa un soupir d'exaspération.

— Henry, elle ne va pas me tuer. Elle n'a même pas tué son mari.

— Je ne parle pas de ça. Encore que tu pourrais le garder à l'esprit. Je parle de la façon dont tu t'es comporté avec elle. Garde la tête froide et ferme bien ta braguette, compris ?

P.C. se pencha vers son oncle et parla en détachant ses mots afin de se faire bien comprendre :

— Henry, je vais l'épouser. Nous allons vivre à côté de

chez toi avec Em. Maintenant, elle fait partie de la famille. Arrête de penser à elle et retrouve le salaud qui a descendu Brent.

— Depuis le temps que tu les fréquentes, tu n'as jamais rien appris sur les femmes, lança Henry d'un air exaspéré.

— C'est là que tu te trompes.

Mais P.C. n'en menait pas large en vérité.

Une heure plus tard, Maddie prit Em dans ses bras et alla la porter dans son lit. Elle resta auprès d'elle jusqu'à ce qu'elle s'endorme. Treva appela. Elle proposa de venir mais Maddie lui demanda d'attendre un peu. Pendant qu'Em dormait, elle aurait un peu de temps devant elle pour y voir plus clair.

Pour protéger Em, Maddie devait être lavée de tout soupçon. Quelqu'un avait mis cet argent et ce revolver dans sa voiture pour provoquer sa chute. Qui pouvait bien avoir intérêt à ce qu'elle soit arrêtée ? Em était l'héritière directe de Brent, il ne pouvait donc pas s'agir d'un intérêt financier. Si elle allait en prison, elle perdrait Em. Cela pouvait-il être le mobile ? Maddie s'inventa une brève histoire rocambolesque où Helena Faraday complotait pour lui faire porter le chapeau de l'assassinat de Brent afin d'être la tutrice d'Em et hériter de Brent. Mais cela lui parut ridicule. Il aurait fallu dans ce cas qu'Helena soit au courant des intrigues financières, et Maddie était certaine que Brent les avait tenues à l'écart de ses parents. Et puis Helena aurait eu à affronter sa mère pour la garde d'Em, et tout le monde aurait témoigné en faveur de Martha Martindale. Quand il s'agissait de pouvoir et d'argent, Helena était redoutable, mais pour les enjeux familiaux elle n'arrivait pas à la cheville de Martha. Helena était donc blanchie de tout soupçon.

Il s'agissait donc d'une personne extérieure à la famille. Mais qui connaissait suffisamment Maddie pour savoir que la Civic avait été accidentée, qu'elle n'était pas réparable et se trouvait sur le parking de Leo ?... Cela englobait la plus grande partie de la population de Frog Point. Et celui qui cherchait à faire plonger Maddie protégeait l'assassin.

Il ne s'agissait pas alors d'une vengeance personnelle. Ce qui lui apporta un certain réconfort.

Elle enfouit son visage dans les mains. Il lui manquait des éléments. Elle ignorait d'où venait l'argent et à qui appartenait le revolver. Fallait-il qu'elle les remette à Henry ?

— Ne lui dis plus rien, avait lancé P.C. quand il était revenu avec les serrures. Il s'est mis dans la tête que tu as peut-être tué Brent. Maintenant, tu ne dois plus parler qu'en présence d'un avocat.

Lourd dilemme. Se taire était facile, mais porter ce secret, intolérable. *Que vaut-il mieux pour Em ?* songea Maddie. Elle conclut que s'il y avait le moindre risque que cet argent lui coûte la garde d'Em il valait mieux qu'elle se taise. Elle y penserait plus tard.

Et maintenant, où cacher le revolver ?

Elle vérifia que sa mère se reposait bien dans le living, emporta le sac dans la cuisine et ouvrit le réfrigérateur. Elle tomba sur deux plats, qui contenaient l'un un bœuf bourguignon avec des pâtes et l'autre un gratin de chou-fleur. Elle prit le bœuf bourguignon, alla chercher une poche en plastique hermétique dans un tiroir, se saisit du revolver avec une serviette en papier, le glissa dans la poche, qu'elle referma, fit un trou dans le bœuf bourguignon aux nouilles avec une cuillère.

Maddie contempla la mixture d'un air dégoûté. Personne n'aurait l'idée d'aller manger ça. C'était une cachette idéale. Elle laissa tomber le revolver dans le plat, le recouvrit de pâtes gluantes, rajouta des chips sur le dessus et remit le tout dans le réfrigérateur.

Plus tard, elle donnerait ce ragoût à Treva avec d'autres plats à congeler. La congélation ne pouvait pas endommager le revolver, et en sortant de la maison cette arme serait neutralisée. Soulagée, elle monta à l'étage et rejoignit Em dans son lit.

— Tout va bien, mon bébé, dit-elle à sa fille endormie. Je reste avec toi.

À six heures, après une dizaine de coups de fil et l'arrivée de deux nouveaux plats cuisinés dont les auteurs furent pris en charge par sa mère, Maddie entendit claquer les portières de la voiture des Basset. Treva avait amené Howie, Three, Mel, et une demi-douzaine de miches de pain frais qu'elle remit à la mère de Maddie, qui sortit de la cuisine pour dire bonjour et disparut aussitôt.

Em était assise sur le sofa, cramponnée à Phébé. Elle avait l'air hébété d'un enfant qui a trop pleuré sans pour autant épuiser ses réserves de larmes, mais n'a plus la force de continuer. Mel la regardait avec de grands yeux. Elle s'assit près d'elle pour la consoler.

— Je t'aime, Emily, murmura-t-elle, et Em posa la tête au creux de son épaule.

Three s'agenouilla devant elle.

— Salut, ça va ?

— Non, dit-elle d'une voix faible, mon papa est mort.

— Je sais, ma puce. Je suis sincèrement désolé.

Elle hocha la tête et s'accrocha à Phébé, qui poussa un aboiement plaintif.

— On dirait que Phébé a besoin d'aller faire un tour, lui dit-il. On va dans le jardin ?

Em acquiesça. Mel se joignit à eux et ils sortirent de la pièce, Phébé sur les talons. Maddie faillit s'écrier « Non ! » puis elle se rappela qu'Em ne risquait plus de se faire enlever. Brent était mort.

— Comment te sens-tu ? demanda Treva en l'entraînant sur le sofa.

— Mal. C'est affreux.

Elle se renversa en arrière, paralysée par tout ce qui l'assaillait et qu'elle se sentait incapable d'assumer.

— Tu veux quelque chose à boire ? demanda Howie.

— Tu as toute sa sympathie, lui dit Treva. Il est atterré par tout ce qui est arrivé.

— Il n'est pas le seul, répondit Maddie. Je regrette que Brent soit mort. Un divorce aurait été nettement préférable.

— Chut !

Treva l'attrapa par le bras.

— Tu es folle... Ton mari vient de se faire assassiner. Ne parle pas de divorce.

Maddie hocha la tête.

— Je sais. On pourrait penser que je suis totalement consciente de la situation. Mais il se trouve que ce sont les détails qui... enfin, j'ai tellement de problèmes à régler.

Elle regarda son amie.

— Tu n'as pas idée de ce que ma vie peut être compliquée.

Howie revint dans le living avec un plateau et trois verres.

— Je n'ai trouvé que du scotch.

— Excellent pour Maddie, dit Treva.

On sonna à la porte. Howie reposa le scotch et alla ouvrir, visiblement soulagé de bouger un peu. C'était Gloria, apportant un plat cuisiné. Elle entra dans le living et resta debout, désemparée, les yeux rouges, revêtue de sa plus jolie robe bleue de chez Laura Ashley, cramponnée à son plat en Pyrex.

— Maddie, j'ai appris l'affreuse nouvelle. Si tu as besoin de quoi que ce soit...

Elle s'arrêta, submergée par la détresse.

— Merci, Gloria. C'est gentil à toi d'être venue. Et tu nous as apporté quelque chose...

Maddie conduisit Gloria et son plat en Pyrex dans la cuisine, et les remit tous les deux entre les mains de sa mère.

— Je ne vais pas arrêter de prononcer les mêmes phrases au cours des deux journées qui vont suivre, dit-elle à Treva. Je devrais faire imprimer des cartons.

— Qu'est-ce qu'elle a, Gloria ? demanda Treva.

— Je crois qu'elle avait des vues sur Brent.

Était-il possible que ce soit Gloria ? Gloria en slip sans fond ? Gloria tirant une balle dans la tête de Brent ?

On sonna à la porte.

— Les plats cuisinés se congèlent très bien, dit Treva.

— Excellente idée, acquiesça Maddie. Peux-tu en emporter quelques-uns avec toi ?

Trois plats cuisinés et deux gâteaux plus tard, Helena et Norman Faraday faisaient leur entrée. La journée sombra alors dans le cauchemar.

Norman avait l'air d'un zombie. Ses yeux globuleux injectés de sang étaient encore plus bizarres que d'habitude. Maddie ne l'avait jamais considéré comme un bel homme. Mais il rayonnait d'énergie et de pouvoir, ce qui effaçait ses défauts physiques. En le regardant tituber dans le living, elle comprit que tout ce qu'il rêvait d'accomplir à travers son fils venait de s'écrouler. Il n'était plus qu'un petit homme d'une soixantaine d'années, le ventre en avant, tassé sur lui-même, perdu et inefficace. Elle eut pitié de lui.

— Je suis désolée, Norman.

— Votre union n'a pas été une réussite, dit-il simplement et sans colère.

Helena, elle, avait du venin pour deux. La rage et la douleur la rendaient encore plus rigide et agressive que d'habitude. Elle adressa un regard tellement haineux à

Maddie que celle-ci recula d'un pas. À l'heure qu'il était, les parents de Brent avaient certainement appris qu'elle dormait dans le même lit que P.C. quand Henry avait appelé. Alors, l'espace d'un court instant, ses beaux-parents lui inspirèrent de la sympathie. Si quelqu'un avait trahi Em, elle serait sans doute tout aussi impitoyable.

Bien sûr, Brent l'avait trompée le premier, mais maintenant qu'il était mort cela n'avait plus autant d'importance. Elle avait trompé son mari, et sa belle-mère, qui la détestait, s'emploierait jusqu'à la fin de ses jours à lui empoisonner la vie. Maddie s'avança vers elle.

— Bonjour, Helena.

— Je n'ai rien à te dire, répondit celle-ci avant d'aller s'asseoir avec Em.

— Finalement, je prendrais bien un scotch, lança Maddie à Howie.

Helena pinça les lèvres et se pencha vers Em.

Emily n'arrivait plus à penser. À chaque fois qu'elle essayait, elle se rappelait que son papa était mort, et c'était horrible, le pire qu'on puisse imaginer, alors elle s'arrêtait. Mel et Three étaient partis chercher une glace. Ils l'avaient d'abord suppliée de les accompagner, puis avaient promis de lui en rapporter une, et elle était restée dans le living. Elle avait l'impression de peser des tonnes. Elle regardait les gens entrer en portant des plats, discuter à voix basse et lui jeter des regards désolés. Elle avait envie de sortir dans le jardin avec Phébé, de grimper sur les genoux de sa mère, de voir son papa. Mais il était mort, alors elle était obligée de rester là sur le sofa.

Et puis grand-mère Helena arriva, elle dit quelques mots à sa mère et vint s'asseoir près d'elle. Em dut se contrôler pour ne pas se sauver dans le jardin.

— Il ne faudra jamais oublier ton père, Emily, lui dit grand-mère Helena, et elle ne comprit pas pourquoi.

Comment pourrait-elle oublier son propre père ?

— Tu dois te rappeler que c'était un homme bon et sérieux, continua grand-mère Helena en lui tenant la main.

Elle sentait le parfum, un truc chimique qui donnait mal au cœur.

— C'était un homme très important dans cette ville. Tu étais sa fille. Ne l'oublie jamais.

Em hocha la tête. À quoi bon expliquer qu'elle se moquait que son père soit important ou pas ? Il lui manquait affreusement. Elle voulut s'écarter mais sa grand-mère la retint.

— Tu es la fille de Brent Faraday. Ne l'oublie jamais.

Em leva la tête.

— Comment veux-tu que j'oublie mon père ?

— Il n'était pas seulement ton père, poursuivit grand-mère Helena.

Son visage était maintenant à quelques centimètres de celui d'Em et Em aurait voulu s'enfuir au bout du monde.

— Il était un Faraday, et toi aussi tu en es une.

— Et aussi ma maman, dit Em qui ne comprenait rien à ce qui se passait.

— Non !

La voix de sa grand-mère était très calme, mais c'était comme si elle avait crié.

— Ta mère est une Martindale, ce qui n'a rien à voir.

Em vit sa grand-mère jeter un coup d'œil à sa belle-fille, qui se tenait de l'autre côté de la pièce. *Elle n'aime pas ma maman,* songea Em, qui récupéra aussitôt sa main et se leva.

— Excuse-moi.

Grand-mère Helena ouvrit la bouche mais Em était déjà loin. Elle ne s'était jamais comportée comme ça auparavant parce que c'était mal élevé, mais là il fallait qu'elle sorte.

Elle traversa la cuisine, ne prêtant aucune attention à mamie Martha et à sa mère, qui voulaient qu'elle revienne. Phébé, couché près de la porte, se leva en agitant la queue.

— Viens, lui dit-elle.

Phébé bondit dehors et Em alla s'asseoir sur les marches de l'escalier de la véranda.

Comment grand-mère Helena pouvait-elle s'imaginer qu'elle oublierait son papa ? Grand-mère Helena était pourtant très gentille. Em ne l'avait jamais entendue dire de telles sottises auparavant. Em n'oublierait jamais son père. Jamais.

Mais maintenant il était difficile de se rappeler *exactement* le son de sa voix ou de le revoir *exactement* comme s'il allait passer cette porte d'une minute à l'autre. Em ferma les yeux. Il était grand, il avait des cheveux bruns et il souriait toujours parce qu'il l'aimait. Elle le revit lui apprenant à monter à bicyclette, mais il avait dû partir avant qu'elle trouve son équilibre, et sa maman était venue à la rescousse, elle était restée avec elle jusqu'à ce qu'elle y arrive. Il n'était pas là non plus pour la fête de charité de l'école ou pour la fête de fin d'année. Elle avait joué une sonneuse de cloches dans une pièce de théâtre et il n'était pas venu parce qu'il devait aller travailler. Mais il se déplaçait toujours pour les parties de base-ball. Il était là quand elle avait frappé une balle et marqué un but.

Et voilà... Em le revoyait déboulant sur le terrain pour la prendre dans ses bras. Il n'aurait pas dû, la partie n'était pas encore finie, mais c'était tellement formidable qu'il soit venu l'embrasser, et il était tellement fier. C'était l'image qu'elle garderait. Son père qui lui souriait. Elle se concentra pour fixer ses gestes favoris, par exemple sa façon de la serrer contre lui, de manger des glaces à la crème et aux noix de pécan, celles qu'il préférait, de dire « Emily » et pas « Em ». Elle le revit qui riait. Une fois, il s'était mis sa petite casquette de la *Little League* sur la tête. Et voilà... D'un bras, il la serrait contre lui, de l'autre il tenait un cornet de glace. Et il riait, la tête rejetée en arrière, coiffé de la petite casquette. Elle mit tout ça dans une image mentale, ferma les yeux très fort pour la fixer dans son esprit, comme P.C. le lui avait appris.

Quand sa mère sortit en disant « Em ? » elle avait tout enregistré. Elle appela Phébé et suivit sa mère dans la maison. Elle alla s'asseoir près de grand-mère Helena, lui prit la main et dit :

— Je ne l'oublierai jamais.

Sa grand-mère serra sa main dans la sienne.

— Tu es une bonne petite fille. Une vraie Faraday.

Et sa grand-mère regarda à nouveau sa mère d'un sale œil.

Plusieurs plats cuisinés plus tard, P.C. revint et Howie l'amena dans le living rempli d'amis. Les Faraday étaient toujours là.

— Maddie, tu te souviens de P.C. Sturgis ? demanda Howie dans un effort pathétique pour paraître naturel.

Mais P.C. lui tourna le dos, attrapa Maddie par le bras, l'entraîna dans le petit salon qui donnait dans l'entrée et referma la porte derrière eux.

— Qu'est-ce qui te prend ? demanda Maddie, hors d'elle. Les parents de Brent sont ici !

— Henry a obtenu un mandat pour ouvrir ton coffre, dit P.C. L'argent a disparu. Tu es au courant de quelque chose ?

Elle le regarda, la bouche ouverte.

— Brent a dû le prendre puisque...

Elle s'interrompit. Elle avait découvert l'argent samedi après-midi. Brent était déjà mort.

— Toi et Brent êtes les deux seules personnes qui aient eu accès à ce coffre au cours des deux dernières semaines, reprit P.C. Et d'après les registres, tu es la dernière à l'avoir ouvert. Je me sens plutôt mal à l'aise... Moi qui n'arrête pas de jurer à Henry que tu as dit la vérité. Qu'as-tu fait de ce fric ?

Se pourrait-il que ce soit l'argent qui se trouvait dans la voiture ? Ce n'était pas le montant exact, mais...

Puis Maddie réalisa le sens des paroles que venait de prononcer P.C.

— Je ne suis pas une menteuse ! s'exclama-t-elle. Je n'ai pas pris cet argent. Je l'ai laissé avec les billets et le passeport de Brent. Je n'ai pris que le passeport d'Em, je le jure.

P.C. parut troublé.

— Bon Dieu, Maddie, ça me fait peur. Si tu sais quoi que ce soit, dis-le. Je ne veux pas te perdre à cause d'une méprise d'Henry, qui est maintenant persuadé que tu veux m'impliquer dans cette histoire.

— Hein ? s'écria-t-elle.

Treva entra dans la pièce.

— Sortez d'ici tout de suite, murmura-t-elle. Les gens se posent des questions et les Faraday font une de ces têtes !

Sans un regard pour P.C., Maddie retourna s'asseoir dans le living à côté d'Em et de sa mère. Gloria avait pris place près d'Helena, et elles la fusillèrent du regard au passage. Il ne lui manquait plus que cela : Gloria et Helena s'alliant contre elle.

Elle prit la main d'Em et la serra très fort. *Oublie Helena et Gloria*. Quelqu'un avait volé la clef du coffre et pris l'argent. Cela semblait invraisemblable et c'était pourtant la vérité. Personne ne la croirait, surtout si elle exhibait brusquement deux cent trente mille dollars. On serait persuadé qu'elle avait volé le reste. Henry l'arrêterait.

Il fallait qu'elle rende cet argent à Henry.

Em posa la tête sur ses genoux.

Impossible.

— Vous allez changer les serrures de l'autre porte ? demanda Mme Martindale à P.C. qui avait suivi Maddie dans le living, ne prêtant aucune attention aux regards haineux des Faraday.

Il hocha la tête.

— Tu viens m'aider, Em ?

Et il tendit la main à la fillette, qui se redressa et le suivit en reniflant.

— Le rôdeur a pénétré dans la maison, expliqua la mère de Maddie, et tout le monde s'efforça de prendre un air compréhensif à l'exception des Faraday.

Helena transpirait la malveillance.

L'après-midi n'en finissait pas. Après le départ de P.C., Vince, l'officier de police qui travaillait avec Henry, vint réclamer à Maddie ses chaussures de jogging. Elle les avait laissées à l'arrière de la voiture de sa mère. Elle les lui remit sans une hésitation. Comment aurait-elle pu refuser ? Et de toute façon cela lui était égal. Elle voulait rester seule avec Em, veiller sur elle, s'assurer qu'elle s'arrêterait de pleurer. À neuf heures, sa mère congédia tout le monde et, avant de rentrer chez elle, l'aida à coucher Em, toujours escortée de Phébé. Maddie s'apprêtait elle aussi à aller dormir. Demain serait un nouveau jour, plein de compassion et de plats cuisinés. Quant à l'enterrement, il était prévu pour le surlendemain. Une perspective trop pénible à évoquer. Elle enfila une chemise de nuit usée jusqu'à la trame dont le coton était plus doux que de la soie. Puis elle se glissa dans son lit.

Certains vêtements sont d'un grand réconfort, songea-t-elle en sentant sur la cuisse l'ourlet effrangé de sa chemise. Il ne lui manquait plus qu'un ours en peluche... L'image de P.C. revint la hanter et elle s'efforça de la chasser de son esprit. Em passait avant lui.

Quelle tristesse de renoncer au soulagement de sa

présence auprès d'elle ! Tout lui avouer, faire l'amour et sombrer dans l'oubli... Non. Cela n'arriverait plus. À quoi bon y penser ? Elle s'endormit, privée de la protection de P.C.

Tard dans la nuit, un bruit la réveilla. Elle se rendit dans la chambre d'Em, qui s'était endormie après une dernière crise de larmes. Phébé émettait les grognements d'un chien qui rêve qu'il court après des lapins. Quand Maddie eut vérifié que tout allait bien, elle se détendit et réalisa qu'elle avait faim. Elle n'avait rien mangé de la journée, le réfrigérateur débordait de plats cuisinés, et on lui avait aussi apporté deux gâteaux. Le réveil disait deux heures du matin et son estomac « tout de suite ».

Elle descendit sur la pointe des pieds. Elle traversait le living quand quelqu'un bougea dans l'obscurité et elle comprit qu'elle n'était pas seule. Elle voulut crier, mais une main lui bâillonna la bouche tandis qu'un bras la plaquait contre un corps musclé.

— Tais-toi, murmura la voix de P.C. Tu vas réveiller Em.

Maddie le mordit jusqu'au sang.

Il jura à mi-voix et la relâcha.

— Bon Dieu ! ça fait mal. Tu es vaccinée, j'espère ?

— Qu'est-ce que tu fiches ici ? Tu es gonflé de cambrioler ma maison !

— Je n'oserais jamais faire une chose pareille. J'avais gardé une clef.

Il la balança sous son nez, dans l'obscurité.

— Tu te souviens ? C'est moi qui ai installé les serrures.

Elle confisqua la clef.

— Tu cherches l'argent, c'est ça ? Non mais j'y crois pas ! Je t'ai déjà dit que je l'avais laissé dans le coffre.

P.C. poussa un soupir d'exaspération et l'entraîna dans la cuisine.

— Viens par ici.

Elle le suivit. Elle ne voulait pas réveiller Em et puis à quoi bon le nier ? Elle était heureuse de tenir la main de P.C.

Dans la cuisine plongée dans la pénombre, à peine éclairée par la lumière nocturne qui se reflétait sur l'évier, ils purent à nouveau parler normalement.

— Maddie, si Henry te trouve avec cet argent, tu es fichue. Comprends-moi, j'essaie de te sauver. Dis-moi où il est, et je m'arrangerai pour qu'Henry le récupère sans passer par toi.

— Écoute, lui dit-elle avec tout le calme dont elle était capable. J'ai laissé l'argent dans le coffre. Je le jure sur la tête de ma mère, je n'ai pas touché à cet argent.

P.C. parut soulagé, bien que toujours méfiant. Il lâcha la main de Maddie et la prit par la taille, ce qui n'était pas prévu au programme. Mais cela lui faisait tellement de bien, la sensation de ses mains chaudes à travers le tissu de sa chemise de nuit, qu'elle ne put se résoudre à le repousser. Il plongea son regard dans le sien.

— Donc, si Henry fouille la maison, nous n'avons pas à nous inquiéter, c'est bien ça ?

Tant qu'il ne regarde pas dans ta voiture. Maddie voulut se dégager mais P.C. l'en empêcha.

— Excuse-moi d'insister, reprit-il, mais tes chaussures correspondent aux empreintes qu'on a trouvées à la Pointe. Tu ne m'avais pas dit que tu t'y étais rendue.

— Ça remonte à jeudi soir.

Maddie essaya à nouveau de lui faire lâcher prise. Mais il la tenait fermement.

— Je suis allée à la Pointe. Là, j'ai aperçu Brent avec une blonde, puis je suis rentrée et je t'ai trouvé devant ma porte. J'avais laissé mes chaussures pleines de boue dans la voiture. Tu te souviens ? j'étais pieds nus.

— Exact.

P.C. se détendit.

— Tu étais bien pieds nus. Je pourrais en témoigner devant Henry. Et s'il veut faire une perquisition ici, je pourrai également lui assurer qu'il ne trouvera rien d'autre ?

— Il ne trouvera pas les deux cent quatre-vingt mille dollars. Je les ai laissés dans le coffre.

P.C. lui enserra la taille.

— Que trouvera-t-il à la place ?

— Beaucoup de poussière, répliqua Maddie pour gagner du temps. Les meurtriers et les maîtres chanteurs ne m'ont pas laissé beaucoup de temps pour le ménage... À propos, tu as parlé à Bailey ? S'il parle, notre réputation sera définitivement compromise. As-tu...

— Non. Henry va s'en charger demain.

— Ce sera trop tard.

Maddie voulut le pousser vers la porte.

— Occupe-t'en tout de suite.

— Au milieu de la nuit ?

Il l'attira à lui.

— Maddie, il faut que nous parlions de cet argent.

Il l'embrassa sur les cheveux.

— Je ne sais rien.

Elle essaya de se dégager.

— Et ma fille est en haut. Laisse-moi. Il n'est pas question qu'elle se réveille et nous découvre ici tous les deux.

— On entendra Phébé aboyer avant qu'Em atteigne l'escalier, murmura P.C. à son oreille. Raconte-moi tout et je pourrai élaborer un plan d'attaque.

Il lui caressa le dos et elle frissonna. Puis ses mains glissèrent plus bas, et elle oublia que c'était une très mauvaise idée.

— Dieu que c'est bon ! murmura-t-il en l'embrassant. Dis-moi tout et nous ferons l'amour.

— Nous ne pouvons plus continuer à nous comporter de cette façon, soupira-t-elle en glissant les mains sous sa chemise.

— Tu crois ?

Elle le repoussa.

— Em est en haut. Cette situation est trop risquée. Je ne tiens pas à expliquer ta présence ici à cette heure de la nuit. Fiche le camp.

— Excellente idée.

Il ouvrit la porte de derrière. Maddie se sentit à moitié soulagée, quand il la tira par la main et l'entraîna avec lui sur la véranda plongée dans l'obscurité.

— Tu es fou !

— Il fait nuit noire, personne ne nous voit.

Elle trébucha dans l'escalier et il la rattrapa de justesse.

— Viens ici.

— Non, protesta-t-elle.

Leurs lèvres se joignirent... Elle passa les bras autour de son cou et l'embrassa une dernière fois parce qu'il était brûlant et tendre et qu'il lui inspirait un sentiment de confiance et de sécurité. Elle se tenait sur la dernière marche et lui sur le sol. Leurs visages étaient au même niveau, ce qui donnait un charme nouveau à leurs baisers, mais ils se retrouvaient dehors, ce qui lui parut ridicule. Il fallait en finir.

— Merci, dit-elle d'une voix entrecoupée. Et adieu.

Il l'obligea à le rejoindre et la prit dans ses bras.

— Je ne peux pas me résoudre à te laisser dans cette situation. Il faut que je te tire de là. Même si tu me refuses ta confiance, il le faut. Quand je pense que j'étais venu passer le week-end ici, juste le temps d'épingler Brent et de repartir ! Mais je ne peux pas t'abandonner. Je t'aime.

Maddie le repoussa.

— Qu'entends-tu exactement par « épingler Brent et repartir » ?

— Je vais te dire pourquoi je suis venu te rendre visite vendredi soir : Brent a vendu un quart de la compagnie à Stan...

Et P.C. lui expliqua l'accord qu'il avait passé avec Sheila. Maddie écarquillait les yeux dans l'obscurité.

Il n'était donc pas venu la voir elle. Et elle avait poussé un homme réticent à l'accompagner à la Pointe alors qu'il essayait de lui arracher des informations sur son escroc de mari.

– Es-tu en train de m'expliquer que je t'ai violé l'autre soir à la Pointe ? s'exclama-t-elle.

P.C. la regarda d'un air ahuri.

– Mais qu'est-ce que tu racontes ? M'aurais-tu par hasard entendu demander grâce sur ce siège arrière ? Je viens de t'attirer hors de chez toi parce que dès que je te vois je ne peux pas m'empêcher de poser les mains sur toi... Réveille-toi, Maddie !

– N'empêche que tu n'es pas venu pour moi.

Elle se sentait ridicule.

– Toute cette histoire a démarré pour des raisons financières. Et tu ne me l'avais pas dit. Tu as couché avec moi et tu ne me l'avais pas dit.

– Peu importent les raisons qui m'ont amené ici. L'essentiel, c'est ce que nous ressentons l'un pour l'autre. Dès que nous serons mariés...

– Hein ?

Maddie releva brusquement la tête.

– Dès que nous serons quoi ?

– Mariés.

P.C. l'embrassa sur le front.

– J'en ai parlé à Anna et elle a dit qu'il faudrait attendre un an. Dans un an pile, je t'épouse. Cela me laisse le temps de faire construire la maison.

– Quelle maison ? demanda Maddie d'une voix blanche.

– Howie va nous construire une maison sur le terrain près de la rivière, à côté de chez Henry et Anna. Je voulais te faire la surprise mais...

– Pour une surprise, c'est une surprise.

Maddie se dégagea.

— Je refuse de me marier. J'ai déjà été mariée et j'ai eu tout le temps de le regretter.

— Si tu m'avais épousé, tu penserais différemment. Nous allons...

— P.C., il n'y pas de *nous* qui tienne.

Elle avait martelé ces mots de façon à ce qu'ils lui rentrent bien dans le crâne.

— Aujourd'hui, chacun de mes actes dépend d'Emily. Je ne peux pas vivre avec toi. Ni même te fréquenter. Il faut que tu t'en ailles.

— Non.

Il l'embrassa sur la joue, la commissure des lèvres, la bouche, et elle gémit, puis le repoussa, et cette fois il ne protesta pas.

— Tout est fini entre nous, P.C. Quand je pense qu'en me rendant visite tu avais toutes ces idées derrière la tête...

— Tu t'imagines vraiment que j'ai fait l'amour avec toi uniquement pour le sexe ? s'énerva P.C.

— Oui.

Puis elle se rappela sa tendresse, ses attentions, son appui inconditionnel.

— Non... Je n'en sais rien. En tout cas, je ne me doutais pas que tu avais décidé de nous construire une maison après deux nuits passées ensemble. Tu es fou.

— Toujours le même refrain depuis le lycée. Moi je pense à l'avenir et toi tu me fuis obstinément.

Maddie le regarda d'un air ahuri.

— Je ne te vois pas pendant vingt ans, tu me consacres un week-end et tu estimes que tout est réglé ? Nous passons deux nuits ensemble et tu es prêt à t'engager corps et âme ?

Il se tut pendant un si long moment qu'elle commença à s'inquiéter.

— Je t'ai aimée toute ma vie, dit-il enfin, et elle ferma les yeux car sa voix exprimait une telle douleur. Je n'ai jamais cessé de t'aimer. Sheila dit que je l'ai épousée parce qu'elle me faisait penser à toi. Une des raisons de son départ, c'est qu'elle ne supportait pas cette idée. Je croyais alors qu'elle cherchait des excuses, mais maintenant je sais qu'elle avait raison.

— Je ne veux pas en entendre davantage, dit Maddie en frissonnant. Je ne suis pas en état de faire face à une telle déclaration. Arrête de vouloir tout me donner. Cela me met terriblement mal à l'aise.

— Je t'aime.

— Non, tu aimes quelqu'un que tu as connu au lycée. Ce n'est pas moi. Déjà à l'époque j'étais étrangère à moi-même, et maintenant je ne sais plus qui je suis.

— Moi je te connais, s'obstina calmement P.C.

— Tu dis n'importe quoi. J'ai un enfant au cœur brisé sur les bras et il faut à tout prix que j'évite la prison à cause d'elle. Chaque fois que tu entres dans mon living, tu rappelles à tout Frog Point que j'avais une raison de tuer mon mari.

Maddie recula d'un pas.

— Tu dois rester loin de moi. Pour toujours.

P.C. poussa un soupir.

— Très bien. Si tu préfères que je me tienne à distance quelque temps, je le comprendrai. Mais nul ne peut prédire l'avenir.

Il l'enlaça et elle hésita.

— Ne te détourne pas de moi, murmura-t-il.

Il l'embrassa fougueusement et elle resta inerte dans ses bras. Alors il se contenta de la serrer contre lui, comme si sa vie en dépendait.

Refuseras-tu de me parler, demain, si je t'attends à ton casier ? lui avait-il demandé dans la Cadillac. Maddie souffrait de ne pouvoir lui dire qu'elle l'aimait. Mais Em passait avant tout.

— P.C., je ne suis plus la lycéenne d'autrefois. Je ne suis même plus celle que tu as connue hier. Il faut que je protège ma fille. Je ne veux plus te voir, tu m'entends ?

— D'accord, dit-il en respirant le parfum de ses cheveux. Pour Em, je veux bien me tenir à distance. Mais pour quelque temps seulement.

Maddie savait qu'elle aurait dû se montrer plus ferme, mais elle n'en avait plus l'énergie. Quand P.C. fut parti, elle rentra, ferma la porte à clef, mit le verrou, et retourna se coucher avec Em et Phébé. Avoir pris la bonne décision ne la consolait pas pour autant.

— Maman ? murmura Em d'une voix ensommeillée.

— Oui, Emmy, je suis là.

Et elle tint la main de sa fille jusqu'à ce qu'elle s'endorme.

Treva passa le lendemain chercher Maddie en voiture, afin de régler les formalités de l'enterrement.

— Comment vas-tu ? demanda-t-elle.

— Ne m'en parle pas.

La nuit dernière, j'ai renvoyé l'amour de ma vie pour protéger ma fille.

— Je suis entourée de gens que je dois ménager. Tu es la seule personne avec qui je ne joue pas la comédie. Tu es vraiment ma meilleure amie, Treve.

Treva soupira.

— J'essaie, Maddie. Et c'est donc à moi qu'il revient de t'apprendre les mauvaises nouvelles.

Maddie la regarda d'un air incrédule.

— Tu plaisantes, là ? Tu crois vraiment que les choses peuvent encore empirer ?

Treva se tassa sur son siège.

— On ne parle plus que de toi dans tout Frog Point. Je te raconte ?

Maddie ferma les yeux.

— Au point où j'en suis, pourquoi pas ?

Chapitre 14

Treva prit une profonde inspiration.

– Eh bien, la plupart des gens pensent que tu as tué ton mari. Mais les avis sont partagés sur ce qu'il convient de faire. La majorité pense que la façon dont Brent t'a battue et trompée est une honte. Ils estiment que tu devrais t'en tirer vu que, jusqu'à aujourd'hui, tu as eu une conduite irréprochable et tout et tout.

– Sympa.

– Cependant, il y a un groupe de gens, restreint mais efficace, qui mène campagne contre toi. Il est conduit par Helena Faraday, qui s'est acoquinée avec Gloria Meyer. Elles veulent ta peau. Leurs supporters augmentent en nombre, grâce à Esther qui a répandu le bruit que quand Henry t'a téléphoné pour t'apprendre la mort de Brent tu dormais dans ton lit avec P.C. Leona Crosby a également repéré les allées et venues de la Mustang de P.C. Il ne pourrait pas conduire une voiture un peu plus discrète, celui-là ?

– Non, pas P.C.

– Et puis, reprit Treva, nous avons les illuminés.

Elle pouffa de rire.

– Ils prétendent que Stan et P.C. se battaient pour tes beaux yeux dans l'allée devant ta maison, samedi soir.

Leona Crosby a encore abusé du sirop pour la toux, ou quoi ?

– P.C. a frappé Stan pendant que Leona Crosby nous espionnait, dit Maddie. Tu peux mettre le reste sur le compte du sirop pour la toux.

– Enfin, des suspicions pèsent maintenant sur P.C., qui, dit-on, aurait pu assassiner Brent. Sauf qu'il a été tué par balle, et non battu à mort... donc on en revient à toi.

– Mon Dieu ! Ma pauvre mère...

– Ta mère tient la ville en respect. Elle a lancé quelques insinuations concernant la fiabilité d'Esther et, comme jusqu'à présent elles étaient inséparables, elle a des arguments. Et elle prépare une offensive contre les Faraday qui devrait démarrer d'un moment à l'autre. Helena va en prendre pour son grade.

Maddie se redressa.

– Arrête !

– C'est vrai que vous avez dû faire hospitaliser Helena parce qu'elle avait avalé de l'eau de Cologne ?

– Oh... Maman !

Maddie enfouit son visage dans les mains.

– Il ne me reste plus qu'à déménager, sauf qu'Henry ne veut pas que je quitte la ville.

– On dit aussi qu'Henry est prêt à tout pour te faire porter le chapeau à cause de P.C. Mais ça ne lui ressemble pas.

– Ce qui me rend dingue, c'est que personne ne met Brent en cause. Il a escroqué l'entreprise, il m'a trompée, mais personne n'est au courant. Comment est-ce possible ?

– Là, tu te trompes. Non seulement il escroquait l'entreprise, mais il trafiquait avec la drogue pour acheter des voix pour les élections et il trichait au bowling – Brent n'est pas épargné. Mais pas un mot sur ses aventures féminines. Il avait fini par apprendre la discrétion... Sa dulcinée est une femme invisible.

Treva jeta à Maddie un coup d'œil en biais.

— Et avec tout ça tu t'en tires comment ?

— Mal. Je me suis réveillée au trente-sixième dessous. Des gens sont venus m'apporter des plats toute la matinée. Ça me donne la nausée.

— Le mien est sur le siège arrière, dit Treva.

Elle fit démarrer la voiture. Maddie se concentrait sur la seule énigme de sa vie qui ne prêtait pas à conséquence.

— À l'heure qu'il est, dit-elle, on ne doit plus trouver une seule pomme de terre dans cette ville... Pourquoi ne mettent-ils plus de la chapelure sur les plats, de nos jours ?

Treva vérifia que la voie était libre et sortit de l'allée.

— Toi, tu as encore lu ces livres de cuisine pour yuppies démocrates.

— Sans compter qu'on n'est pas obligé de faire gratiner tous les plats. Et c'est quoi cette manie de ne jamais laisser les morceaux entiers mais de les débiter en petits cubes ?

— Là, je crois qu'on s'égare.

— D'accord, soupira Maddie. Dis-moi quel genre de plat tu m'as préparé. Des lasagnes, non ?

— Des gâteaux au chocolat.

— Dieu t'a envoyée à moi pour que tu sois mon amie car Il savait que j'aurais besoin de toi !...

Six gâteaux plus tard, elles s'arrêtaient devant une somptueuse demeure victorienne.

— Explique-moi pourquoi les plus belles maisons ont toutes été transformées en entreprises de pompes funèbres, dit Maddie.

— Parce que Frog Point ne laisserait jamais personne ouvrir un bordel.

Treva jeta un regard hésitant à l'édifice.

— Es-tu sûre de pouvoir affronter toutes ces démarches ?

— Non, répondit Maddie.

Elle descendit pourtant de voiture.

Le petit homme des pompes funèbres était à la fois sec et huileux, comme un vieux parchemin.

— Un mort vivant, murmura Treva.

— Tais-toi !

Il les regarda avec un mélange de condescendance et de compassion, et les mena dans une grande salle remplie de cercueils.

— Voilà notre sélection, dit-il. De très belles pièces. Je suis certaine que vous serez satisfaite et... votre mari aussi.

Maddie fut atterrée. Aucun doute, Brent serait sûrement enchanté...

— Pourriez-vous nous laisser seules ? demanda Treva.

— Naturellement.

Le petit homme hocha la tête, se dirigea d'un pas glissant jusqu'à la porte et disparut. Maddie regardait les cercueils d'un air désemparé. Il y en avait tellement. Ils ressemblaient à des tables de salon mal fichues. Trop de bois et de laiton. Elle se mit à trembler et songea *Pas devant Em*. Puis elle se rappela qu'elle n'était pas là.

Ce n'était pas le moment de craquer. Elle devait choisir un cercueil et rentrer à la maison s'occuper de sa fille.

— Qu'en penses-tu ? demanda-t-elle à Treva.

— Achète une housse. C'est tout ce qu'il mérite.

Brent enfermé dans une housse. Ce fut la goutte d'eau faisant déborder le vase. Au bord de la crise de nerfs, Maddie se mit à rire et à pleurer.

— Maddie, je suis désolée.

Treva s'assit sur le cercueil le plus proche.

— Calme-toi.

Elle ouvrit son sac.

— Tiens, prends un Kleenex. Je croyais que tu ne l'aimais pas.

— Oui, mais ce salaud est mort, sanglota Maddie, soulagée de pleurer enfin son mari.

Treva la prit dans ses bras.

— Maddie, ce type avait des maîtresses, il te battait et il allait te plaquer.

Elle lui tapota l'épaule.

— Ce type était un danger public. Une housse, c'est encore trop bien pour lui, un sac en plastique pour ramasser les feuilles mortes ferait très bien l'affaire.

Maddie jeta un coup d'œil autour d'elle et crut qu'elle allait se sentir mal.

— Treva, je ne peux pas affronter ça. Je ne suis pas prête pour l'enterrement.

— Howie et moi on pourrait peut-être vider le congélateur en attendant que tu ailles mieux ?... dit Treva en faisant la moue. Maddie, je crois qu'il est préférable d'en finir tout de suite.

— Madame Faraday ?...

Maddie et Treva sursautèrent. Le petit homme était réapparu derrière elles.

— Vous avez fait votre choix ? Puis-je vous aider ?

Il jeta un regard réprobateur sur le siège qu'elles avaient choisi.

Elles se levèrent. Le regard de Maddie alla de Treva au petit homme.

— Je n'arrive pas à me décider, dit-elle enfin.

— Moi si, déclara Treva. Donnez-nous le moins cher.

Treva raccompagna Maddie chez elle après qu'elles furent passées chez le fleuriste, à l'église, aux pompes funèbres et chez l'imprimeur. Sa mère lui apprit alors d'une voix angoissée qu'elle était convoquée au commissariat.

Henry l'y attendait en compagnie de P.C. et d'une

femme d'une quarantaine d'années qui se présenta comme étant Jane Henries.

— Je joue les bouche-trous jusqu'à ce que M. Sturgis ait dégotté un as du barreau à Columbus, dit-elle d'une voix chaleureuse. Mais si un jour vous voulez divorcer je suis toujours à votre disposition.

Maddie eut envie de lui sauter au cou. Elle était la première personne qui semblait penser que tout allait très bien se passer. Puis elle remarqua les plis autour de la bouche de Jane, l'éclat métallique dans ses yeux, et elle réalisa que les choses n'étaient peut-être pas aussi simples.

— Bien, dit Henry quand ils furent tous installés. Maddie, je veux que vous sachiez que nous vous soutenons. Cette ville vous connaît et vous apprécie. Même si vous devez passer en justice, les gens de Frog Point se montreront compréhensifs.

— Encore faudrait-il qu'il y ait un procès, intervint Jane.

Henry ne lui prêta aucune attention.

— Si vous avez des révélations à me faire, je suis prêt à vous écouter.

— Elle n'a aucune révélation à vous faire, dit Jane. Peut-on commencer ?

— Quand vous voulez, lâcha Henry, visiblement exaspéré. Et, puisque vous êtes son avocat, ce que je vais lui dire s'adresse également à vous.

Jane sourit d'un air aimable et Maddie se détendit. P.C. avait raison. Elle avait besoin d'un avocat.

— Pour commencer, vous avez un mobile. Vous avez reconnu que votre mari vous trompait. D'après le témoignage d'Howie Basset, il escroquait les fonds d'une entreprise dont vous possédez le quart, et d'après votre déposition il avait l'intention d'enlever votre fille.

— Et d'après mes informations à moi la moitié de la

ville avait un mobile pour tuer Brent Faraday, intervint Jane.

— Et vous avez avoué à John Webster à la banque que vous étiez coupable, assena Henry.

— Jamais ! s'exclama Maddie.

— Vous lui auriez dit qu'il devait vous laisser seule avec le coffre parce que vous ne vouliez pas le mêler à cette affaire.

Maddie fixa Henry, les yeux écarquillés.

— J'ai dit quoi ?

— Vous avez déclaré textuellement que vous ne vouliez pas l'entraîner dans cette affaire avec vous.

Maddie ferma les yeux.

— C'était une plaisanterie.

— Ne plaisantez jamais avec un employé de banque ou un policier, déclara Jane, toujours sereine. Ils n'ont aucun sens de l'humour. Cette preuve est ridicule, shérif, et vous le savez.

— Sans compter que vous avez dissimulé des preuves, poursuivit Henry.

Il a découvert l'argent. Maddie prit un air innocent.

— Vous avez subtilisé une boîte en métal dans le bureau de votre mari et ne m'en avez rien dit. Pourquoi ?

— Ah ! ça... J'avais oublié. Jane m'avait dit de rassembler tous les documents financiers que je pourrais trouver. Treva et moi on a pris cette boîte parce qu'on n'arrivait pas à l'ouvrir.

— Elle a effectivement agi sur mes conseils, renchérit Jane.

— Il me faut cette boîte, dit Henry.

Maddie hocha la tête.

— Passons aux comportements suspects.

Maddie songea à P.C. et elle tressaillit.

— Vous n'avez pas déclaré la disparition de votre mari à la police. Il a été tué dans la nuit de vendredi et on ne l'a pas trouvé avant lundi matin. Puis nous avons ici une Mme... Ivory Blanchard.

Maddie cligna des yeux.

— Qui ?

— Vous lui avez vendu tous les vêtements de votre mari. Ce qui pourrait amener certaines personnes à penser que vous saviez déjà qu'il ne reviendrait pas.

— C'est ce que j'espérais, dit Maddie.

Jane s'agita derrière elle.

— J'avais découvert des billets d'avion pour Rio, poursuivit Maddie. Je pensais qu'il était parti. Tout ça ne tient pas debout, Henry. Vous dites que j'ai tué mon mari, alors qu'il allait me quitter de toute façon. Et j'aurais eu l'idée saugrenue d'aller avec Brent à la Pointe pour lui braquer un revolver sur la tempe ?... Notre intimité n'allait pas jusque-là, vous savez.

— Ce qui m'amène justement aux moyens employés. Si Brent n'a pas réagi sous la menace, c'est qu'il avait été drogué avec ce que le médecin légiste appelle un analgésique de type générique. Or le Dr Walton vous en avait prescrit. D'après les déclarations du pharmacien de Revco, vous lui auriez demandé ce qui se passerait si on avalait six ou sept de ces pilules. Or le médecin légiste indique que Brent avait probablement avalé l'équivalent de sept cachets.

— J'ai posé cette question au pharmacien *après* qu'il les a avalés. Il les a pris par accident. Je sais que ça a l'air idiot, mais c'est comme ça.

— Shérif, commença Jane, mais Henry l'arrêta.

— Maddie, vous aviez le mobile, les moyens et l'occasion de le tuer.

Henry soupira. Il semblait très triste.

— Je vous aiderai à négocier un accord avec le juge. S'il y a un procès, on s'arrangera pour qu'il ait lieu à Frog

Point. Tout le monde vous aime, ici. On sait quel genre d'homme était Brent. La ville vous soutiendra.

Jane se leva.

— En voilà assez.

Elle se tourna vers Maddie.

— Tout ça n'est qu'un tissu de bêtises. Il n'a pas l'arme du crime. Il n'a pas le mobile parce qu'aucun des faits cités n'est concluant. Et il n'a pas l'occasion parce qu'il ne peut pas vous placer sur la scène du crime. En bref...

Elle se tourna vers Henry.

— Il n'a strictement rien.

— Je ne l'ai pas tué, Henry.

— Sans compter qu'elle ne l'a pas tué, reprit Jane. Messieurs, ravie de vous avoir rencontrés.

— Je crois que je vais renoncer au type de Columbus, lui dit P.C. un peu plus tard. Vous vous en tirez très bien.

— Détrompez-vous.

Jane se tourna vers Maddie.

— Prenez un avocat spécialiste du pénal, et vite. Il a un joli bouquet de présomptions. S'il tombe sur des preuves concrètes, vous êtes fichue. Ce shérif est loin d'être un imbécile.

Des preuves concrètes. Maddie songea au revolver dans le congélateur de Treva.

— Je ne l'ai pas tué, répéta-t-elle.

Dans le silence, sa voix rendait un son désespéré.

Le lendemain après-midi, Em se sentait courbatue et fatiguée. Elle avait des vertiges, tout son corps lui faisait mal. Elle avait trop chaud dans la robe en velours noir que grand-mère Helena lui avait achetée. Elle avait dit que ça s'arrangerait avec l'air conditionné, mais ce n'était pas vrai. Et puis Em ne supportait pas tous ces gens qui l'entouraient dans cette salle des pompes funèbres, où tout pesait des tonnes. Les rideaux, le tapis, les meubles et la grande boîte fermée dont elle ne voulait pas entendre parler. « Le cercueil », avait murmuré Mel avant que sa mère l'entraîne plus loin. Tout était lourd, sauf les petites chaises pliantes dont on se demandait ce qu'elles faisaient là. Les bruits étaient étouffés, les yeux d'Em la brûlaient, elle avait l'impression d'être une marionnette qu'on traînait partout. Elle avait tellement pleuré qu'elle s'était durcie à l'intérieur. Mais le chagrin ne partait pas. Le soir, elle allait se coucher et quand elle se réveillait elle avait toujours autant de peine. Même quand elle n'était pas tout à fait réveillée, elle savait que quelque chose d'horrible l'attendait. Et, quand elle finissait par ouvrir les yeux, un monstre assis au bord de son lit l'attendait pour la suivre comme une ombre. Et maintenant elle assistait à l'enterrement, l'enterrement de son papa, qui était allongé dans ce cercueil refermé par un couvercle. Elle ne pouvait même pas le voir, mais cela valait peut-être mieux, et les gens n'arrêtaient pas de la toucher en lui disant « Pauvre enfant », et elle avait envie de s'asseoir et de pleurer. Sauf que ça ne servirait à rien. Elle n'avait pas arrêté de pleurer pendant trois jours et ça n'avait rien arrangé. Mais elle ne voyait pas quoi faire d'autre. Et ce serait comme ça jusqu'à la fin de ses jours. Elle était tellement fatiguée qu'elle n'en pouvait plus, mais il fallait continuer parce que c'était l'enterrement de son père et que tout le monde la regardait.

Elle dodelina un peu de la tête et grand-mère Helena se pencha vers elle.

— Il faut être courageuse, Emily, lui murmura-t-elle.

Son parfum était tellement fort qu'Em eut envie de vomir.

— Il faut que tu sois un brave petit soldat pour ton papa.

Em eut envie de lever les yeux au ciel, mais grand-mère Martha lui avait bien dit que tout le monde la regarderait et qu'elle devait se comporter comme une dame. Em n'avait pas envie d'être une dame, mais ça valait quand même mieux qu'un brave petit soldat. Même son papa ne lui avait jamais demandé un truc pareil, c'était inimaginable, alors maintenant qu'il était mort, quelle importance ? Elle serra les dents. Elle voulait être Emily Faraday, avec un papa et une maman, même s'ils se disputaient, même s'ils ne se parlaient jamais. Mais c'était trop tard.

En tout cas, elle ne serait sûrement pas un brave petit soldat. Quand sa grand-mère se leva, elle lui échappa et se glissa derrière une rangée de personnes, loin d'elle.

Au fond de la pièce, un rayon de lumière éclairait une véranda. Une véranda dans une entreprise des pompes funèbres, c'était bizarre, mais les gens qui venaient ici avaient sans doute souvent envie de se sauver... Elle alla s'asseoir sur les marches. Phébé lui manquait. Et Mel qui était coincée entre son père et sa mère dans cette horrible salle. Mel qui avait encore son père, et qui regardait dans sa direction, les yeux rouges d'avoir pleuré pour elle, sa meilleure amie. Mel qui d'habitude ne pleurait jamais. Em avait mal à la tête, mal à la tête de s'empêcher de penser à son père et à ce qui allait leur arriver, à elle et à sa mère.

Elle se frottait les yeux quand P.C. arriva dans son beau costume et s'assit près d'elle sans même regarder si les marches étaient propres.

– Ça va ? demanda-t-il.

– Non. Mon papa est mort.

– Je sais... Quelle question idiote !

Elle hocha la tête. C'était un jour comme ça où les gens ne disaient que des bêtises parce qu'ils ne savaient pas quoi dire. Elle soupira et pardonna à sa grand-mère cette ridicule histoire de petit soldat.

– Je voulais simplement te demander si je pouvais

faire quelque chose pour toi, dit P.C. Je sais bien que je ne peux pas te ramener ton papa, mais...

— Non, merci, dit Em.

P.C. hocha la tête.

— Décidément, je ne suis pas très malin. Écoute...

Em leva la tête et vit qu'il fronçait les sourcils en regardant droit devant lui.

— C'est difficile à expliquer, mais je veux que tu saches que si tu as besoin de moi je serai toujours là. Je m'absenterai pendant la semaine mais je reviendrai le week-end. Et bientôt je viendrai vivre à Frog Point. Je serai là.

Em prit une profonde inspiration. *Tu ne seras jamais mon papa, je n'ai qu'un seul papa et c'est mon papa*. Mais ce serait méchant de lui dire ça et elle se sentait tellement fatiguée.

— Je sais bien que je ne suis pas ton papa et que je ne le serai jamais, reprit P.C. Et je sais combien tu souffres de savoir qu'il ne reviendra pas. Je n'ai pas l'intention de prendre sa place, ni de te faire croire que les choses vont s'arranger comme par enchantement.

Em hocha la tête; les larmes roulèrent sur ses joues.

— Mais je serai là.

Il se pencha pour la regarder droit dans les yeux.

— Tu peux compter sur moi. Si tu parviens à t'en tirer toute seule, parfait. Sinon, fais-moi signe.

Elle hocha encore la tête, en ravalant ses larmes.

— D'accord?... Et si tu as envie de pleurer ou de crier parce que tu es en colère, ne te gêne pas. Il n'y a personne pour nous regarder.

Elle s'affaissa doucement contre lui, renifla juste une fois, versa une ou deux larmes. Elle n'avait pas l'intention d'aller plus loin. Mais brusquement les larmes montèrent de son ventre. Elle enfouit sa figure dans la veste de P.C. et là pleura tout son soûl, laissant jaillir sa colère, sa peur, son désespoir. Et cela lui fit du bien de sangloter pendant qu'il la berçait et ne disait plus rien du tout.

Maddie vit Em sortir de la salle, le visage tellement froissé par la douleur qu'elle avait l'air d'une petite vieille. Elle vit que P.C. la suivait. Elle faillit les rejoindre et s'arrêta juste à temps. Il n'aurait plus manqué que ça. Tous les trois s'isolant le jour de l'enterrement. D'ailleurs tous les yeux étaient fixés sur elle, et cela depuis l'instant où les portes s'étaient ouvertes. Les gens avaient défilé devant elle, puis devant Norman et Helena, ils avaient présenté leurs condoléances à mi-voix tout en observant avec avidité les regards incendiaires qu'Helena adressait à sa belle-fille. Maddie demeurait aussi sereine que possible vu les circonstances. Elle s'en moquait. Seule sa fille lui importait. Elle laissait un peu de temps à P.C. pour consoler Em, et puis elle irait la récupérer.

— Cette femme, chuchota la mère de Maddie dix minutes plus tard, elle se donne en spectacle.

— C'est tout Helena, répliqua Maddie. Elle a toujours besoin de reporter la faute sur quelqu'un.

Sa mère lui jeta un regard de reproche, et Maddie se tut. Elle ne savait pas où placer un très bel arrangement floral d'iris jaunes et de marguerites qu'on venait de lui faire porter. Le bouquet était superbe et la carte était signée d'un B. Sa mère leva sur elle un regard interrogateur.

— Ce doit être Beth, chuchota Maddie. Tiens, mets-le avec les autres.

— Tu es folle ? On peut très bien le ranger dans un placard.

— Non. C'est l'enterrement de Brent. Et elle l'aimait plus que personne au monde. Ses fleurs ont leur place ici.

Sa mère s'exécuta, mais les fleurs lui restaient sur le cœur. Elles resplendissaient au milieu des lis et des chrysanthèmes. Seuls les éclairs dans les yeux d'Helena éclipsaient leur éclat.

Kristie aussi avait envoyé des fleurs, et signé sa carte d'une petite écriture nette et soignée qui n'avait rien à voir avec celle de la lettre. La femme qui attendait un enfant de Brent n'était donc certainement pas Kristie. Assaillie par la culpabilité, Maddie se montra particulièrement gentille avec elle. Kristie éclata en sanglots en disant : « Je suis tellement désolée », et elle alla s'asseoir toute seule au fond de la salle.

— J'ignorais qu'elle était aussi proche de Brent, dit la mère de Maddie.

— Il était très proche de beaucoup de femmes.

Martha Martindale adressa un regard de reproche à sa fille, qui ajouta :

— C'est une épreuve épouvantable, mais, une fois les condoléances, l'enterrement et la réception terminés, nous pourrons enfin nous reposer.

— Mais où est Emily ?

— Dehors avec P.C.

— Franchement, Madeline... dit sa mère en ébauchant un mouvement en direction de la porte.

Maddie la rattrapa par le bras.

— Laisse-les tranquilles.

Sa mère obtempéra d'un air scandalisé. Mais quand P.C. revint une demi-heure plus tard accompagné d'Em, pâle et les yeux rougis, la fillette avait retrouvé sa sérénité. Maddie adressa un regard plein de gratitude à P.C. Il lui sourit, un sourire si rassurant qu'elle faillit faire un pas vers lui. Sa mère lui donna un coup de coude et Maddie vit le visage d'Helena qui lançait à sa belle-fille un regard semblant dire qu'elle était une traînée flirtant pendant un enterrement.

Va-t'en, P.C., songea Maddie. Elle se sentait cernée. Même les gens qui la soutenaient lui portaient sur les nerfs. Elle se détourna pour chercher un instant de repos auprès de Treva.

— Bel enterrement, dit celle-ci quand Maddie eut trouvé une chaise près de la porte. La gargouille dans la robe en soie noire y apporte cependant une touche sinistre...

— Elle a perdu un fils. Imagine que Three soit mort.

— Ne m'en parle pas. Je ne pourrais pas le supporter.

Maddie le chercha du regard dans la foule et lui sourit. Three reçut le sourire et les rejoignit.

— Comment vas-tu, tante Maddie ?

Maddie fronça les sourcils.

— Tu n'as pas la même voix que d'habitude.

— Oui. C'est maman... Elle m'a dit de me tenir tranquille alors je n'ose plus parler. Je me fais peur à moi-même, à la fin.

— Arrête d'attirer l'attention sur toi, dit Treva, soudain nerveuse. Assieds-toi, on ne voit que toi.

Surprise, Maddie regarda Three. Il se comportait tout à fait bien. Pourquoi Treva le grondait-elle ? Three haussa les épaules et s'assit. Treva posa la main sur son bras.

— On va bientôt partir.

Il hocha la tête et se pencha en avant, les bras appuyés sur les genoux.

— Mel est avec Em, murmura-t-il. Ça a l'air d'aller. Em a cessé de pleurer.

Maddie regarda sa fille, puis revint à Three. La boucle de cheveux qui tombait sur son front le rajeunissait.

— Tu devrais les emmener...

Elle s'interrompit. Sa boucle de cheveux, sa voix, sa stature, le bas de son visage lui apparurent soudain comme les pièces d'un puzzle brusquement mis en place, composant une image horrible et familière. Et la raison de l'agitation de Treva lui sauta aux yeux.

— Tante Maddie ?

Les murs de la salle se mirent à tanguer. Maddie s'était

arrêtée de respirer. Elle regarda le fils de Brent et songea : *C'est Treva, pas Kristie qui a écrit la lettre que j'ai découverte dans la boîte. Treva, il y a vingt ans.* Son écriture avait changé mais pas son secret.

— Tante Maddie ? répéta Three.

— Pourquoi n'emmènes-tu pas les filles faire un tour dehors ? s'entendit-elle articuler d'une voix faible. Ici, il fait une chaleur épouvantable.

Three la regarda d'un air bizarre et il alla chercher sa sœur. *Ses* sœurs. Car Em avait un frère.

Treva lui avait menti pendant vingt ans. Elle avait couché avec Brent au temps du lycée — *ma meilleure amie* — et elle avait menti à Maddie, à Howie, à Three, à tout le monde.

Maddie considéra les gens autour d'elle, essayant de comprendre comment tout cela avait pu arriver. Comment avait-elle fait pour ne pas s'en rendre compte ? Three avait grandi sous son nez. Cela expliquait tout. Elle s'était habituée à son visage, qui ressemblait tellement à celui de Treva, mais aussi tellement à celui de Brent. Au cours de ces deux ou trois dernières années, Three avait grandi d'un seul coup. Pour la première fois aujourd'hui, elle le voyait en costume. Et elle avait remarqué sa boucle à cause de sa nouvelle coupe de cheveux. Il avait dû aller chez le coiffeur pour l'enterrement. L'enterrement de son père.

Aujourd'hui seulement elle apprenait la vérité.

Un court instant, elle souhaita n'avoir rien remarqué. Si seulement Treva ne s'était pas trahie, cela aurait pu durer toujours.

— Maddie, tu es sûre que ça va ? demanda Treva.

— Non, répondit-elle.

Et elle alla s'asseoir près de sa mère, qui parlait à Mary Alice Winterborn.

Treva, sa meilleure amie depuis toujours, celle à qui elle avait raconté sa vie dans les moindres détails... eh bien, cette Treva-là n'avait jamais existé. Leur relation reposait sur une trahison.

— Maddie, tu es sûre que ça va ? demanda Mary Alice.

— Non. Je viens de perdre quelqu'un que j'aimais infiniment. Il se pourrait que je ne sois plus jamais la même.

Maddie vit la sympathie succéder à l'incrédulité sur le visage de Mary Alice.

— Je suis désolée, Maddie, dit-elle d'un air affligé.

— Moi aussi, répondit Maddie, le regard fixe.

Puis Mary Alice se dirigea vers Helena.

— Tu as trouvé le ton juste, dit la mère de Maddie à sa fille. C'est comme ça qu'il faut se conduire à un enterrement.

Maddie regardait les fleurs. Quand elle se serait calmée, quand tout cela serait terminé, elle parlerait à Treva. Mais leur relation ne serait plus jamais la même. Treva avait couché avec Brent, donné naissance à son fils et pendant vingt ans elle avait gardé le silence. Tout d'ailleurs n'était que mensonges. Les discours qu'elle tenait à sa mère pour ne pas la contrarier, les raisons qui avaient amené P.C. à lui rendre visite, la vision qu'il avait d'elle... son bonheur n'avait tenu qu'à des mensonges. Maintenant qu'elle savait la vérité, plus rien n'avait d'importance à part Em.

Elle se raccrocherait à Em. Em serait sa vérité. Elle retournerait enseigner et, tout comme sa mère, elle se consacrerait à sa fille. À part la prison pour meurtre, elle n'envisageait aucune autre perspective. Treva, P.C... elle les avait rayés de sa vie, qui s'annonçait morne et tranquille, à l'abri dorénavant des traumatismes.

Au cours des deux semaines qui suivirent, Maddie s'occupa à remettre de l'ordre dans son existence et à prendre soin d'Emily. Em préparait sa rentrée scolaire, Em dressait son chien, Em pleurait avant de s'endormir, tout tournait autour d'Em et Maddie abrégeait ses coups de fil avec sa mère, agacée par des commérages qui n'étaient qu'un tas de mensonges et dont elle se moquait éperdument. D'abord, sa mère se vexa, puis elle s'excusa, enfin elle se fit du souci. Renfermée en elle-même, Maddie n'opposait que des banalités et des propos stéréotypés à toute tentative d'intrusion dans sa relation avec Em. Ne pas se tromper dans l'achat de ses fournitures scolaires et de ses vêtements était devenu primordial. Maddie se souvenait combien elle-même avait souffert au temps de l'école, quand sa mère avait insisté pour qu'elle porte des chaussures Mary Jane alors que tout le monde portait des Keds. Avec ses chaussures vernies à bride, elle symbolisait un milieu aisé. En bas de l'échelle sociale il y avait-Candace et Stan, chaussés de vieilles sandales en cuir et d'anciennes Buster Browns. Entre les deux extrêmes se tenait Treva, dotée de toute une collection de Keds qu'elle avait décorées avec des décalcomanies et des inscriptions au feutre. Treva dansait dans les couloirs tandis que Maddie traînait les pieds derrière elle dans ses chaussures de petite fille sage. Em ne traînerait les pieds derrière personne. Et Maddie raccrochait au nez de sa mère, et préparait d'interminables listes d'achats avec Em.

Henry vint lui rendre visite le lendemain de l'enterrement. Il gara sa voiture devant la porte tandis que Leona Crosby s'abîmait les yeux à les espionner depuis sa véranda.

— Je t'ai amené les affaires de Brent, annonça-t-il à Maddie.

— Je n'en veux pas.

Il soupira.

— Il y a là des choses de valeur, Maddie, et beaucoup d'argent. Plus une lettre. Tu devrais la lire.

Elle le laissa entrer et le regarda aligner les affaires de Brent : la montre, l'alliance, la chevalière, le portefeuille, toute une série d'objets divers et variés. Il est vrai qu'il avait l'intention de quitter la ville pour toujours. Ses vêtements étaient pliés dans un sac de sport gris où on avait également trouvé une lettre timbrée qui était adressée à Maddie. Henry la lui tendit.

— Il avait l'intention de la poster avant de partir. On aimerait que tu y jettes un coup d'œil.

L'enveloppe avait déjà été déchirée.

— Alors comme ça on ouvre mon courrier, hein ?

La lettre était à l'en-tête de *Basset et Faraday Constructions*, et Maddie la lut avec un trouble grandissant.

Chère Maddie,

Il faut que tu lises ce message jusqu'au bout. Ainsi tu comprendras que je n'ai jamais eu l'intention de te quitter. Je pars. Si je reste à Frog Point, je vais devenir cinglé. J'emmène Em avec moi. Nous t'attendrons au Brésil. Je sais que tu viendras rejoindre Em, ce qui me donnera l'occasion de tout t'expliquer de vive voix. Ne t'inquiète pas, je sais très bien ce que je fais.

Les gens raconteront que j'ai volé de l'argent mais c'est faux. Je laisse l'entreprise à Howie, ce qui est une bonne affaire pour lui. J'ai vendu ma part à Stan. Il ne te reste plus qu'à vendre la tienne à Howie et tout sera réglé. D'autres personnes prétendront que je ne t'aime pas, mais il ne faut pas les écouter. J'ai juste couché une fois avec Gloria et après je n'arrivais plus à m'en débarrasser. Une fois au soleil, tout ira bien. Em va adorer sa nouvelle vie. Tu sais aussi bien que moi combien elle apprécie le changement. Toi aussi, tu t'habitueras, j'en suis sûr. Il faut également que tu vendes la maison. La période est favorable et tu devrais en tirer un bon prix.

Il nous manque une seule chose pour être heureux : quitter Frog Point. Ce moment est enfin arrivé. Ce sera formidable.

Je t'aime.

Brent.

— Em déteste le changement, murmura Maddie en repliant la lettre. Il avait vraiment perdu la tête.

— Qu'est-ce que c'est que cette histoire avec Gloria ? demanda Henry.

— Je pensais bien qu'il couchait avec elle, mais je n'avais pas de preuves. Cette lettre est absurde. C'est quoi, cette histoire d'argent volé à l'entreprise ?

Henry parut mal à l'aise.

— Il aurait surévalué les devis de certaines maisons et empoché la différence. P.C. et Howie sont en train d'essayer de mettre de l'ordre dans les comptes. Il aurait escroqué Dottie Wylie de quarante mille dollars.

— L'argent dans le sac de golf ?...

— Va savoir.

Henry se leva.

— En tout cas, il semblerait qu'il ait agi seul.

— Impossible. Il était incapable d'équilibrer nos dépenses et c'est moi qui m'occupais de la déclaration d'impôts. Où aurait-il appris à truquer une comptabilité ?

— L'appât du gain est une puissante motivation, répliqua Henry.

Après son départ, Maddie se dit que même l'appât du gain n'aurait pu enseigner les mathématiques à Brent... Elle était certaine qu'on l'avait aidé. Puis Em la rejoignit, demandant pourquoi Henry était venu, et Maddie revint à sa préoccupation majeure, qui était de protéger Em de toute contrariété.

Treva, quant à elle, l'avait appelée pour lui raconter que sa mère avait volé dans les plumes d'Helena devant la banque.

— Helena clame dans toute la ville que c'est toi qui as tué Brent. Quelle sorcière !

— Personne ne la prend au sérieux, avait répliqué Maddie d'un ton sec.

— À part ta mère. Elle l'a coincée devant la porte de la banque et s'est écriée : « On m'a rapporté que vous répandiez des rumeurs abominables sur Madeline. Des sentiments aussi peu chrétiens vous déshonorent, Helena. »

— Devant la banque ? Sur Main Street ?

— C'était superbe ! Helena a reculé et s'est enfuie. Ta mère a laissé entendre que si Helena ne se calmait pas elle laisserait filtrer quelques révélations sur Brent. D'après Irma, elle était sur le point de perdre son sang-froid.

— Comme si je n'avais pas assez d'ennuis. Ma mère piquant une crise de nerfs dans Main Street ! Que vont penser les gens ?

— J'ai trouvé ça formidable et Irma aussi. Tu vas mieux, toi ?

— Non, répliqua Maddie. *Ton amitié est un mensonge*. Il faut que j'y aille. Em est toujours sous le choc.

— Bien sûr, dit Treva d'une voix hésitante. Écoute, si tu veux entreposer des plats cuisinés chez moi, j'ai encore de la place dans mon congélateur. Il pourrait contenir le ravitaillement pour un régiment... Tu veux que je passe te voir ?

— Non, tu es gentille. Merci de ton appel.

Vu les circonstances, six plats cuisinés et un revolver suffisaient largement. Elle raccrocha avant que Treva ait eu le temps de prendre congé.

Au terme de quelques conversations du même genre, Treva renonça à appeler, pour le plus grand soulagement de Maddie. Après l'enterrement celle-ci avait déchiré la lettre où Treva annonçait sa grossesse, mais elle ne parvenait pas à lui pardonner sa trahison. Elle reparlerait à Treva, bien sûr, mais pas maintenant. Elle aurait fondu en larmes en disant : « Comment as-tu pu me faire ça ? » et autres niaiseries du même genre, ce qui n'arrangerait rien.

Cependant, P.C., lui, allait se montrer beaucoup plus obstiné au sujet de Maddie.

Chapitre 15

Il l'appela le samedi qui suivit l'enterrement.

— Il va bien falloir que tu me parles un jour. Si tu raccroches, je rappelle.

— P.C., je t'ai déjà dit que je ne voulais pas te voir, répliqua Maddie, tellement épuisée de jouer le rôle qu'elle s'imposait qu'elle en aurait crié. Ma mère fait des crises de nerfs sur Main Street pour défendre ma réputation. Le moins que je puisse faire est de lui donner quelque chose à défendre.

— Oui, j'ai eu vent de sa confrontation avec Helena... Je lui ai dit que, pour le prochain duel, je lui servirais de témoin.

— Hein ?

— J'ai déjeuné avec ta mère. C'est une femme charmante. Elle se fait du souci pour toi, tu sais. Elle dit que tu refuses de parler à qui que ce soit.

— Je reprends mes cours lundi. Je suis très occupée.

— Treva aussi. Ce qui ne l'empêche pas de mener une vie sociale. À ce propos, elle prétend que tu ne lui parles plus. Qu'est-ce qui ne va pas ?

— Rien, pourquoi ? Ton oncle pense que j'ai tué mon mari et il passe son temps à poser des questions dans toute la ville pour bien s'assurer que les gens partagent ses convictions. Et ma fille a l'air d'une petite vieille parce qu'elle n'arrive pas à se remettre de la mort de son père. Et tout le monde veut discuter avec moi, ce qui est au-dessus de mes forces vu que c'est moi qui suis au centre de tous les commérages. Alors, salut.

Elle raccrocha... pour décrocher quelques secondes plus tard.

— D'accord, tu ne veux pas me parler, dit P.C. Mais peut-être que ta fille n'est pas du même avis que toi. Passe-la-moi.

— Non.

— Je continuerai d'appeler jusqu'à ce qu'elle réponde. Tu ferais mieux de me la passer.

Em se tenait dans l'embrasure de la porte. Maddie posa la main sur l'écouteur.

— C'est P.C. Tu n'es pas obligée de le prendre.

Sans un mot, Em se saisit du combiné et tira sur le fil pour aller s'asseoir sur les marches.

— C'est moi, l'entendit dire Maddie.

Puis Em baissa la voix et discuta pendant une demi-heure avec P.C.

Il appela ensuite chaque jour. Maddie commençait par raccrocher mais il rappelait, et Em arrachait l'écouteur à sa mère. Maddie renonça à s'interposer. Si ça leur faisait plaisir, tant mieux. Elle approuvait tout ce qui pouvait venir en aide à Em, P.C. inclus.

Le dimanche, sa mère arriva, discrète et prévenante. Elle devait garder Em pendant que Maddie allait voir sa grand-mère.

— Je suis au courant, dit Mamie quand Maddie entra dans sa chambre. Ferme bien la porte.

Maddie s'exécuta et alla s'asseoir près d'elle.

— C'est trop sombre là-dedans, se plaignit la vieille dame.

Maddie se leva et entrouvrit les rideaux.

— Et maintenant, dis-moi comment tu t'y es prise.

— Pardon ?

Maddie s'effondra sur une chaise près du lit.

— Comment as-tu assassiné ce salopard ?

Mamie se pencha en avant.

— On m'a raconté que tu avais utilisé des pilules. Tout comme moi. Tu m'as apporté les chocolats ?

Maddie, qui avait la main sur la boîte de chocolats, s'immobilisa en entendant « Tout comme moi », mais elle alla mécaniquement au bout de son geste et tendit le coffret doré à sa grand-mère.

— Je ne l'ai pas tué.

— Tu parles à ta grand-mère, Madeline.

La vieille dame tira sur le ruban rouge et agrippa le couvercle.

— J'ai également entendu dire que tu lui avais tiré dessus. Où est la vérité ?

Elle mordit à belles dents dans une tortue au chocolat au lait.

— Je ne l'ai pas tué, répéta Maddie. Comment va Mickey ?

— Bien. Il continue d'exhiber sa quéquette.

Elle cracha une noisette.

— Arrête de tergiverser et raconte-moi tout.

— Personne ne me croit, mais je ne suis pour rien dans ce qui est arrivé à Brent.

Mamie jeta à sa petite-fille un coup d'œil méprisant.

— Petite nature.

— Mamie... nous savons tous que tu aimes attirer l'attention sur toi, mais ce n'est pas la bonne façon de s'y prendre, je t'assure.

— Écoute-moi bien, tête de linotte. J'ai tué Buck, mon premier mari. Tout le monde ici est au courant.

Elle savoura un morceau de tortue et expulsa une

nouvelle noisette. Maddie baissa les bras. Le jury de son procès ne serait pas sélectionné à la maison de retraite, alors quelle importance ?

— Super. Tu as tué ton premier mari. Félicitations.

— Et elle se croit intelligente !

La vieille dame reposa la tortue à moitié rongée et attaqua une sardine.

— Mais j'ai été plus fine que toi. Je ne l'ai même pas fait exprès.

Elle s'arrêta de mâcher un instant et regarda au loin.

— Enfin, je ne le pense pas.

— Mamie...

— Il me battait. Comme le tien.

Elle fronça les sourcils et goûta la pâte d'amandes.

— J'étais régulièrement défigurée. Quand il m'a cassé le nez, le docteur a fait des miracles pour le remettre en place. Et puis il m'a demandé comment c'était arrivé et je lui ai dit que Buck me tapait dessus. Alors il m'a prescrit des calmants.

Maddie ouvrit de grands yeux.

— À toi et pas à Buck ?

Sa grand-mère hocha la tête.

— Oui. Comme ça, je ne lui porterais plus sur les nerfs.

Elle sourit.

— Mais je ne pouvais plus le supporter, alors j'ai commencé à en mettre dans sa bière quand il rentrait à la maison. Deux bières et il s'endormait comme un bébé. Il me fichait une paix royale.

Maddie hocha la tête, fascinée.

— Et puis un beau jour, poursuivit Mamie qui retournait tous les chocolats sans parvenir à se décider, ton grand-père m'a appelée du garage. Il m'a annoncé que Buck s'était fait virer à cause d'une bagarre et qu'il rentrait fou furieux à la maison.

— Grand-père t'a appelée ? s'étonna Maddie. Tu le connaissais déjà ?

— Ne m'interromps pas.

Elle goba un escargot.

— J'en ai donc mis deux dans sa bière mais il m'a frappée avant d'y avoir touché. Le temps qu'il l'avale, j'avais déjà mis deux cachets dans la suivante. Tu comprends, je tenais à mon nez. Alors il s'est assis et s'est endormi en écoutant la radio. Il ne s'est jamais réveillé.

La vieille dame sourit.

— J'étais pas censée savoir que cet abruti avait des problèmes cardiaques !

Génial. Le meurtre conjugal était dans les gènes de la famille.

— En voilà une histoire ! dit bêtement Maddie dans une vaine tentative de limiter les dégâts.

— C'est la vérité ! Tout le monde avait bien compris ce qui s'était passé mais le shérif a déclaré aux journalistes qu'il s'agissait d'une crise cardiaque. Et c'est ce qu'ils ont publié dans leurs articles.

— Mais pourquoi ? Je ne comprends pas.

— Cette ville vient en aide à ceux qui se prennent en charge, dit Mamie d'une voix mesurée que Maddie ne lui avait jamais entendue auparavant. Quand Buck m'a frappée, j'ai estimé que ça ne valait pas la peine d'embêter les gens avec mes histoires. Et comme ensuite ça ne faisait qu'empirer, j'ai pris des mesures et la ville s'est occupée de moi. Elle te protégera toi aussi. À l'époque, c'est Reuben Henley qui s'en est chargé, et son fils agira de même. J'en suis sûre.

— Sa protection, il peut se la garder. Je veux qu'il découvre le vrai coupable et que les gens apprennent la vérité.

Mamie secoua la tête.

— La vérité, ce sont les contrats que tu passes avec

cette ville. Et il faut bien reconnaître que tu as toujours honoré les tiens, Maddie. Tu n'as aucune imagination et aucun flair, mais tu as été une bonne épouse, une bonne mère, une bonne fille, et un bon professeur pour les enfants de Frog Point. Ils s'en souviendront.

Maddie baissa la tête, consternée. Sa grand-mère avait raison. Frog Point était bien capable de la faire acquitter si elle était accusée de meurtre.

— Cela ne me suffit pas. Je ne peux pas laisser croire à Emily que j'ai tué son père. Et je ne peux pas faire ça à ma mère.

La vieille dame se redressa dans son lit et pointa un doigt en direction de Maddie.

— Le plus important c'est de survivre, rappelle-toi bien ça, Madeline. On naît et on meurt seul. Entre les deux, on passe des accords. Respecte ton contrat. Emily et ta mère s'en tireront toujours.

Et elle se renversa sur ses oreillers, brandissant la tortue estropiée.

— Je dois partir, dit brusquement Maddie. Excuse-moi, mais il faut que je retourne auprès d'Em.

— Assieds-toi. Et parle-moi de cet homme qui a passé la nuit chez toi.

— Impossible.

Maddie battit en retraite vers la porte.

— Em m'attend.

Mamie s'arrêta de mâcher.

— Tu veux finir comme ta mère, c'est ça ? Barricadée avec ta fille dans ta petite maison pendant que ce pauvre type poireaute dehors ! Quelle bande de poules mouillées j'ai mise au monde !

Elle toisa Maddie.

— Je n'ai jamais été une trouillarde comme vous autres. J'ai pris des amants sans me préoccuper de l'opinion des gens. Et regarde un peu le résultat : du sang de navet !

Maddie fronça les sourcils.

— Mais il n'y a jamais eu d'homme dans la vie de ma mère.

— Tu oublies le propriétaire du bowling.

La vieille dame renifla.

— C'était pas mal, je suppose. En tout cas mieux que rien. Mais non ! pas pour ta mère. Elle prétend avoir passé sa vie à essayer de faire oublier ma conduite. Elle ne voulait pas que tu traverses les mêmes épreuves.

En cet instant, le visage de Mamie exprima une grande douleur. Puis elle reprit son masque habituel.

— Elle se conduit comme si je lui faisais honte. J'ai pourtant été une mère très dévouée.

Elle épia Maddie sous ses lourdes paupières.

— Le seul péché, c'est d'avoir peur de la vie. Qui voudrait mener l'existence de ta mère, je te le demande un peu ?

— Elle n'est pas malheureuse, protesta Maddie. On lui fiche la paix, personne ne lui ment et on ne parle jamais d'elle en mal.

Sa grand-mère poussa un grognement méprisant.

— Personne ne lui fait l'amour, personne ne la fait rire et on se demande bien ce qu'elle est venue faire sur terre.

Elle redressa le menton.

— J'ai connu huit hommes et je ne le regrette pas. La ville en a fait des gorges chaudes et moi je m'en fichais éperdument.

— Tu as trompé grand-père ? demanda Maddie, horrifiée.

— J'allais me gêner ! Il a couché avec moi quand j'étais mariée à Buck, donc il savait à quoi s'en tenir.

Elle éclata de rire.

— Au moins, je vivais la passion. Ma respectable fille

ne peut pas en dire autant. Ah ! vous êtes jolies, toutes les deux.

— Je ne te crois pas, s'exclama Maddie.

— Scott, dit soudain la vieille dame. Il s'appelait Sam Scott, si ma mémoire est bonne.

Sam Scott... C'était lui qui était sorti sur le parking du bowling la nuit où Maddie cherchait Brent. « J'ai reconnu la voiture de votre mère », avait-il dit. Peut-être la suivait-il de loin depuis trente ans ? Sa mère avait-elle renoncé à lui ? Maddie infligerait-elle le même traitement à P.C. ? C'était une pensée abominable. Il fallait qu'elle sorte d'ici, qu'elle s'éloigne de sa grand-mère, qui ne cessait de mentir. Sa mère lui avait toujours dit que c'était une menteuse.

Elle se détourna, ignorant les ronchonnements de Mamie, puis s'arrêta en se rappelant le collier qu'elle lui avait apporté.

— Tu veux ce collier ?

Elle le sortit de son sac et le lui tendit.

— Que veux-tu que je fasse de cette saloperie ?

Mamie repoussa la boîte de chocolats et jeta à sa petite-fille un regard mauvais.

— Tu me prends pour qui ? Une infirme ? Je n'ai pas besoin de ta verroterie. Assieds-toi et parle-moi de cet homme que tu fréquentes.

— Mamie, je suis désolée mais c'est impossible.

Maddie glissa le collier dans la poche de son jean.

— Em est très choquée et...

— Ne t'en va pas, gémit sa grand-mère. Je ne serai plus avec vous bien longtemps.

— Au revoir, Mamie.

Elle ouvrit la porte et la boîte de chocolats vola avant qu'elle l'ait refermée.

Elle partit sans se retourner. Une fois chez elle, elle faillit interroger sa mère sur Sam Scott. Mais « As-tu couché avec Sam Scott ? » lui semblait une question incongrue... Cela lui vaudrait certainement une nouvelle leçon sur la mythomanie de Mamie. Maddie avait assez de problèmes comme ça. Elle prit donc place à la table du living pour le dîner du dimanche cuisiné par sa mère et se montra d'une politesse distante. Sa mère ne s'attarda pas. Puis Maddie passa la semaine suivante entre le lycée et la maison. C'était une vie assez austère, mais pas désagréable, et elle estima qu'elle pouvait très bien s'en contenter. De toute façon, les gens la blessaient et elle ne supportait plus la douleur.

Donc elle souriait... et endurait sa solitude.

Chapitre 16

Les deux semaines qui suivirent l'enterrement de Brent furent difficiles pour P.C.

Le pire à son point de vue était que Maddie refusait de communiquer avec qui que ce soit. Sa mère semblait inquiète mais, quand il avait déjeuné avec elle, elle n'avait pas souhaité discuter des problèmes de sa fille. S'il avait eu, lui, un enfant muré dans le silence, il aurait alerté la terre entière. Mais Martha Martindale était du genre à ne pas faire de vagues.

— Je vous suis reconnaissante de garder vos distances avec Madeline, lui avait-elle dit. Après un enterrement, les gens ne peuvent pas s'empêcher de faire des commentaires.

Il aurait voulu lui faire remarquer que le problème était justement l'absence de tout commentaire, surtout de la part de Maddie. Mais Martha était une femme obstinée et, comme il avait entendu parler de son affrontement avec Helena devant la banque, il n'insista pas. Qu'elle agisse selon ses principes.

Lui procédait différemment.

Pour commencer, il alla trouver Treva et Howie, ce qui ne l'avança guère.

— Salut, dit Howie quand P.C. s'arrêta devant le

garage des Basset, où il était justement en train de travailler. J'allais t'appeler. Tu es toujours d'accord pour faire construire cette maison ?

— Bien sûr, dit P.C. en descendant de voiture. Je signe les papiers pour le prêt à la fin du mois. Candace s'occupe des formalités. Pourquoi voudrais-tu que j'annule mon projet ?

— Eh bien, j'ai pensé que comme toi et Maddie ne sortiez plus ensemble...

— Nous préférons prendre un peu de recul pendant quelque temps... Comment va Treva ?

— Ça va, répondit Howie qui n'avait pas l'air convaincu. Elle est à la maison.

— Ça tombe bien, j'ai une ou deux choses à lui demander.

Howie hocha la tête. P.C. alla frapper à la porte de derrière et entra sans attendre qu'on l'y autorise.

Treva était penchée sur la cuisinière et avec la vapeur ses cheveux naturellement frisés faisaient comme un halo autour de son visage de chat.

— Ça sent bon... Poulet au cidre ? demanda P.C.

Elle sursauta et laissa tomber sa cuillère dans la cocotte.

— Dieu du ciel, P.C. Tu m'as fait une peur bleue.

Elle jeta un coup d'œil dans son récipient.

— Et maintenant il va falloir que j'aille repêcher ce truc.

— Je vais t'aider.

P.C. s'empara d'un couteau.

— Non, pas ça.

Elle alla chercher une écumoire dans un tiroir et la lui tendit.

— Tiens, ça va t'occuper.

— Quoi de neuf ? demanda-t-il en écumant le bouillon. Tu vas bien ?

— Très bien, répondit Treva, l'air méfiant. Pourquoi ?

P.C. coinça la cuillère et la ramena à la surface.

— Je me demandais si tu avais parlé à Mad.

— Je ne l'ai pas beaucoup vue ces temps-ci.

Treva s'empara de la cuillère.

— Aïe, ça brûle !

— Tu m'étonnes.

P.C. goûta le bouillon.

— Pas mal. Je ne connaissais pas tes talents de cuisinière.

— Tu n'as qu'à prendre ce poulet pour Anna, dit Treva en se détournant de la cocotte. J'en ai déjà deux en réserve.

— Offrir un plat cuisiné à Anna, c'est comme offrir des chaussures à un cordonnier. Insultant et inutile. Comment se fait-il que tu ne voies plus Mad ?

Treva agita le couvercle qu'elle tenait à la main.

— Parce qu'elle refuse de me parler. Je suppose qu'elle a besoin d'un peu de temps pour se remettre. Et donc je ne pose pas de questions.

P.C. croisa son regard, qui disait « N'insiste pas ».

Mais elle lui semblait malheureuse, furieuse et culpabilisée. Il se demanda s'il devait la pousser dans ses retranchements. Non, il avait déjà suffisamment de problèmes avec Em et Maddie, et puis, s'il se hasardait à ce genre d'interrogatoire, Howie risquerait de ne pas apprécier.

— Je n'ai pas plus de succès avec elle que toi, confia-t-il. Et je commence à me faire du souci.

— Elle s'en sortira, dit Treva. Maddie Martindale s'en sort toujours.

Découragé, P.C. abandonna la partie et rentra chez lui.

— Tu ne peux pas croire à sa culpabilité, Henry, répéta-t-il, une fois encore après le dîner.

Et Henry, qui essayait en vain de lire son journal, finit par s'écrier :

— Oui, j'ai des doutes. Je m'emploie à les dissiper. Mais Maddie n'est pas sortie de l'auberge.

— Bon... Mais tu as des doutes.

— Il me manque l'arme du crime. Sans compter qu'il y a des gens qui pourraient bien me raconter des salades.

Henry reprit sa lecture. P.C. se retint de lui arracher son journal. Ce serait un geste maladroit.

— Comment t'y prends-tu pour poursuivre ton enquête ?

— J'attends.

— Henry...

Henry reposa son journal.

— Les suspects sont tous bloqués ici, P.C. Je les observe. Quelqu'un finira bien par faire un faux pas. Et si c'est Maddie elle s'en tirera très bien parce que tout le monde saura qu'elle y aura été poussée. Son procès se déroulera ici, elle aura une condamnation très légère, et nous nous occuperons d'elle et de sa petite fille. Il est donc inutile de te faire du souci.

Il voulut reprendre son journal mais P.C. l'en empêcha.

— Henry, dit-il à son oncle, qui commençait à s'impatienter, ce n'est pas ton genre d'envoyer une femme innocente en prison.

— P.C., ôte tes sales pattes de mon journal.

P.C. s'exécuta à regret.

Mais pour le reste il refusait de lâcher prise. Chaque jour, il appelait Maddie, d'abord pour entendre le son de sa voix, ensuite pour parler avec Em et lui demander comment ça se passait à l'école. (« Très bien », répondait-elle, mais le ton de sa voix disait « Très mal ».) Ils parlaient de Phébé, parfois P.C. parvenait à la faire rire, et toujours il lui recommandait de bien prendre soin de sa mère.

— Tu viens plus nous voir ? demanda Em vers la fin de la première semaine.

— Pas pour le moment, ma chérie, dit-il la gorge serrée, mais je t'appellerai tous les jours.

Il se montrait patient. Il comprenait que Maddie avait besoin d'un peu de temps pour récupérer, mais il y avait des limites. Tôt ou tard, elle devrait bien l'affronter, ne serait-ce que pour lui permettre de voir Em.

Ces deux semaines après l'enterrement furent une épreuve aussi pour Em. Parfois elle rêvait de son papa, il semblait si réel qu'elle aurait pu le toucher, et elle avait l'impression que l'enterrement n'avait été qu'un rêve. Puis la mémoire lui revenait et elle pleurait. Il lui arrivait de se réveiller avec un poids sur la poitrine et alors c'était pire, parce qu'elle n'avait même pas eu le loisir d'oublier l'affreuse réalité. Certains jours, elle restait étendue sur son lit, et elle se demandait pourquoi elle et sa mère prenaient la peine de se lever. Il ne se passait rien et il n'y avait rien à faire. Elle ne parlait même pas à Mel parce que Mel faisait de terribles efforts pour se montrer gentille et, du coup, elles n'arrivaient plus à discuter. Et ça ne servait à rien de parler à sa mère parce qu'elle n'arrêtait pas de mentir. Elle disait à Em que tout allait s'arranger, mais c'était de pis en pis. Elle avait une mine affreuse et, si Em lui demandait ce qui n'allait pas, elle répondait que tout allait bien alors qu'Em savait que c'était faux.

L'école aussi était un mensonge. Tout le monde — les élèves, les instituteurs — jouait la comédie et prenait l'air désolé, et ses camarades la regardaient comme si elle sortait d'un zoo. Elle ne s'occupait pas d'eux. Elle n'avait que Mel. Mais jeudi après le déjeuner elle avait refusé de lui parler. Elles étaient en train d'ouvrir leurs bouteilles de lait quand Mel avait déclaré :

— Il paraît que ton papa a été tué avec un revolver.

Em avait déjà entendu cette histoire. La première fois, elle avait failli vomir. Là, elle avait simplement dit :

— C'est un mensonge.

Et elle était partie. Mel avait crié : « Je suis désolée », mais Em ne s'était pas retournée, et le vendredi elle avait préféré rester seule. Elle ne parlerait plus à personne. Dans l'après-midi, comme Em avait oublié de faire son devoir de mathématiques, son institutrice avait dit : « C'est pas grave, Em. » Et Em s'était retenue de hurler : « J'ai oublié de le faire, c'est pas parce que mon papa est mort, ça a rien à voir. » Ils auraient pensé qu'elle était folle.

Sauf que maintenant elle n'en pouvait plus.

Quand elle descendit du bus et entra chez elle, tout était silencieux. Phébé courut à sa rencontre. Elle sortit avec le chien et, cinq minutes plus tard, elle voyait sa maman arriver dans l'allée au volant de la voiture que P.C. avait louée pour elle. Sa maman sortit de la voiture; elle avait l'air vieille. Quand elle vit Em, elle agita la main et elle sourit, mais c'était un sourire affreux. Personne ne pouvait croire à un sourire pareil.

Em attendit que Maddie ouvre la porte, puis elle alla s'asseoir avec Phébé à la table de la cuisine et croisa les mains pour les empêcher de trembler.

— Il faut que je te parle.

Sa mère la regarda comme si elle n'était pas sûre de la reconnaître.

— Oui, ma puce ?

— Voilà, lança-t-elle d'une voix forte pour se donner du courage. Mel dit que papa a été tué avec un revolver.

Maddie s'assit et ferma les yeux.

— Em, je t'ai déjà expliqué que c'était un accident.

— Je veux savoir la vérité, insista Em d'une voix hargneuse.

— Quelqu'un a tiré sur ton père par accident.

Sa mère évitait son regard.

Em eut la nausée. *Encore un mensonge.*

— Il n'a pas souffert du tout. Il n'a rien senti. Je ne te l'ai pas dit parce que je ne voulais pas te faire de peine. N'y pense plus.

Encore un mensonge. Em se sentit tellement furieuse que ça l'effraya. Si elle était fâchée avec sa mère, si elle ne supportait même pas sa mère, qui s'occuperait d'elle ? Mais sa mère mentait et c'était mal. Elle avait envie de hurler *Dis-moi la vérité* mais elle n'y arrivait pas. Alors elle demanda :

— C'est qui qui a fait ça ?

— Personne ne le sait.

Sa mère avait l'air fatigué, mais cette fois-ci elle disait la vérité.

— Le shérif Henry mène son enquête. Il travaille très dur.

Elle leva les yeux sur Em. La fillette était décomposée.

— Nous ignorons qui l'a tué, Em.

— Tu me caches des choses.

Sa mère parut effrayée et secoua la tête.

— Excuse-moi, ma chérie, mais je suis complètement perdue.

— D'accord, répliqua Em en se levant.

Elle savait qu'elle aurait dû aller l'embrasser, mais elle ne s'en sentait pas capable.

Elle sortit de la cuisine très en colère, Phébé sur les talons.

Il était quatre heures quand Maddie s'aperçut de la disparition de sa fille. Elle l'appela pour lui demander ce qu'elle voulait pour dîner. Pas de réponse, et pas de trace de Phébé non plus. Elle alla dans le jardin et s'aperçut que le vélo d'Em avait disparu.

Pas de panique, se dit-elle. Elle fouilla rapidement la maison, ce qui était ridicule puisque le vélo n'était plus là, puis resta debout dans le jardin, essayant de se convaincre que ce n'était pas grave.

Qui prévenir ? Faut-il appeler la police ? Em s'était peut-être rendue chez sa grand-mère ou chez Mel, à moins que...

— Maddie, tu es sûre que ça va ?

Maddie aperçut Gloria qui la fixait de son regard de myope.

— As-tu vu Em ? Elle était là il y a une minute.

Gloria longea la clôture pour se rapprocher de Maddie.

— Non, je ne l'ai pas vue. Elle a disparu ?

Maddie eut un geste de la main pour se débarrasser de la présence de Gloria.

— Bien sûr que non. Elle est simplement partie sans me prévenir. Elle va m'entendre.

— Elle a peut-être été kidnappée. Au journal télévisé, on annonce régulièrement des disparitions d'enfants.

Exaspérée, Maddie haussa les épaules en ouvrant la porte à claire-voie, qui se referma derrière elle.

Em n'avait pas été enlevée. Elle était probablement chez Mel.

Elle décida d'appeler Treva.

— Treva ?

— Que se passe-t-il ? demanda Treva au téléphone. Pourquoi miaules-tu comme ça ?

— Tu as vu Em ?

— Em ?... Mel, tu as vu Em ? demanda Treva à sa fille.

Maddie tendit l'oreille pour essayer d'entendre la réponse.

— Elle ne l'a pas vue, dit Treva. Elle dit qu'Em ne parle plus à personne à l'école. Mel a essayé de discuter avec elle, mais elle tourne aussitôt les talons.

— Ah... Alors elle est probablement allée chez ma mère. Ne t'inquiète pas.

— Si tu ne la trouves pas, nous partirons à sa recherche. Nous avons ici trois voitures pour patrouiller en ville. Tiens-moi au courant.

— D'accord.

Maddie raccrocha. La tête lui tournait.

Sa mère ne lui fut d'aucune aide.

— Où est-elle ? Jésus Marie, Maddie, où cette enfant a-t-elle pu s'enfuir ? Pourquoi est-elle partie ? Que lui as-tu fait ?

— Maman !

Maddie fit appel au peu de sang-froid qui lui restait.

— Tu ne m'aides pas beaucoup... Elle est probablement allée promener Phébé. Je vais la chercher. Reste chez toi pour le cas où elle passerait te rendre visite.

— Je vais appeler Henry Henley, répliqua sa mère, affolée. Il faut qu'on retrouve cette enfant.

Maddie lui raccrocha au nez. Où Em avait-elle pu aller ? Sûrement pas à l'école, elle y avait été malheureuse toute la semaine. Peut-être à Revco. Ou à la banque pour jouer de nouveau avec les tampons. Ou...

Maddie attrapa son sac, grimpa dans sa voiture et se dirigea vers le centre-ville, roulant au pas pour inspecter toutes les petites rues perpendiculaires. Em n'était pas à Revco, mais Maddie y rencontra Sheila. Quand celle-ci entendit Maddie demander à Susan à la caisse du supermarché si Em était passée par là, elle promit d'ouvrir l'œil et de la ramener chez elle si elle la rencontrait. À la banque, Candace s'engagea elle aussi à surveiller les alentours.

— C'est affreux, dit-elle. Une petite fille si charmante. Je vais vérifier auprès des employés, mais c'est toujours à moi qu'elle s'adresse.

Ni les serveurs du Burger King, ni les employés de *Dairy Queen,* ni Kristie à l'entreprise de construction ne l'avaient vue.

— Elle ne m'a pas rendu visite depuis l'enterrement, dit Kristie. Si elle vient ici, je vous appellerai tout de suite.

Maddie remonta dans sa voiture. Elle posa le front sur le volant.

Ce n'était pas possible. Elle avait pourtant passé un accord avec Dieu... Jusqu'à aujourd'hui elle n'en était pas consciente, et pourtant ce pacte existait : elle était prête à tout supporter à condition qu'il ne touche pas à Em. Em était hors jeu.

Elle rentra chez elle en empruntant un chemin encore différent, scrutant les rues comme si l'intensité de sa concentration allait faire apparaître Em au détour d'un chemin. Elle fit même le tour de l'école, mais en vain. Quand elle arriva devant la maison, la bicyclette d'Em n'avait pas réapparu. Elle rentra précipitamment en entendant sonner le téléphone.

— Maddie ? Ici Henry Henley. Vous l'avez retrouvée ?

Génial. Le type qui voulait l'inculper de meurtre l'appelait pour lui rendre service.

— Non, Henry. J'ai parcouru la ville et je me suis même rendue aux bureaux de l'entreprise de construction.

— J'ai lancé des recherches. Restez chez vous au cas où elle appellerait, d'accord ?

— Bien.

C'était un bon conseil et Maddie se sentit coupable de se montrer si distante avec un homme qui mettait tout en œuvre pour lui venir en aide.

— Je vous remercie, Henry. J'ai... j'ai tellement peur.

— Je sais, mon petit. Je suis moi-même très malheureux, mais je la retrouverai. J'y serai bien obligé, sinon Anna ne me laissera jamais remettre un pied à la maison.

— Vous n'avez besoin de personne pour faire votre devoir, Henry. C'est votre nature.

— Disons que c'est mon travail. Et maintenant vous attendez qu'elle vous appelle, d'accord ?

— Oui.

Cinq minutes plus tard, le téléphone sonna et Maddie pria pour que ce soit Em.

Elle entendit un homme qui parlait d'une voix rauque.

– Madame Faraday ? Vous avez une charmante petite fille...

– Hein ? hurla Maddie dont la bouche était devenue brusquement sèche. Qui est à l'appareil ?

– Emily est vraiment mignonne.

– Qui êtes-vous ?

– Dites à Henry que vous avez trouvé le revolver et l'argent. Dénoncez-vous à la police, sinon vous ne reverrez plus votre fille.

Chapitre 17

— Où est-elle ? Qui êtes-vous ? hurla Maddie. Où est ma fille ?

— Vous êtes coupable, reprit la voix rauque. Rendez-vous à la police. Immédiatement.

— Écoutez-moi, dit Maddie d'une voix sourde. S'il arrive quoi que ce soit à ma fille, je vous retrouverai et je vous tuerai. Si vous touchez à un cheveu de sa tête...

— Vous perdez votre temps. Vous avez un quart d'heure pour appeler Henry. Sinon, vous ne la reverrez plus. Plus jamais.

— Attendez une minute...

Il avait raccroché.

Tremblante comme une feuille, Maddie essaya de rassembler ses esprits. Il fallait qu'elle trouve le numéro d'Henry. Non, il lui suffisait de composer le 911. Elle dut s'y reprendre à deux fois. Em était prisonnière d'un cinglé. Quelqu'un décrocha et elle hurla :

— Passez-moi le shérif Henley !

Quelques secondes plus tard, Henry était en ligne.

— Oui, qu'est-ce que c'est ?

— J'avoue que j'ai tué mon mari, Henry. Venez tout de suite et arrêtez-moi. Et n'oubliez pas de faire fonctionner votre sirène. Dépêchez-vous !

— Maddie ?

— Vite ! Et promettez-moi de mettre la sirène, c'est important.

Le temps qu'il arrive devant chez elle, tous les habitants de la rue étaient sortis sur le seuil de leur porte. Maddie s'en moquait. Elle ne pensait qu'à Em terrorisée, Em blessée, Em avec un kidnappeur, et la panique lui faisait perdre tous ses moyens.

— Voulez-vous me dire ce qui se passe ? demanda Henry.

Elle l'attira à l'intérieur de la maison.

— Le kidnappeur a appelé.

— Calmez-vous.

Henry lui prit le bras et la fit entrer dans le living.

— Reprenez votre souffle et racontez-moi tout.

— Il a dit que j'avais tué Brent et qu'il ne me rendrait pas Em avant que j'aie avoué, bredouilla Maddie.

— Vous êtes sûre que c'était un homme ?

Elle hocha la tête.

— Oui. Il avait déguisé sa voix mais c'était un homme.

Un homme qui tenait Em en son pouvoir.

— Il a dit que j'avais un quart d'heure pour vous appeler et pour avouer.

— Eh bien, s'il n'a pas entendu ces sirènes, c'est qu'il est sourd. Vous avez très bien réagi. Vous avez reconnu sa voix ?

Maddie ne pouvait croire qu'Henry soit aussi stupide.

— Si j'avais reconnu sa voix, je serais déjà partie à sa recherche. Henry, quelqu'un l'a enlevée. C'est peut-être le meurtrier. Qui d'autre voulez-vous que cela intéresse que je prenne sur moi la responsabilité du meurtre de Brent ?

— Calmez-vous.

Henry rejoignit sa voiture. Tous les voisins l'observèrent pendant qu'il téléphonait, et Maddie pria pour qu'il donne les bonnes instructions. Em avait été enlevée. Cette pensée lui tournait inlassablement dans la tête et elle avait l'impression de peser une tonne.

Henry revint dans la maison.

— Je sais combien vous avez peur, dit-il en s'asseyant à côté de Maddie. Mais il faut que vous vous concentriez. Croyez-vous qu'il pourrait s'agir de quelqu'un de la banque ?

— La banque ?

La pensée était tellement incongrue que Maddie cligna des yeux.

— Vous croyez que Harold Whitehead a tué Brent ?

— Que diriez-vous de Webster ? Celui qui vous a accompagnée au coffre. L'avez-vous vu remettre le coffre à sa place ?

— Non. Je me suis sauvée dès que j'ai trouvé le passeport.

Elle ouvrit de grands yeux.

— Webster ? Vous croyez que Webster a pris l'argent ? Vous croyez qu'il aurait pu enlever Em ?

— C'est son petit frère qui a embouti votre voiture l'autre jour. Je me méfie des coïncidences. Alors ?

— Henry, pour ce que j'en sais, cette voix aurait tout aussi bien pu être la vôtre. Qu'allons-nous faire ? Em...

— ... a besoin que vous gardiez votre sang-froid. Réfléchissez. Stan Sawyer, peut-être ?

— Mon Dieu, je n'en sais rien !

Maddie prit sa tête dans les mains.

— Je ne pourrais même pas distinguer la voix de Stan de celle de Webster s'ils parlaient normalement.

— Howie ?

— Mais non ! Je connais la voix de Howie.

— Répétez-moi mot pour mot ce qu'il vous a dit.

Le téléphone sonna.

— Laissez-moi écouter, dit Henry.

C'était Martha Martindale.

— Maddie, que se passe-t-il ? J'ai entendu les sirènes et on voit la lumière des gyrophares des voitures de police jusqu'au bout de la rue. Il est arrivé quelque chose à Em ?

— Non, non.

Maddie lutta pour garder son sang-froid.

— On ne l'a toujours pas retrouvée. Henry est venu m'aider.

— Dis-lui d'éteindre ces lumières.

— Maman, je ne peux pas te parler maintenant.

Et elle raccrocha sur les protestations de sa mère.

— Le coup des sirènes a marché, dit-elle à Henry. Vous croyez qu'il sait ?

— Toute la ville est au courant. Et maintenant répétez-moi ce qu'il vous a dit.

Maddie ferma les yeux et essaya de se souvenir.

— Il a dit « Madame Faraday ? » et puis quelque chose comme « vous avez une charmante petite fille », et puis il a ajouté que si je n'avouais pas je ne la reverrais jamais.

— Il a bien dit « si vous n'avouez pas » ?

Maddie se cogna le front contre le mur.

— Je ne m'en souviens pas. Il a dit de... d'appeler Henry.

— Henry ? Pas le shérif Henley ?

— Henry. Je crois bien qu'il a dit Henry.

— Essayez de vous rappeler les mots exacts, Maddie. Cela nous donnera peut-être des indices.

— Il était au courant au sujet de l'argent. Il fallait que je vous parle de l'argent.

Et du revolver. Le sang de Maddie se glaça dans les veines. Cette personne savait que le revolver se trouvait dans la boîte à gants de la Civic. Il s'agissait bien du meurtrier.

Il tenait Em en son pouvoir.

La sonnerie du téléphone retentit et elle faillit hurler de terreur.

Henry lui posa la main sur le bras.
— Allez-y. Décrochez.

La bicyclette oscilla tandis qu'Em pédalait le long de la route gravillonnée. Elle était si fatiguée qu'elle se demanda si elle n'allait pas tomber. Aller à la ferme était une bonne idée et elle connaissait le chemin parce qu'elle l'avait mémorisé grâce à une image mentale de P.C. Trente et une personnes sous le porche de la maison qui mangeaient des noisettes d'Hickory. Mais elle pédalait sur la nationale 31 depuis très longtemps, et il n'y avait pas de route de Porch. À moins qu'elle ne l'ait loupée. Dans ce cas, elle était perdue. Perdue dans la campagne, où elle pouvait être kidnappée, renversée par une voiture ou tuée par une balle de revolver. Sa gorge se serra. Et Phébé n'appréciait pas beaucoup son voyage dans le panier de sa bicyclette. Finalement, l'idée d'aller à la ferme n'était peut-être pas si bonne que ça. Mais si elle y arrivait elle serait tellement contente...

Phébé poussa un glapissement de détresse. Em mit pied à terre et poussa la bicyclette sous un arbre. Elle parvint à sortir Phébé du panier. Aussitôt, le chien tira sur sa laisse. Em s'effondra sur l'herbe et elle regarda Phébé renifler le sol autour d'elle.

Elle pouvait toujours retourner à la maison, ce qui la ramènerait à son point de départ. Mais non ! Elle avait enduré une semaine d'école, une semaine à supporter les autres, qui baissaient la voix quand elle passait près d'eux. Et Mel qui n'arrêtait pas de lui poser des questions... C'était la première fois de sa vie qu'elle ne supportait plus Mel.

Em comprenait bien pourquoi elle se comportait comme ça. Elle aussi, elle avait des questions sans réponse. Sa mère n'arrêtait pas de mentir et il fallait qu'elle sache. Donc elle était partie pour la ferme afin de voir P.C. Ils pourraient pêcher, parler de Phébé et cela la soulagerait un peu. Peut-être même qu'elle parviendrait à obtenir quelques réponses.

À condition qu'elle retrouve la ferme. Ce qui ne risquerait pas d'arriver si elle ne se remettait pas en route. Si elle restait sous cet arbre jusqu'à ce que la nuit tombe, elle se retrouverait dans une situation difficile.

— Viens, Phébé.

Le chien la rejoignit et elle le reposa sur la serviette-éponge au fond du panier. Phébé poussa un gros soupir en essayant de trouver une position confortable.

— Je sais, ça ne me plaît pas à moi non plus, lui dit Em pour le consoler. Mais il le faut.

C'est alors qu'elle entendit le moteur d'une voiture. Elle leva la tête et reconnut la Mustang rouge.

— Dis-donc, toi ! s'écria P.C. en s'arrêtant près d'elle. Ta mère est au bord de la crise cardiaque !

— Je suis désolée, grommela Em.

Si sa mère ne s'était pas comportée de façon aussi stupide, elle n'aurait pas été obligée de faire tous ces kilomètres à vélo.

— Tu n'en as pas l'air...

P.C. essaya de prendre un air fâché.

— C'est très mal de faire de la peine à ta mère.

— Tu ne m'en veux pas, je le vois bien, alors arrête de mentir.

Il fronça les sourcils.

— Il y a quelque chose qui te tracasse ?

— Je me suis perdue.

Elle descendit de vélo.

— Je voulais te parler, mais je me suis perdue et je n'arrivais pas à trouver la route de Porch.

— Tu ne t'es pas perdue.

P.C. sortit Phébé de son panier et posa le chien par terre.

— Tu étais simplement fatiguée. Le virage est à environ un kilomètre. Tu l'aurais trouvé dans quelques minutes.

Em plissa les yeux.

— Tu crois ?

— Tu n'as vraiment confiance en personne.

P.C. mit la bicyclette dans le coffre et ouvrit la portière. Phébé sauta dans la voiture et Em se sentit soulagée.

— Monte, lui dit P.C., je vais te montrer.

Si ses soucis n'avaient pas disparu, ils étaient quand même moins lourds à porter.

Elle était bien contente d'avoir rencontré P.C. et de ne plus avoir à pédaler. Phébé grimpa sur ses genoux et elle le tint contre elle pour qu'il ne se sauve pas. La chaleur du petit chien la rassura. Ses épaules se détendirent et elle s'appuya au dossier moelleux. À force de pédaler sur du gravier, elle avait le cou complètement noué.

P.C. lui tapota le genou et fit demi-tour pour reprendre le chemin de la ferme.

— Tu vois ? lui dit-il en lui montrant le panneau qui indiquait la route de Porch. Tu étais dans la bonne direction.

Elle avait presque réussi ! Elle ne s'était pas trompée ! Elle soupira d'aise.

— Quand même, c'était une trop grande balade.

— C'est vrai, répliqua P.C., mais tu l'ignorais. Cela paraît beaucoup plus court en voiture. Arrête de te culpabiliser. La seule chose que tu aies à te reprocher, c'est d'avoir effrayé ta mère. Et moi, aussi.

Em lui jeta un coup d'œil en biais.

— Tu as eu peur ?

— Oui.

P.C. continuait de fixer la route. Son « oui » était sec et décidé. Il n'avait pas dit « ouais » ou « un peu ». Elle savait qu'il disait la vérité.

— Tu nous as fichu une peur bleue, à moi, à Henry, à Anna, à ta mère, à tout le monde. Ne recommence pas.

Em releva le menton.

— Tu crois que j'aurais pu me faire tirer dessus ?

P.C. ralentit pour la regarder dans les yeux.

— Non. Ça ne m'a jamais traversé l'esprit. Mais tu aurais pu être kidnappée ou renversée par une voiture.

— Ah...

— Pourquoi as-tu fait ça, Em ?

La voix de P.C. était très sérieuse. Em soupira et renonça à jouer la comédie.

— Maman arrête pas de me mentir. Elle m'a dit que mon papa était mort dans un accident et puis j'ai découvert qu'on l'avait tué avec un revolver. Elle dit que c'était un accident mais les autres à l'école racontent qu'il a été... assassiné.

Elle serra Phébé plus fort contre elle.

— La plupart des gamins à l'école sont des crétins, mais là je crois qu'ils ont raison.

Elle défia P.C. du regard.

— Alors ?

Il arrêta la voiture et regarda droit devant lui pendant un instant. Puis il se tourna vers elle.

— Oui. Ils ont raison. Quelqu'un qui lui en voulait lui a tiré dessus.

— Qui ? demanda Em, terriblement choquée.

— Nous l'ignorons.

Elle se redressa, toutes griffes dehors.

— Em, c'est la vérité, s'écria P.C. d'une voix forte. Henry mène son enquête mais nous ne savons toujours rien.

— Tu crois qu'il va aussi tuer ma maman ?

La voix d'Emily chevrota en avouant enfin ce qui la tourmentait.

— Non. Si je pensais que ta mère est en danger, je resterais auprès d'elle. Celui qui a tué ton papa était furieux contre lui, mais il n'en voulait pas à toute ta famille.

— Oui, mais quelqu'un a cambriolé la maison, fit remarquer Em.

— Cette personne a trouvé ce qu'elle était venue chercher. Ta mère ne risque rien.

Cette dernière phrase manquait d'assurance.

— Ne mens pas ! s'exclama Em.

— Si tu continues comme ça, on va pas être copains, je te préviens.

— Quand tu as parlé de ma mère, tu n'avais pas l'air très sûr de toi.

— Personne ne veut tuer ta mère. Sinon je ne la quitterais pas des yeux une seconde. Croix de bois, croix de fer.

— Arrête de me traiter comme une gamine.

— Tu es une gamine. Arrête de te comporter comme une adulte et laisse-nous nous occuper de toi.

— J'ai juste besoin de savoir ce qui se passe. Toutes ces messes basses à l'école, maman qui a une mine épouvantable, c'est affreux. J'en ai marre.

P.C. redémarra.

— Tu sais quoi ? Je pensais te ramener chez toi après t'avoir montré la route, mais tout compte fait je crois qu'on ferait mieux d'aller à la ferme et de téléphoner à ta mère de venir te chercher. Peut-être qu'elle restera dîner à la maison et comme ça vous pourrez vous détendre un peu. D'accord ?

Em hocha la tête.

— D'accord. Mais j'aimerais quand même bien savoir ce qui se passe.

— Moi aussi, petite. Moi aussi, soupira P.C.

Maddie ferma les yeux, prit une profonde inspiration et décrocha le téléphone.

— Allô ?

— Tout va bien.

La voix de P.C. à l'autre bout du fil, chaleureuse et rassurante.

— Tu peux renvoyer la police, Maddie. Ta fille est auprès de moi. Elle n'a rien.

— Elle est avec toi ? Elle va bien ?

Sa main tremblait tellement qu'elle ne pouvait pas tenir l'écouteur. Henry le lui prit des mains.

— Qui est à l'appareil ? P.C. ? Mais, bon Dieu, que se passe-t-il ?

Il écouta un instant et tendit l'écouteur à Maddie.

— Il faut que je passe un ou deux coups de fil. Restez ici, parlez à P.C. et calmez-vous.

— P.C. ? dit Maddie entre deux sanglots.

— Chérie, elle est en parfaite santé.

Sa voix vibrait de tant d'amour et d'inquiétude que Maddie ne put que pleurer en silence.

— Elle s'était mis en tête de venir à la ferme à vélo. Et elle y est presque arrivée. Elle est juste un peu fatiguée mais ne t'inquiète pas.

Maddie, qui se balançait d'avant en arrière, pleurait maintenant à chaudes larmes.

— Où l'as-tu trouvée ? Qui l'avait enlevée ?

— Personne. Elle s'est lancée toute seule dans cette entreprise. Anna lui a préparé un citron pressé. Elle va bien.

Au bord de l'évanouissement, Maddie prit une profonde inspiration. Em n'avait pas été kidnappée. Elle essuya ses larmes d'un revers de main. Ayant entendu qu'Em avait disparu, un salaud en avait profité pour lui jouer ce sale tour. Pendant ce temps-là, Em faisait tranquillement du vélo.

— Je refuse de repasser par une épreuve pareille, dit-elle à P.C. Dis-lui qu'elle ne sortira plus jamais de la maison. Je n'arrive pas à croire qu'elle m'ait fait ça. Après tout ce que j'ai dû endurer...

— C'est ce qui explique son comportement. Il faut que tu lui parles, Maddie. Elle a peur, elle est perdue, et elle a besoin de comprendre.

Maddie ressentit soudain un peu d'agacement. Un fou avait menacé sa fille, et maintenant P.C. se prenait pour le Dr Spock.

— Merci de tes conseils. Je viens la chercher.

— Pourquoi ne la laisserais-tu pas à la ferme un moment ? Cela ne lui ferait pas de mal de changer d'air.

— P.C., je ne pense pas...

— Anna est ravie. Je lui ai déjà posé la question. Demain, elles ont prévu de faire de la pâtisserie.

Maddie grinça des dents.

— Franchement, P.C., j'estime que...

— Fais-moi plaisir, dit-il sur un ton qui signifiait « Ne discute pas ». Prends quelques affaires et viens te reposer ici. Frog Point, ça suffit comme ça.

— P.C....

— Je sais, tu es furieuse, tu as cru mourir de peur et les épreuves ne sont pas terminées. Laisse-nous nous occuper de toi.

Il baissa la voix.

— Tu me manques. Personne ne t'accordera des bons points parce que tu affrontes seule la tempête, Mad.

En tout cas, lui, on devrait le décorer pour sa constance, songea Maddie. Elle en avait tellement assez de ne compter que sur elle-même... Au fond, aller à la ferme ne voulait pas forcément dire qu'elle renonçait à ses projets de solitude. Ce ne serait qu'une pause pour reprendre des forces.

Elle ferma les yeux. P.C., Anna, la rivière, et aucun kidnappeur à l'horizon parce que Henry et P.C. seraient là pour protéger Em... Elle tenta de se raccrocher à sa colère, seul rempart contre son désir de se précipiter à la ferme et de se jeter dans les bras de P.C. en criant : « Quelqu'un me veut du mal, arrête-le. » Elle pouvait encore se sauver.

— Anna nous a préparé du poulet au miel avec des marrons, poursuivait P.C. d'une voix enjôleuse. Em adore ça. La seule chose que toi tu préfères aux marrons, c'est Em. Et moi. Et puis il y aura des pommes de terre à la crème fraîche.

— Bonjour le cholestérol, soupira Maddie.

— Em a huit ans, répliqua P.C. en riant. Elle n'aura pas de pontage coronarien avant le lycée.

Il ne fallait pas qu'elle cède. Elle avait pris des mesures radicales pour éloigner P.C. en attendant que les choses se calment. Un jour, peut-être parviendrait-elle à affronter les gens, P.C. et le téléphone sans étouffer d'angoisse.

— Allez, viens, Mad. Em est bien plus heureuse ici... sans parler de sa sécurité.

Il avait raison.

— D'accord. J'arrive.

Elle raccrocha et s'effondra sur le sofa. Elle ne voyait plus du tout où était sa place en ce monde. Em était saine et sauve... Le reste s'arrangerait.

Elle se redressa, se souvenant de la voix qui avait dit *Parlez à la police du revolver et de l'argent*. Donc il ne s'agissait pas d'un mauvais plaisant, mais du meurtrier. Et il était à ses trousses.

Le téléphone sonna. Maddie le regarda fixement. Elle ne se sentait pas en état d'affronter ni le meurtrier, ni la police, ni sa belle-mère, ni Treva, ni les dizaines d'autres personnes qui n'arrêtaient pas de lui causer des problèmes. La sonnerie s'arrêta, puis reprit. Elle décrocha, répondit à sa mère, la rassura en lui disant qu'Em était saine et sauve. Puis elle appela Treva, répéta son histoire et enfin mit des vêtements dans un sac.

Elle avait hâte de se retrouver à la ferme.

Em, assise sur les marches qui menaient à la véranda, attendait sa maman en sirotant son citron pressé. Anna lui avait dit qu'elle lui en redonnerait, mais elle préférait le faire durer. Surtout qu'elle devait penser à des tas de choses avant l'arrivée de sa mère.

Quand Maddie gara sa voiture de location au bord de la pelouse et courut vers elle, Em se retint d'aller à sa rencontre. Pas cette fois. Elle posa son verre sur les marches, se leva et croisa les bras.

Sa mère s'arrêta et la regarda d'un drôle d'air. La fillette releva le menton.

— Em, j'ai cru mourir de peur. Ne recommence jamais.

Mais Em la regardait sans broncher.

— Tu m'écoutes ?

La porte à claire-voie claqua et Em entendit P.C. s'avancer derrière elle.

— Em en a assez qu'on lui mente. Elle veut savoir ce qui se passe.

Maddie serra les mâchoires.

— Je suis assez grande pour élever ma fille comme je l'entends, merci.

— Je n'en suis pas persuadé. Sinon, elle n'aurait pas fait vingt kilomètres à vélo pour venir me voir.

Maddie avança d'un pas.

— Non mais pour qui...

— Il a raison, intervint Em. Tu peux toujours crier après lui si ça te fait plaisir, mais il a raison.

Maddie s'arrêta net, comme si elle avait reçu une gifle.

— Em...

— Il me ment pas, lui. Je sais qu'il me dit pas tout et qu'il garde des choses pour lui. Par exemple, il s'inquiète pour toi, même s'il dit que tu risques rien. Mais il me ment pas. Mais toi, si. Tu mens et tu mens.

Em se mit à trembler. C'était terrible de dire ça à sa maman, mais elle y était obligée.

Elle tourna les talons et se dirigea vers l'embarcadère en retenant ses larmes. Une fois arrivée sur le ponton, elle s'assit sur les planches rugueuses, ôta ses chaussures et trempa ses pieds dans l'eau fraîche. Phébé vint lui faire la fête. Em l'attrapa par son collier pour l'empêcher de tomber et serra contre elle son petit corps qui se débattait. Elle s'efforçait à grand-peine de ne pas penser à la scène qui venait de se dérouler.

Le premier mouvement de Maddie fut de courir après Em. La prendre dans ses bras, pour qu'elle redevienne l'enfant qu'elle était un mois plus tôt, et non plus ce petit paquet de nerfs et de tristesse qui allait se réfugier d'une démarche mécanique là où aucun adulte ne viendrait la troubler. Puis elle la vit s'asseoir sur le ponton, Phébé venir gambader près d'elle, et alors elle songea : *Nos relations sont désastreuses. Je ne sais pas comment m'y prendre.*

— Il faut absolument que tu arrêtes de lui mentir, Maddie.

Elle se retourna vers P.C. Il tombait à pic. Elle profita de sa présence pour décharger sur lui sa colère et sa frustration.

— Tu veux que je lui dise que son père a été assassiné ? Tu veux que je lui dise qu'il était un escroc, qu'il avait une liaison, et qu'il avait l'intention de la kidnapper et de l'emmener en Amérique du Sud ? Tu veux que je lui parle de notre relation ?

— Et pourquoi pas ? Elle sait déjà que tout va mal, qu'il se passe des événements graves, et la vérité vaut toujours mieux que des terreurs diffuses. Elle n'a que toi, Mad. Si elle ne peut plus te faire confiance, elle se retrouve toute seule. Et elle est bien trop petite pour ça. Regarde les choses en face. Em n'est pas si fragile qu'elle en a l'air. Tu la traites comme si elle menaçait de s'effondrer au moindre souffle d'air. J'ai parfaitement conscience qu'elle traverse une période très difficile, mais si tu sais lui parler elle restera solide comme un roc. Si tu es sincère avec elle, elle tiendra le coup.

Non. Maddie recula d'un pas. Perdre un père était déjà un cauchemar. Savoir qu'il avait été assassiné et que le meurtrier courait toujours serait intolérable. Non.

— Je ne peux pas lui dire que son père a été assassiné.

— Ce sera inutile.

P.C. s'assit sur les marches de la véranda, le dos voûté.

— Je l'ai déjà fait.

Le sang de Maddie se glaça dans les veines.

— Comment ?

P.C. leva les yeux sur elle, résigné à sa colère.

— Elle m'a posé la question. Les gamins à l'école le lui avaient déjà dit et elle m'a demandé si c'était vrai. Je refuse de lui raconter des histoires. Même si tu dois me détester pour cela.

— Bravo ! Ton attitude est vraiment très vertueuse. Est-ce que tu te rends compte...

— Ce que c'est que de côtoyer quelqu'un qui vous ment sans arrêt ? Oh ! oui, répliqua P.C. d'un ton amer. Et aussi d'aimer comme un damné quelqu'un qui n'a pas confiance en moi. Ne compte pas sur moi pour adopter la même attitude à l'égard de ta fille.

Il avait tort, comme d'habitude, mais elle n'avait pas le temps de lui expliquer pourquoi.

— Em et moi, nous nous en sortons très bien toutes seules. On n'a pas besoin de toi et de ton aide, alors casse-toi et fiche-moi la paix.

P.C. tressaillit.

— Tu n'as peut-être pas besoin de moi, mais ta fille, si. Et j'en suis très heureux. Si toi et moi nous ne parvenons pas à nous entendre, tant pis, c'est la vie. Mais je t'interdis de te mêler de ma relation avec Em. Parce que, elle et moi, on réussira.

Maddie le regarda. Grave et déterminé sur les marches de la véranda, il lui disait qu'il ne laisserait jamais tomber sa fille. Il serait toujours là pour Em. Et Em lui faisait confiance, puisqu'elle était venue à lui.

Moi aussi j'ai confiance en lui, bon Dieu. Il était solide, sûr, drôle, adorable, exaspérant, terriblement attirant, il voulait protéger Em, et si elle redevenait l'ancienne Maddie il volerait toujours à son secours.

— C'est impossible, murmura-t-elle. Je ne peux pas redevenir la petite fille que j'étais il y a vingt ans, je ne peux même plus redevenir la femme sarcastique et désorientée que j'étais il y a un mois. Je ne suis plus celle que tu as aimée au temps du lycée. Laisse tomber.

P.C. cligna des yeux, surpris par cette déclaration.

— Celle-là ?... répliqua-t-il. Il y a longtemps que je n'y pense plus. C'est un merveilleux souvenir, mais tu ne lui corresponds plus du tout. Tu es obstinée, ironique, et tu as une langue de vipère. La plupart du temps, je ne sais plus très bien si j'ai envie de te sauter dessus ou de m'enfuir en courant. Mais je t'aime. Dieu sait pourquoi, mais c'est comme ça ! Et j'adore ta gamine. Alors débrouille-toi avec ça, ma belle.

Plus de mensonges, avait-il dit, et elle songea aux deux semaines qui venaient de s'écouler. Elle l'avait repoussé, elle refusait de voir Treva, racontait à sa mère que tout allait bien... et Em ne lui faisait plus confiance. Elle songea à l'état dans lequel elle se trouvait il y avait seulement une heure, son univers réduit en miettes. Non, elle ne voulait plus revivre ça. Elle avait essayé de protéger Em en s'isolant du monde, ce qui lui avait valu une terrible solitude. Cela ne lui était jamais arrivé auparavant, car toujours Frog Point l'avait entourée et protégée. Eh bien, elle avait récolté ce qu'elle avait semé. Loin de Frog Point. Loin de tous.

Malheureuse, vulnérable et effrayée, elle n'était pas parvenue à défendre sa fille.

Il était peut-être temps de revenir en arrière.

— Ne bouge pas, dit-elle à P.C. Il faut que je parle à ma fille. Reste ici jusqu'à ce que je revienne.

— Où veux-tu que j'aille ?... demanda P.C. Je suis en train de construire une maison à côté.

Elle se dirigea vers le ponton, vers l'inévitable confrontation, qui l'angoissait au plus haut point.

Maddie s'assit près d'Em sur les planches irrégulières. Elle ôta ses chaussures et trempa les pieds dans l'eau fraîche. Ses chevilles et ses mollets se détendirent. Elle poussa un soupir de soulagement.

Em agita un peu les pieds, Phébé lui échappa et alla lécher la figure de Maddie. Em serra les dents et se détourna.

Maddie posa le chiot entre elles et prit la main d'Em.

La fillette la retira.

Maddie croisa les doigts sur ses genoux.

— D'accord, tu as raison, j'aurais dû te dire la vérité. J'essayais de t'épargner des épreuves très dures... mais je suppose que c'était illusoire.

Elle se baissa pour regarder Em dans les yeux.

— Non ?

— Oui. Et c'est horrible de pas comprendre ce qui se passe. Je le supporte pas.

— Que veux-tu savoir ? demanda Maddie.

Em se mordit la lèvre.

— P.C. dit que quelqu'un a tiré sur papa.

Maddie hocha la tête.

— Oui... Mais il est mort tout de suite. Il n'a rien senti, Em. C'est la vérité.

Em pinça les lèvres.

— Qui l'a tué ?

— Je l'ignore. Henry continue de mener son enquête, mais on n'en a pas la moindre idée.

— Dis-moi comment ça s'est passé.

— Voilà... Vendredi soir, ton père avait rendez-vous avec quelqu'un à la Pointe. Il était un peu endormi parce qu'il avait bu le fond de la bouteille de vin où j'avais laissé tomber des cachets pour la douleur. Donc la personne qu'il attendait est venue à la Pointe et a garé sa voiture. Ensuite, on ne sait pas très bien ce qui s'est passé. Ton père a dû s'endormir à cause des pilules, et c'est alors...

Maddie passa un bras autour des épaules d'Em.

— C'est alors qu'on lui a tiré dans la tempe.

Rigide, Em hocha la tête.

— C'est ça que les enfants racontent à l'école. Grand-mère dit qu'il était malade et qu'il est mort brusquement, mais les enfants disent qu'il a été assassiné.

Elle leva la tête vers Maddie.

— Mais je savais rien pour les pilules. Ça veut dire qu'il a même pas su qu'on lui tirait dessus ?

— Il était trop groggy pour comprendre ce qui se passait. Il n'a pas souffert, Em. C'est la vérité.

La fillette soupira et se laissa enfin aller contre sa mère.

— Je préfère ça. C'est quand même horrible, mais j'aurais pas aimé qu'il ait eu peur ou qu'il se soit battu.

Maddie embrassa sa fille.

— Tu crois que l'autre personne va te tuer aussi ? demanda Em.

— Mais non.

Maddie prit sa fille par les épaules et la regarda droit dans les yeux.

— Où vas-tu chercher ça ?

— Il a tué papa. Il pourrait recommencer avec toi, insista Em.

— Je pense qu'il était furieux après papa. Mais moi je n'ai rien à voir avec ça.

— À toi aussi, il t'est arrivé plein de choses horribles. Par exemple l'accident de voiture. Et ton œil au beurre noir.

— C'étaient des accidents. Ça arrive tout le temps.

C'est le petit frère de Webster qui a embouti ta voiture, et je n'aime pas les coïncidences, avait dit Henry.

— Ta figure aussi c'était un accident ? demanda Em d'une voix sourde.

Maddie avala sa salive.

— Non.

— Qu'est-ce qui s'est passé ?

Maddie hésita.

— Ne mens pas !

— Ton père est rentré à la maison et il était dans un état bizarre. Et moi aussi, j'étais très en colère. Et... il m'a frappée.

Em s'écarta de sa mère, le visage fermé.

— C'est pas vrai.

Maddie resta silencieuse. Elle était décidée à tenir sa promesse de ne pas mentir, sans pour autant imposer une réalité insupportable à sa fille.

Elles restèrent là, à contempler la rivière. Un poisson sauta et replongea dans le soleil. De petites vagues étincelèrent et le reflet du ponton bougea sur l'eau d'un vert profond. Derrière elles, Phébé grattait la terre avec délice.

— Pourquoi ? demanda enfin Em.

Maddie prit sa petite main dans la sienne. Elle était si jeune, si fragile.

— Il était juste très en colère. Après, il m'a juré qu'il était désolé.

Elle se rappela Brent de l'autre côté de la porte qui gémissait « Je suis désolé » et s'inquiétait de ce qu'elle avait appris. Tout le monde trichait et exigeait la vérité.

— Écoute, Em. Il ne m'avait jamais frappée auparavant. Jamais. Il n'était pas comme ça.

— Je sais.

Em renifla.

— C'était un gentil papa.

— Un père formidable.

Em approuva.

— Donc personne veut nous faire du mal ?

— Non, assura Maddie avec aplomb. Em, je suis très triste que tu aies été obligée d'entendre ça.

— J'avais bien plus peur quand je comprenais rien.

— Tu crois que ça ira ?

— Oui.

La fillette regarda autour d'elle comme si elle voyait la ferme et la rivière pour la première fois.

— Et je suis bien contente qu'on soit plus à Frog Point.

— Moi aussi, chérie. Parfois, Frog Point c'est un peu lourd.

Em pencha la tête.

— Tu es fâchée avec tante Treva ? Parce que tu lui parles plus du tout, même quand elle appelle.

Treva. Un mensonge de plus à affronter. Encore une trahison. Maddie lâcha la main d'Em et se releva. Phébé bondit vers le ciel, ravi d'aller se promener, et arpenta le ponton d'un air très affairé.

— Non, je ne suis pas fâchée avec Treva.

Elle était déçue, blessée, trahie mais pas fâchée.

— Écoute, il faut que j'aille en ville voir ta grand-mère pour lui dire que tu vas bien. Toi et Phébé, vous restez ici avec P.C. et Anna.

— Est-ce que tu aimes P.C. ?

Em regardait dans le lointain.

— Oui.

Maddie leva les yeux au ciel et songea : *Il n'est pas question que je discute de ma vie sexuelle avec cette enfant.*

— C'est pour ça que papa était furieux ?

— Non. Mon Dieu, non, Em, pas du tout !

Maddie se rassit près de sa fille et Phébé plongea sur leurs genoux.

— Ton père et moi n'avions pas revu P.C. depuis vingt ans. Il était juste revenu pour le week-end. Ton père n'était pas jaloux, ça je peux te l'assurer.

Em prit Phébé sous son bras.

— Parce que P.C. il t'aime beaucoup.

— Eh bien...

Maddie hocha bêtement la tête.

— Moi aussi, je l'aime beaucoup.

Em se tourna vers sa mère.

— Tu vas te marier avec lui ?

— Non. Je ne risque pas de me remarier avant longtemps. Et peut-être même jamais. Toi et moi, on s'en tire très bien toutes seules.

Phébé se mit à gigoter. Maddie tendit la main pour l'apaiser.

— Toi, moi et Phébé.

— Et grand-mère et Mel.

— D'accord.

— Et Three et tante Treva et oncle Howie.

Three. Le demi-frère d'Em. Le grand Three, qui s'occupait si bien de Mel et d'Em. Il était devenu un homme. Il venait d'avoir vingt ans. Tellement d'années avaient passé. Ce qui était arrivé vingt ans auparavant changeait-il quoi que ce soit dans ses sentiments à l'égard de Three ?

Et surtout cela méritait-il qu'elle perde Treva qu'elle avait connue toute sa vie ? Directement ou indirectement, elle avait une place dans chacun de ses souvenirs. Trente-huit ans de complicité, de rires, de « tu connais pas la dernière ?... » et, quoi qu'il arrive, Treva était toujours là, avec ses chocolats, son humour corrosif et son soutien inconditionnel.

Maddie ferma les yeux et songea : *Elle me manque tellement*. Et puis : *Je me suis conduite comme une idiote*.

— Maman ?

— Oui, dit Maddie d'une petite voix. Et Three, et Treva et Howie... reprit-elle. Nous ne sommes pas seules. On va s'en sortir.

— Et Anna, et Henry, renchérit Em.

— Plein de monde.

Em hocha la tête.

— Et P.C.

— Et P.C. Pas de problème.

— D'accord.

Et Em s'enfouit le visage dans la fourrure de Phébé.

P.C. les observait depuis la véranda, attentif au moindre de leurs mouvements. Enfin elles se parlaient. Et elles se retrouvaient toutes les deux à la ferme, où il pourrait prendre soin d'elles, ce qui le rassurait. Quand Maddie revint vers la véranda, elle lui parut épuisée, mais soulagée.

— Comment va-t-elle ? demanda P.C. dès que Maddie fut à portée de voix.

— Vu ce qu'elle vient de traverser, plutôt bien.

Elle le rejoignit.

— Il faut que j'aille en ville. Tu peux t'occuper d'elle pendant une heure ou deux ?

— Je peux m'occuper d'elle durant le restant de mes jours.

Maddie ferma les yeux.

— Ne t'inquiète pas pour nous, poursuivit P.C., Em et moi nous nous comprenons très bien. En revanche, toi et moi avons quelques difficultés de communication...

— Plus tard, plaida Maddie. Un problème à la fois. Il me reste deux ou trois choses à régler. Je reviens ce soir.

P.C. la regarda se diriger vers sa voiture et regretta une fois de plus qu'elle ne lui fasse pas suffisamment confiance pour se reposer sur lui. Puis il alla chercher des cannes à pêche pour occuper un peu Em avant le dîner.

Une fois en ville, Maddie prit le chemin de Linden Street. Sa rue. La sienne, et aussi celle de Treva depuis plus de vingt ans. Elles avaient tout partagé, à quelques pas l'une de l'autre. Ensemble, elles avaient ri et pleuré, et s'étaient soutenues pour le meilleur et pour le pire.

Maintenant, c'était à elle de faire les premiers pas. Trois semaines seulement s'étaient écoulées depuis le jour où elle était arrivée chez Treva en lui annonçant : « Brent me trompe, je veux divorcer. » Il lui avait semblé que c'était la fin du monde. Incroyable à quel point les perspectives pouvaient changer rapidement ! Maintenant, l'adultère n'était plus du tout d'actualité. L'assassinat de Brent, la menace de kidnapping la tourmentaient terriblement. Mais que Brent l'ait trompée ?... Dans le fond, quelle importance !

Elle se gara devant chez Treva et alla frapper à la porte de la cuisine.

— Maddie, c'est toi !

Treva l'attrapa par la manche.

— Que se passe-t-il ?

Maddie la regarda et songea : *Je n'ai pas menti à Em. Je ne suis pas fâchée contre Treva. Pas fâchée du tout.*

— Il est grand temps qu'on parle, Treve. Allons faire un tour.

Treva se figea, puis regarda par-dessus l'épaule de son amie. Dehors, le soleil des premiers jours de septembre commençait à décliner. À l'intérieur de la maison, brillamment éclairée, Maddie entendait deux voix masculines et une petite voix de soprano en contrepoint. La vie de famille.

— Très bien, dit Treva. Si tu veux.

Elle alla dans le living avertir son mari et ses enfants.

— Juste une petite balade avec Maddie, pour s'éclaircir les idées.

Il s'ensuivit un silence pesant. Même Mel ne se hasarda pas à poser des questions.

Treva revint avec deux cirés, tendit le vert à Maddie et referma la porte derrière elles.

— Le temps s'est rafraîchi, dit-elle en enfilant le ciré rouge. J'adore le mois de septembre, à condition de ne pas prendre froid.

Maddie enfila son ciré et en remonta les manches. Il était dix fois trop grand pour elle. De la taille de ceux qu'utilisait Brent. Elles passèrent en silence devant les maisons des voisins — celles de M. Kemp, de Mme Whittaker et de Mme Banister. Alors qu'elles arrivaient à la limite du pâté de maisons, Maddie demanda :

— Il est à Three ?

— Ouais. Un peu grand pour toi.

— Oui... Comme ceux de Brent.

Treva stoppa net, aussitôt imitée par Maddie.

Chapitre 18

— Ça va, ça va, dit aussitôt Maddie. C'est de ça que je suis venue te parler. J'ai d'abord été terriblement contrariée. Maintenant, ça m'est égal.

Treva retenait ses larmes, les lèvres tellement pincées que sa bouche avait pratiquement disparu.

— C'est Brent qui te l'a dit ?

— Non. J'ai compris à l'enterrement. Three a la voix de Brent, sa carrure, sa taille, et cette boucle qui retombe sur son front.

— Voilà pourquoi tu as brusquement tourné les talons.

Treva hocha la tête, longuement.

— Je croyais que tu avais découvert la lettre, ou que Brent te l'avait dit, ou... Maddie, je suis désolée. Je te demande pardon. Tu n'imagines pas à quel point...

Les larmes coulèrent sur le visage de Treva, les sanglots l'étouffaient. Elle se mit à tousser et à essuyer ses larmes, luttant pour retrouver sa respiration. Elle balbutiait « je suis désolée, je suis désolée ». Maddie prit son amie dans les bras et éclata elle aussi en sanglots. Cela lui faisait tellement de bien d'évacuer sa rage et son ressentiment.

— Ça ne fait rien, Treve, murmura-t-elle dans la chevelure indomptable de son amie. C'était un piège idiot... Cela aurait très bien pu nous arriver, à moi et à P.C. Ou à n'importe qui d'autre. Quelle importance ?

— J'étais rongée par le remords, sanglotait Treva en s'accrochant à elle. Je déteste la façon dont je me suis comportée, et je ne pouvais pas le dire à Howie. Et je me suis débrouillée pour épouser Howie sans que personne n'en sache rien. J'ai tellement honte...

Elle se cognait le front contre l'épaule de Maddie, qui lui caressait les cheveux pour la calmer.

— C'est comme moi. Je ne t'ai rien dit au sujet de P.C. J'étais mortifiée. Je me souviens très bien de ce que je ressentais à l'époque. Mais maintenant cela n'a plus d'importance.

Maddie tapota le dos de Treva, consciente que les voitures ralentissaient pour regarder ces deux femmes qui s'étreignaient sur le trottoir.

— Ne crois pas que je te raconte des histoires. Ça ne fait rien, vraiment. J'ai cru que c'était important, et puis en fait pas du tout.

Treva recula d'un pas.

— Si j'étais à ta place ou à celle de Howie, je serais folle de rage.

— Vois-tu, tu as toujours eu plus d'importance que Brent dans ma vie. C'est terrible à dire, mais c'est vrai. Je ne l'avais pas compris jusqu'à aujourd'hui, quand j'ai parlé de toi à Em. Tu me manques tellement plus que lui. Et j'ai beaucoup d'affection pour Three, alors comment souhaiter qu'il ne soit jamais né ? Je n'ai jamais pu passer une journée sans te parler, alors après deux semaines, tu te rends compte ?... C'était horrible. Quant à ces événements qui remontent à vingt ans... il y a prescription.

— Oh, Maddie...

Treva s'assit sur les marches de la maison de Mme Banister, sanglotant de plus belle.

— Je suis tellement soulagée. Et tellement désolée.

Elle attrapa Maddie par la manche de son ciré, qui s'allongea démesurément.

— Je ne l'ai pas fait pour te blesser, je te le jure.

Maddie s'assit près d'elle pour récupérer sa manche.

— Je sais, Treve, je sais.

— Brent était tellement...

Les sanglots s'apaisèrent. Treva chercha un mouchoir dans ses poches et, comme elle n'en trouvait pas, s'essuya le nez du revers de la main.

— À l'époque, Brent était une véritable star... Je n'arrivais pas à croire qu'il s'intéressait à moi. Tout le monde rêvait de lui. Quelle cloche j'ai été ! Plus bête que moi, tu meurs !

— Je sais tout ça, Treve. On a été mariés pendant vingt ans, alors tu penses.

Mais maintenant que Treva était lancée rien n'aurait pu l'arrêter.

— Et puis comme mes règles n'arrivaient pas j'ai écrit cette lettre...

Treva saisit le bras de Maddie.

— La lettre ! Où est...

— Je l'ai déchirée et jetée dans les toilettes. Elle ne fera plus de mal à personne.

— Ah !

Treva poussa un soupir entrecoupé.

— Mon Dieu, je ne parviens pas à le croire !

Puis elle se remit à pleurer.

— Brent voulait vous mettre au courant, toi et Howie. Je l'ai traité de tous les noms, j'ai menacé de le tuer. Plus tard, il m'a fait du chantage au sujet de l'argent... et j'ai à nouveau trahi Howie. Je savais qu'il escroquait l'entreprise. Dottie Wylie en avait parlé à ma mère. J'ai appelé Brent pour lui demander des explications, alors il m'a menacée et c'est là que j'ai trahi Howie pour la deuxième fois.

— C'est fini, Treve. Howie n'en saura jamais rien.

Maddie se figea.

— Attends une minute... Qu'est-ce que Dottie Wylie a à voir dans cette affaire ?

Treva ravala ses larmes.

— Brent avait surévalué sa maison, il lui avait fait payer un prix trop élevé. Il y a environ deux semaines, Howie est rentré en me disant qu'il avait vérifié les comptes avec P.C. et que Brent l'avait escroqué de quarante mille dollars sur la maison de Dottie. Il m'a appris que ses malversations remontaient à environ deux ans et qu'ils ne parvenaient pas à trouver les preuves.

— Les copies carbone ! s'exclama Maddie. Il y en avait tout un stock dans cette foutue boîte que nous avons piquée au bureau. Voilà ce qui explique la colère de Brent.

Elle commençait à comprendre.

— Je croyais qu'il était furieux parce qu'il pensait que je le trompais. Quand il a appris que j'avais passé la soirée avec P.C., il a hurlé : « Qu'est-ce que tu lui as dit ? » Il se fichait pas mal que je sois sortie avec lui, mais il était mort de peur parce que P.C. est comptable. Il m'a frappée à cause du fric. On a traversé l'enfer à cause de cette saleté de fric ! Tu te rends compte ?

— Non... Moi, j'ai payé pour la terrible faute que j'ai commise il y a vingt ans, quand j'ai trahi les deux personnes que j'aimais le plus au monde.

— Oublie ça. Arrête de pleurer, Treva. Il est grand temps de tourner la page.

Maddie serra son amie contre elle.

— On va s'en sortir, ma chérie.

Treva se redressa.

— Je comprendrais que tu racontes tout à Howie. Je le mérite.

— Non mais tu es folle ? Pour qui tu me prends ?

Treva baissa la tête.

— Tu es formidable, et moi je suis impardonnable. Je

savais que Brent volait de l'argent à l'entreprise et je n'ai rien fait...

Elle s'effondra à nouveau sur l'épaule de Maddie.

— Vous êtes sûres que ça va, mes petites dames ?

Maddie releva la tête. Sur sa véranda, Mme Banister scrutait l'obscurité.

— Tout va bien, madame Banister. C'est nous, Maddie Martindale et Treva Hanes. Nous évoquions le bon vieux temps.

— Ah ! bon... Très bien.

Mme Banister agita la main avant de rentrer chez elle.

— Si vous avez besoin de quoi que ce soit, sonnez à la porte.

— Merci, dit Maddie pendant que Treva pleurait de plus belle.

— Tout le monde est si gentil avec moi et moi je suis la lie de la société !

— C'est ça...

Maddie se redressa et attrapa Treva par le col de son ciré.

— Allons, viens, Treve. On va marcher un peu pour que tu reprennes tes esprits. Tu n'es pas la lie de la société, mais la meilleure personne que je connaisse. Si je vais en prison, j'ai l'intention de te confier l'éducation de ma fille, alors tu as intérêt à tenir le coup.

Treva se raccrocha à elle.

— Tu n'iras pas en prison, Maddie. Même s'ils t'arrêtent, ils déclareront que tu as été saisie d'une crise de folie temporaire ou un truc dans ce genre.

— Cela ne me console pas vraiment.

Elles se remirent en marche.

— Tu imagines Em obligée de vivre dans une ville où sa mère sera considérée comme une folle et son père comme un salaud ?

L'image de sa grand-mère se présenta à l'esprit de Maddie.

— Ils m'enfermeront dans un asile... Em viendra me rendre visite, elle m'apportera des chocolats de chez Esther Price et je cracherai les noisettes contre les murs.

— Mais de quoi parles-tu ? demanda Treva d'un air effaré.

— De l'hérédité... Tu n'as jamais regardé ta mère ou ta grand-mère en te disant : « Mon Dieu, un jour je ressemblerai à ça » ?

— Il m'arrive même de penser que j'en suis déjà là... Voilà pourquoi je ne quitte pas Three des yeux. Je suis terrifiée à l'idée de me réveiller un jour et de me retrouver en face de Brent.

— Cela n'arrivera pas.

— Ou qu'un beau matin Howie soit frappé par sa ressemblance avec Brent. Parce qu'il lui ressemble. Un peu.

Elles longèrent une maison.

— Écoute, reprit Maddie. Je comprends ton soulagement, mais d'un autre côté tu n'as pas tort au sujet d'Howie. Je ne lui dirai rien, bien sûr, mais toi, tu devrais.

— Je ne peux pas.

Treva l'attrapa par la manche de son ciré.

— C'est impossible. Il croirait que je l'ai épousé parce que j'étais enceinte de Brent.

— Howie Basset est loin d'être un imbécile. Ça fait vingt ans qu'il vit avec toi. Il te connaît depuis toujours. Fais-lui confiance.

— Je ne peux pas, dit Treva d'une voix mal assurée.

— Aujourd'hui, je suis devenue une grande adepte de la vérité. Je la recommande dans toutes les circonstances. Tu n'imagines pas comme tu te sentirais délivrée.

Treva inspira profondément.

— Si, je l'imagine très bien. Je me sens déjà ivre de bonheur d'avoir ôté cet obstacle entre nous.

— Alors tu te rends compte, avec Howie.

Elles étaient maintenant au coin de Linden Street, sous un lampadaire. Soudain la lumière s'alluma ; les boucles blondes de Treva resplendirent. Tout éblouie, elle ressembla un instant à la petite fille qu'elle avait été.

Elles avaient fait un sacré bout de chemin ensemble et jamais elles ne se quitteraient. Maddie passerait le restant de ses jours à Frog Point. Pas seulement pour Treva, Em et sa mère, mais à cause des souvenirs, des traditions qui y étaient rattachés, de l'assurance que vous conférait une ville où vous étiez née et où vous aviez toujours vécu.

— Le réverbère s'est allumé, dit Maddie. Tu sais ce que cela signifie !

Treva lui sourit.

— À la maison dans dix minutes ou vous serez punies !

— Quelle que soit la décision que tu prendras, cela ne changera rien entre nous. Toi tu changeras, et moi aussi, mais *nous*, jamais. D'accord ?

— D'accord, murmura Treva.

— Quelle journée ! conclut Maddie.

Elle se rendit ensuite chez Helena et Norman. Cela faisait des semaines qu'elle n'était pas allée chez eux, et elle frappa à la porte de derrière le cœur battant. Le visage d'Helena quand elle vit sa belle-fille exprima la plus grande hostilité.

— Qu'est-ce que tu veux ? demanda-t-elle.

— J'aimerais que vous arrêtiez de répandre des horreurs sur moi et de tourmenter ma mère.

Helena fixa Maddie à travers la porte à claire-voie.

— Je ne dis que la vérité.

— Pas vraiment. Vous oubliez de mentionner que Brent m'a trompée et qu'il m'a frappée, et vous mentez quand vous racontez que je l'ai tué. Ma mère a gardé le silence elle aussi, mais si vous ne changez pas d'attitude elle se vengera. Et ma fille devra affronter d'ignobles commérages, tout ça parce que ses imbéciles de grand-mères sont incapables de se tenir.

Maddie n'avait pas eu l'intention de parler à Helena sur ce ton, mais finalement elle se sentit soulagée. La nouvelle Maddie apprendrait à s'exprimer différemment. Elle devait retrouver en elle la femme qu'elle avait cherché à libérer juste avant la mort de Brent.

Helena sortit, et la porte se referma derrière elle. Maddie ne broncha pas. Elle ne reculerait plus jamais.

— Viens par ici, dit Helena.

Maddie la suivit jusqu'au garage. Helena alluma la lumière et Maddie s'écria :

— Oh, non !

Le garage était rempli de posters et de banderoles qui proclamaient « Votez Brent Faraday ». Maddie en eut un haut-le-cœur, pour Brent et aussi pour ses parents, qui l'avaient si mal connu.

— Ce n'est pas ça qu'il voulait, dit-elle. Jamais il n'aurait voulu ça...

— C'est toi qui l'empêchais de réaliser ses ambitions ! Tu refusais d'être l'épouse du maire. Je t'ai entendue le dire à notre fête de Noël.

— Je m'en fichais complètement, lança Maddie, accablée par ces images de Brent placardées un peu partout. Être ou ne pas être l'épouse du maire de Frog Point ! Vous parlez d'un enjeu ! Cette seule idée le rendait malade, et j'essayais de l'aider du mieux que je pouvais.

— Il aurait été un excellent maire, lança Helena sur le ton qu'elle aurait employé pour dire : « Il aurait été un grand président. »

— Helena...

— Et tu refusais de l'aider. Il s'est consolé avec d'autres femmes et tu l'as bien cherché.

— Et merde ! Je n'ai fait que ça, m'occuper de lui. De lui et de tout le monde. Il ne voulait pas être maire.

— Il avait rempli les formulaires. Il ne nous manquait plus que son bilan financier pour lancer la campagne et il serait passé au premier tour. Et maintenant il est mort et tu t'affiches avec...

— Ça fait deux semaines que je suis enfermée chez moi !

— Je veux que toute la ville te connaisse sous ton vrai jour, poursuivit Helena avec une satisfaction méchante.

— Très bien. Si vous voulez la bagarre, vous ne serez pas déçue, siffla Maddie entre les dents. Vous connaissez ma mère : elle ne restera pas les bras croisés. Elle aussi a quelques révélations à faire. Brent allait quitter la ville, Helena. Il avait vendu sa part de l'entreprise. Il avait acheté des billets d'avion pour Rio. Il allait partir avec Em parce qu'il avait détourné de l'argent et que vous le poussiez à devenir maire. Vous voulez vraiment que toute cette boue soit révélée au grand jour ?

— Attends un peu, lâcha Helena qui tremblait de colère. Les gens te tiennent en haute estime, mais c'est parce qu'ils ne te connaissent pas !

— Ils vont apprendre à me connaître. Je vais bientôt leur présenter une nouvelle Maddie. Et pour commencer, si vous continuez de me calomnier, ma mère se verra dans l'obligation de mettre les choses au point en ce qui concerne Brent.

— Personne ne la croira.

Mais Helena avait perdu un peu de sa belle assurance.

— Arrêtez ce cirque avant qu'Em ne découvre qui était son père.

— Ne sois pas ridicule.

Mais là Helena éteignit la lumière, et n'osa pas s'aventurer plus loin. Maddie en ressentit une grande satisfaction.

Pauvre Brent ! songea-t-elle en grimpant dans sa voiture. Poussé par Helena et Norman, il aurait fini par céder. Pas étonnant que l'Amérique du Sud lui ait soudain semblé si attrayante.

D'autant plus qu'on lui demandait de produire un bilan financier... Et, bien qu'il ait certainement dissimulé la plus grande partie de l'argent volé ailleurs que sur ses comptes en banque, Brent n'avait aucune envie de publier son bilan. Mais où donc était passé cet argent ? Maddie n'en avait aucune idée. Brent n'avait pas pu agir seul. Il devait avoir un complice.

Peut-être l'homme qui avait téléphoné pour le prétendu kidnapping ! Il allait lui payer ça.

Mais il fallait d'abord qu'elle finisse sa « tournée vérité ».

— Que s'est-il passé ? demanda la mère de Maddie quand elle la vit arriver. Il est plus de neuf heures et je me suis fait un sang d'encre... Mais tu as pleuré, Maddie. Avec le rôdeur, l'assassin et...

— Em était partie rendre visite à P.C. à la ferme. Elle voulait savoir la vérité et elle estimait qu'il était la seule personne susceptible de répondre à ses questions.

— Mais enfin...

— Assieds-toi. Il faut que nous parlions.

— J'ai eu une journée épouvantable, dit la mère de Maddie en allant s'asseoir sur le sofa. Helena...

— Justement, je reviens de chez elle. Il faut que vous arrêtiez de vous opposer comme vous le faites, ou vous allez ruiner la réputation de la famille d'Em. Ça suffit.

— C'est Helena qui a commencé.

— J'ai mis un point final à ses agissements. Sois gentille, trouve-toi d'autres sujets de conversation.

Sa mère la prit au pied de la lettre.

— Figure-toi que Gloria se remet avec Barry. Tu imagines ?

— Oui, je peux maintenant imaginer n'importe quoi sur n'importe qui.

— Ah bon ? Eh bien écoute celle-là. Candace, à la banque, sort avec Bailey, le vigile de l'entreprise de construction.

Maddie fronça les sourcils.

— Après tout, ce n'est qu'une Lowery, poursuivit sa mère.

— Exact, répliqua Maddie, et la voix du sang est toujours la plus forte. Regarde, moi par exemple. Je ressemble chaque jour davantage à Mamie.

— Mais de quoi parles-tu ? s'indigna sa mère.

— Em a fait une fugue parce que personne ne lui disait la vérité...

Maddie s'assit dans le rocking-chair en face de sa mère.

— ... J'ai donc passé la soirée à me prendre pour Mamie, à dire la vérité quand personne ne voulait l'entendre. Je finirai peut-être par cracher les noisettes contre les murs.

— Maddie ? ! !

Maddie prit une profonde inspiration.

— Nous sommes tous tellement occupés à nous protéger les uns les autres que nous n'arrêtons pas de raconter des histoires. Il faut arrêter, sinon nous allons nous enfoncer dans des situations inextricables.

— Cela s'adresse à moi ?

Sa mère ne semblait pas apprécier le tour que prenait la conversation.

— Oui. Mais tu n'es qu'une des nombreuses personnes visées.

— Vraiment, Maddie...

— Em s'est rendue chez P.C. parce qu'elle ne pouvait pas nous faire confiance. Je ne veux pas que cela se reproduise.

— Je ne comprends pas ce que P.C. Sturgis vient faire là-dedans. Je croyais que tu l'avais rayé de ton existence.

— Oui, et j'avais tort. Et je n'ai plus l'intention de me cacher. Quand nous reprendrons nos relations, tu en seras tout de suite avertie.

— Mais enfin, Maddie...

— C'est un peu comme toi et M. Scott.

Sa mère resta un instant interdite. Puis elle reprit très vite ses esprits.

— Je n'ai pas la moindre idée de...

— Tu ne t'en sortiras pas comme ça, maman. J'ai parlé avec Mamie et elle m'a tout raconté.

Le visage de sa mère se durcit.

— Ta grand-mère est sénile. Comment peux-tu prêter attention à...

— Elle n'est pas gâteuse du tout. C'est une emmerdeuse, mais elle a toute sa tête. Elle m'a dit que tu avais renoncé à M. Scott pour me protéger.

La colère se peignit sur le visage de sa mère.

— Mais enfin...

— Et je me suis comportée exactement de la même façon avec Em.

Maddie se balança sur son siège, ce qui lui apporta un certain réconfort. Elle avait bercé Em dans ce même rocking-chair alors qu'elle venait de naître, si petite et fragile qu'elle pesait trois fois rien. Plus tard, elle avait lu dans ses yeux « Es-tu ma mère ? » et elle s'était employée à rassurer Em, lui promettant que tout se passerait très bien. C'était compter sans les aléas de la vie.

— Je croyais que tant que je la protégerais de tout souci elle se porterait bien. Je t'ai imitée, en somme. Mais je me trompais, et quand le malheur est venu frapper à la porte elle s'est tournée vers P.C.

— Maddie, cela fait à peine deux semaines que ton mari est mort et...

— J'aimais beaucoup M. Scott. J'attendais ses visites avec impatience. Il m'écoutait. Il me plaisait.

Sa mère croisa son regard.

— À moi aussi, dit-elle enfin. Mais je n'ai jamais pu me décider. Je pensais que tu en souffrirais. Et si nous avions continué à nous voir... tu connais cette ville.

Maddie se retint de crier : « Maman, tu *es* cette ville », mais cela n'avait plus d'importance.

— Moi j'ai fait un autre choix, dit-elle. Je pourrais attendre un peu, mais je n'en ai pas envie. Cela fait si longtemps que je suis privée d'amour. Avec P.C., je suis heureuse et tout paraît plus simple. Peut-être que cela ne durera pas, alors autant en profiter pendant qu'il en est encore temps. Je ne vis pas pour les gens, mais pour moi. Nous avons fait l'amour, nous avons ri, et je vais le retrouver ce soir pour lui dire que je l'aime. Quoi qu'il arrive, j'ai une totale confiance en lui.

— Pense à Emily, laissa tomber sa mère.

Maddie la regarda d'un air accablé.

— Je ne suis pas comme toi, maman. Je sais être égoïste, je veux profiter des plaisirs de cette terre, et je ne vais pas tout laisser tomber pour élever Em dans un cocon. Je l'aime, et je veillerai sur elle jusqu'à la fin de mes jours. Mais ne compte pas sur moi pour tourner le dos au bonheur. Tout ça pour satisfaire les exigences de cette ville.

— Il faut se sacrifier pour son enfant. C'est le devoir d'une mère.

— Je sais.

Maddie se leva. Elle avait l'impression de parler à un mur.

— Em passe en premier... et moi juste après. Ce qui signifie aimer P.C. maintenant et pas l'année prochaine. Em s'entend très bien avec lui et il lui est d'un grand secours. Elle est beaucoup moins triste en sa compagnie. Je retourne auprès de lui. Je n'aurais jamais dû le quitter.

Sa mère se pencha vers elle, le visage tendu par l'anxiété.

— Mais Brent est mort depuis deux semaines à peine. Que vont penser les gens ?

— Si Em est heureuse, alors moi aussi. Je me fiche éperdument des voisins.

Maddie se dirigea vers la porte, puis elle s'arrêta.

— Non seulement je m'en fiche, mais je suis soulagée. Tu ne peux pas savoir à quel point j'en ai marre d'être la gentille petite Maddie. Maintenant, je vais leur montrer qui je suis. Cela me procurera de grandes satisfactions. Et cela me ferait diablement plaisir que tu invites M. Scott à se joindre à nous.

— Maddie, j'ai soixante-trois ans et je suis trop vieille pour me comporter comme une écervelée. J'ai beaucoup sacrifié à ta sécurité, dit sa mère en cherchant soigneusement ses mots. Je t'ai élevée seule, je t'ai toujours fait passer avant tout. Et toi, tu vas tout gâcher parce que ce petit Sturgis...

— J'oubliais... Je ne veux surtout pas sacrifier ma vie pour Em, afin d'éviter de lui tenir des discours de ce genre par la suite.

— Maddie !

— Je t'aime, maman.

Maddie se pencha et embrassa sa mère.

— Tu m'aurais donné la lune si tu l'avais pu, mais tu veux mon corps et mon âme en échange. Je sais, je suis une fille ingrate et j'en ai parfaitement conscience. Comme ça, le jour où ma fille m'imitera, je ne lui en tiendrai pas rigueur.

Elle se dirigea vers la porte.

— Et surtout ne t'inquiète pas. Je vais bien et Em se

remet du choc de la mort de son père. Je t'appellerai dimanche après ma visite à Mamie.

— Cette femme ! s'écria Martha Martindale.

— Je l'aime bien. C'est un monstre d'égoïsme, mais un excellent exemple.

Maddie se rendit à *Dairy Queen* et commanda une pêche Melba nappée de sauce au chocolat. Elle s'assit près de la vitre éclairée par le néon de la rue, et attaqua sa glace avec gourmandise tout en essayant de faire le point. Que désirait-elle vraiment ? Et qui était l'homme lancé à ses trousses ? En la voyant, les gens baissaient la tête et se parlaient à voix basse. Autrefois, cela l'aurait déprimée, mais maintenant elle n'en avait que faire. Em était en sécurité, elle avait renoué avec Treva et remis Helena à sa place. Il ne lui restait plus qu'à identifier l'assassin de son mari et à faire une place à P.C. dans sa vie.

Elle avait une petite idée concernant le premier, et savait exactement quelle attitude adopter à l'égard du second. Elle commença donc par celui-ci.

Quand elle rentra à la ferme, à dix heures, P.C. était assis sur les marches de la véranda. Il essayait de démêler les fils de deux cannes à pêche.

— Si vous aviez pêché chacun d'un côté du ponton, ça ne serait pas arrivé, dit-elle en s'avançant vers lui.

— Phébé nous a donné un coup de main...

P.C. fit de la place à Maddie sur les marches et elle s'assit tout près de lui.

— Donne-moi cette canne. Je vais t'aider.

— Jolie métaphore, non ?

P.C. s'inclina un peu vers elle. Leurs épaules se touchèrent.

— Tu veux m'aider à démêler les fils de mes propres problèmes ? reprit-il. Très bien, mais commençons par les cannes à pêche.

— Non, laisse tomber.

P.C. retira les cannes des mains de Maddie et les posa sur l'herbe, près des marches.

— C'est sans espoir. Mieux vaut travailler sur des énigmes plus faciles à résoudre.

— Très bien.

Maddie l'embrassa. C'était merveilleux de l'aimer à nouveau, de se retrouver dans ses bras.

— J'adore ça ! s'écria-t-elle.

Elle posa son front contre le sien.

— Rappelle-moi de ne plus te quitter. Je suis contre le mariage, mais très favorable aux autres trucs sympas.

— Sans blague.

P.C. avait l'air surpris. Il attira Maddie à lui.

— Tu parles sérieusement ? Ta mère va m'en vouloir à mort.

— Je l'ai déjà avertie. Et j'ai tout pris sur moi. Je lui ai dit que je venais te retrouver pour te violer. C'est toi la victime... Embrasse-moi.

— D'accord, mais ailleurs que sur la véranda, répliqua P.C. en aidant Maddie à se relever.

— Non.

Elle se blottit contre lui.

— Je ne veux plus me cacher. Je suis veuve, et tout le monde savait où en étaient mes relations avec Brent. Embrasse-moi.

— Oui, mais il y a Em.

Il l'entraîna au pied de la maison, à l'abri de la véranda. Puis il l'embrassa enfin, lui caressa les reins et la pressa contre lui. Elle poussa un soupir de contentement et oublia tout, la révolte, la vengeance, ses désirs d'indépendance.

— Je suis folle de toi, murmura-t-elle d'une voix entrecoupée.

— Et demain, quand tu auras repris tes esprits ?

— Je suis parfaitement lucide.

Puis elle se rappela qu'elle avait des choses à lui dire, recula d'un pas et se sentit un peu perdue. Mais non, elle allait bien. Elle n'avait pas besoin de béquille. À partir d'aujourd'hui, elle ferait l'amour pour le plaisir, pas pour y trouver un refuge.

— Il faut que nous parlions.

— Non, dit P.C. en la prenant par la taille.

— C'est sérieux, P.C. J'ai des secrets à te confier.

— Dans ce cas...

Ils allèrent se rasseoir sur les marches. Il posa la main sur sa nuque et la massa doucement. Sa main était chaude et douce, et c'était tellement merveilleux de l'avoir à nouveau près d'elle.

— Vas-y, je t'écoute.

Maddie soupira.

— Comme tu t'en doutais déjà, il y a bien un revolver.

La main de P.C. s'immobilisa.

— Tu sais où il est ?

Maddie hocha la tête pour l'inciter à reprendre son massage sur sa nuque.

— Je t'écoute.

— Dans le congélateur de Treva.

P.C. ôta sa main comme s'il s'était brûlé.

— Treva ?

Maddie releva la tête.

— Elle ignore tout. Il est dans le plat de bœuf bourguignon aux nouilles que m'a apporté Mme Harmon, avec des chips par-dessus.

P.C. avait l'air d'un homme que l'on venait de frapper dans le dos avec une batte de base-ball.

— Nom de Dieu !

Maddie hocha la tête.

— Je sais. Elle s'est essayée à la cuisine *new age*, mais ça reste tout de même un peu lourd.

— Je ne te parle pas de Mme Harmon, bien que ce plat ne me dise rien qui vaille, mais du revolver dans le congélateur de Treva.

— Je l'ai mis dans un sac en plastique avant de le plonger dans les nouilles. Le froid ne risque pas d'endommager les armes, n'est-ce pas ?

— Pendant une minute, j'ai cru que c'était Treva qui avait fait le coup. Je sais bien qu'elle n'avait pas de mobile mais...

— Elle en avait un, dit Maddie, assoiffée de vérité. Brent la faisait chanter.

— Et pourquoi donc ? demanda P.C. d'un ton badin.

— Je ne peux pas te le dire. Mais elle n'est pour rien dans l'assassinat de Brent.

P.C. hocha la tête tout en essayant d'adopter une attitude décontractée.

— Quand tu commences à te confesser, tu n'y vas pas de main morte.

— Tout le problème est là, s'exclama Maddie. Cette histoire est assez dure à avaler. C'est très bien de prêcher la vérité, mais certaines personnes construisent leur vie sur des mensonges pour des raisons qui tiennent parfaitement la route. On ne peut pas dire n'importe quoi à n'importe qui... Après, il faut ramasser les morceaux. Ce soir, j'ai causé des ravages.

— Je persiste à croire qu'on s'en tire mieux avec la vérité. Tu as autre chose à me dire ?

— Ouais. Il y a deux cent trente mille dollars à la place de ta roue de secours dans ta voiture.

— Comment ?

— Deux cent trente mille dollars. Quelqu'un les avait planqués dans la Civic et avait déposé le revolver dans la boîte à gants. Quelqu'un qui espérait que je me ferais piquer.

— Je suppose que tu n'avais pas d'autre endroit que ma voiture pour dissimuler tout ce fric ?

— C'était pratique... Je vais annoncer la nouvelle à Henry ou bien tu préfères t'en charger ?

— Allons-y ensemble. Mais on va d'abord aller vérifier que le fric est toujours là.

— Prends un gros sac... Mon Dieu, ma confession m'a ôté un sacré poids de la poitrine !

— Je m'en doute, grommela P.C. Maintenant il pèse sur la mienne.

La réaction d'Henry fut violente.

— Tu veux me faire croire que tu viens de l'apprendre ? beugla-t-il à l'adresse de P.C., assis à la table de la cuisine devant une montagne de dollars.

— Bien sûr, qu'est-ce que tu vas imaginer ? Tu me prends pour un imbécile, ou quoi ? Ça fait deux semaines que je me promène avec une fortune dans mon coffre. Maddie me l'a appris il y a dix minutes, alors arrête de crier. Je te préviens qu'elle fait partie de la famille et que nous allons nous marier.

— Non ! hurla Maddie.

— Si !

P.C. la regarda en éclatant de rire.

— Simplement, tu n'es pas encore au courant.

Henry s'adressa à P.C. comme si Maddie n'existait pas.

— Tu sais, mon garçon, il y a encore une chance que cette femme ait tué son mari. Je l'estime beaucoup mais il allait enlever sa petite fille, et je pense qu'elle aurait fait n'importe quoi pour la garder. Tu devrais y réfléchir à deux fois.

— Moi aussi je suis prêt à tout pour protéger cette petite. Voilà pourquoi sa mère ne me tirera jamais dessus... Et maintenant tu vas appeler Treva Basset. Le revolver est dans son congélateur, dans un plat cuisiné par

Mme Harmon, un bœuf bourguignon aux nouilles avec des chips par-dessus.

— Non mais quelle crétine ! dit Henry sans spécifier s'il parlait de Mme Harmon ou de Maddie.

Quand il revint, il s'était un peu adouci.

— J'ai quelques questions à vous poser, dit-il à Maddie, qui hocha sagement la tête.

— Et moi, il m'est venu quelques idées, dit-elle. Autant vous les soumettre.

Ce fut au tour d'Henry d'opiner du chef.

— Essayez de ne rien oublier.

— Bien. À mon avis, tout a commencé parce qu'Helena Faraday voulait que Brent se présente aux élections, et parce que Dottie Wylie est une amie de Lora Hanes, et parce que la maîtresse de mon mari le poussait à me quitter.

— Qu'est-ce que tu racontes ? l'interrompit P.C., comment...

— Tais-toi, dit Henry. Tu oublies comment les choses se passent dans cette ville.

— Il y a environ un mois, poursuivit Maddie, on a demandé à Brent de fournir un bilan financier pour qu'il puisse se présenter aux élections. Et Brent savait qu'il risquait de gros ennuis. À peu près en même temps, Dottie a confié à Lora que l'entreprise l'avait escroquée. Lora a appelé Treva, et Treva connaissait suffisamment Dottie, Brent et Howie pour comprendre de quoi il retournait. Elle a appelé Brent pour lui demander des comptes. Une semaine plus tard, je trouve un slip sans fond sous le siège de ma voiture, déposé là par sa maîtresse, qui en avait assez d'attendre.

— Un slip sans fond ? dit Henry.

— Quel slip sans fond ? dit P.C.

— Oui, parce que, en y réfléchissant, on n'enlève pas un slip sans fond pour faire l'amour, conclut Maddie.

Elle se tourna vers P.C.

— Non ?

— Euh... oui, sans doute, répliqua celui-ci d'un air vertueux tandis qu'Henry fronçait les sourcils. Mais bon, je n'y connais pas grand-chose dans ce domaine.

— Comment voulez-vous qu'une femme ne se rende pas compte qu'elle a oublié son slip ? D'ailleurs, le soir où je suis allée à la Pointe avec P.C., j'avais remarqué... enfin, bref...

Maddie se dépêcha d'enchaîner, soudain embarrassée par les regards de P.C. et d'Henry.

— Et puis ils n'avaient certainement pas fait l'amour sur le siège avant, parce qu'il n'y a pas assez de place et, le soir où je les ai espionnés, je les ai vus monter à l'arrière. Donc il s'agissait bien d'une provocation. Ce qui m'amène à me poser des questions sur mon accident de voiture.

— La parano est un vilain défaut, lâcha P.C. d'un air sentencieux.

— Ma voiture était une épave, n'importe quel accident la mettrait définitivement hors circuit. À la suite de quoi je devais automatiquement utiliser la Cadillac, la nettoyer, découvrir le slip et divorcer de Brent. Autre chose : le type qui a embouti ma voiture est le frère de celui qui m'a amenée à mon coffre à la banque. D'autre part, Brent n'opérait certainement pas seul, il n'était pas assez doué pour ça. Or la banque est un excellent endroit pour y dénicher un partenaire.

— Je vous donne raison sur ce point, dit Henry. Cette série de coups durs dont vous avez été la victime me semble assez louche. Je me suis donc occupé du petit Webster. Il ne parle pas, mais il m'a l'air terriblement nerveux. J'attendais qu'il fasse un faux pas, mais je suppose que je pourrais l'y aider un peu...

— Merci infiniment. Vous me soupçonnez toujours ?

— Vous êtes effectivement consignée sur ma liste. Ce

qui ne m'a pas empêché de suivre d'autres pistes. Continuez.

P.C. prit un air scandalisé.

— Non mais je rêve ! Aucun de vous ne m'avait mis au courant.

— J'essayais de me débrouiller toute seule, dit Maddie. Je suis innocente, même si Henry estime que je suis le portrait craché de ma grand-mère...

— Quelle grand-mère ? s'étonna P.C.

Henry fit la grimace.

— Parce qu'en plus il y a une grand-mère dans le coup ?

Détendue par cette boutade, Maddie reprit son récit.

— Pour préparer sa fuite, Brent a dû rassembler un maximum de liquide. Puis j'ai découvert le slip, P.C. est arrivé pour vérifier la comptabilité de Brent et, quand j'ai fouillé son bureau avec Treva, j'ai mis la main sur sa boîte en métal qui contenait des documents compromettants. Il a paniqué et il m'a frappée. Il lui restait deux jours à tuer avant de prendre l'avion, il savait que Dottie allait lui causer des ennuis, et son partenaire ignorait certainement qu'il avait l'intention de partir pour le Brésil. Donc il a appelé ce partenaire pour essayer de calmer le jeu et il a fini par se trahir.

Elle s'arrêta et regarda Henry.

— Si c'est son complice qui l'a appelé ce vendredi soir, il était tellement ivre qu'il était prêt à confesser n'importe quoi. Si vous l'aviez arrêté ce week-end-là, il aurait tout avoué sans difficulté. Je pense que son partenaire l'a tué pour se protéger. Sauf que la voix que j'ai entendue au téléphone ce soir-là était celle d'une femme. Il y a une employée à la banque qui s'appelle June Webster. Est-elle de la famille des deux autres ?

— C'est leur sœur, précisa Henry. J'ai vérifié. Et la femme d'Harold Whitehead est aussi une Webster. La famille a investi la banque.

— Je commence à me méfier d'eux, grommela Maddie.

— Parlez-moi de cet argent, dit Henry. Si vous n'y aviez pas touché, comment serait-il arrivé dans la Civic ?

— Je l'ignore. Mais la personne qui est venue voler la clef du coffre chez moi le samedi soir a pu avoir accès à l'argent qu'il contenait. Peut-être l'a-t-elle remis à quelqu'un d'autre. En tout cas, l'assassin attendait mon arrestation. Comme il ne se passait rien, il a planqué le revolver et la plus grande partie de l'argent dans la Civic, dans l'espoir que Leo les découvre. Sauf que ça n'a pas marché. Et quand il a appris qu'Em avait disparu, ce qui n'était pas difficile vu que j'avais alerté toute la ville...

Maddie s'interrompit brusquement.

— Je suis allée à la banque ! s'écria-t-elle. Henry, tout le monde à la banque savait qu'Em avait fait une fugue.

— Ce type doit se sentir totalement frustré, s'exclama P.C. À chaque fois qu'il te tend un piège, tu passes à côté... Tu dois commencer à lui porter sérieusement sur les nerfs.

— En admettant que Maddie ait raison, précisa Henry. Pas mal de choses restent encore inexpliquées. Par exemple pourquoi, cette nuit-là, personne n'est-il allé à la Pointe après Brent ?

— C'est la version de Bailey, dit P.C. Demain, j'irai lui en toucher un mot.

— Demain sera une journée chargée, soupira Henry. Et pour commencer il faudra examiner ce fichu revolver.

— Autre chose, intervint Maddie. Bailey et Candace, celle qui travaille à la banque, sortent ensemble. Il peut très bien être lié à cette affaire, lui aussi.

— Celui-là, je vais pas le louper, gronda P.C. Surtout maintenant que nous savons que Maddie est innocente.

Il fusilla Henry du regard.

— C'est possible, concéda Henry, imperturbable. Mais il y a cet argent et ce revolver dont elle nous avait caché l'existence. Je devrais l'emprisonner pour dissimulation de preuves.

— Maintenant que je vous ai tout révélé ? On penserait que vous êtes rancunier, fit remarquer Maddie. Sans compter que je pourrais bien épouser votre neveu. De quoi auriez-vous l'air ?

— Oh ! de l'oncle de P.C., comme d'habitude, répliqua Henry d'un air mélancolique.

— Em est en haut, elle s'est endormie dans mon lit, dit P.C. à Maddie quand Henry les eut quittés pour aller se coucher. Elle n'a pas traîné après le dîner. Dure journée.

Maddie se rapprocha de lui.

— Tu m'as manqué.

P.C. recula d'un pas.

— Toi aussi... Maintenant va te coucher.

— Quoi ?

— Mon oncle ne s'endormira pas avant de t'avoir entendue rejoindre ta fille. Allez, file !

Il voulut s'échapper mais Maddie le rattrapa.

— Tu m'as tellement manqué !

P.C. l'embrassa... puis la repoussa.

— Toi aussi, tu m'as manqué. Et voilà pourquoi j'ai l'intention d'aller te retrouver chez toi pendant qu'Anna s'occupera d'Em et qu'Henry accomplira ses fonctions de shérif. Ne prends pas de rendez-vous demain matin, car je m'occuperai de toi. Mais, en attendant, hors de ma vue !

Maddie venait de se libérer de ses liens pour se jeter dans les bras de P.C., et maintenant il la rejetait. Elle se sentit soudain vide et triste.

— C'est une blague ?

— Non. File.

Elle posa les mains sur ses hanches.

— Je me décide enfin à te céder et voilà ma récompense !

— Si je veux être ton mari et le beau-père d'Em, j'y suis bien obligé. J'ai une famille à protéger. Monte.

P.C. semblait à la fois déterminé et malheureux.

— Et merde ! lança-t-elle.

Elle obéit mais, quand elle fut couchée auprès d'Em, elle se mit à réfléchir.

Il n'avait visiblement pas compris que l'ancienne Maddie était morte. Il voulait la forcer à revenir en arrière... Mais, si elle devait cohabiter avec ce double d'elle-même, elle se verrait dans l'obligation de le tuer. Il fallait donc qu'elle mette tout en œuvre pour lui faire passer au plus vite son goût de la jeune fille sage... Elle le voulait intrépide, rebelle et scandaleux. Elle glissa dans le sommeil, en proie à des pensées érotiques qui n'avaient toujours pas disparu à son réveil.

Au petit déjeuner, Em avait retrouvé un peu d'entrain. Elle discuta recettes de gâteaux avec Anna.

— Je reste ici avec Anna, déclara-t-elle. Je n'ai pas envie de rentrer tout de suite.

— Tu peux même passer le week-end à la ferme si Anna n'y voit pas d'inconvénient, répondit Maddie.

— Elle peut venir vivre ici si ça lui chante, dit Anna. Au programme : biscuits à la cannelle ce matin et, cet après-midi, crochet.

Elle sourit à Maddie.

— Ça aide à se concentrer quand on a beaucoup de problèmes à résoudre.

Maddie entendit le klaxon de la voiture de P.C. Elle repoussa son assiette et embrassa Em.

— Chérie, je dois aller en ville avec P.C. Nous serons de retour cet après-midi. Sois sage.

— Je suis toujours sage.

— On en reparlera. Mais je n'ai pas le temps pour le moment.

Elle descendit les marches et P.C. ôta sa veste du siège du passager.

— Inutile de prendre ta voiture, tu viens avec moi.

Il avait sans doute ses raisons. Elle monta donc dans la Mustang, débattant en elle-même de la façon dont elle mettrait son plan en action. En ce qui concernait les Webster, Henry s'en chargerait, elle n'avait pas besoin de s'en occuper pour l'instant. Mais infléchir le cours de sa vie dans le sens qui l'intéressait, loin des conceptions de sa mère ou de cette ville, lui revenait de droit. La tentation de ruiner sa réputation se faisait de plus en plus insistante... Cela comportait des risques, mais la liberté était à ce prix.

Aujourd'hui, elle se débarrasserait définitivement de l'ancienne Maddie. Elle tapota le préservatif qu'elle avait pris dans le tiroir de la commode de P.C. et glissé dans la poche de son short.

Elle jeta un coup d'œil à P.C., frissonna et lui sourit. Il lui lança l'écharpe qu'il lui avait déjà prêtée pour se protéger du vent. Elle se la passa autour de la tête, tout en cherchant un moyen de le distraire.

Incroyable comme la libido remontait en flèche quand on avait surmonté sa dépression et que votre éventuel futur beau-père adoptif envisageait d'arrêter quelqu'un d'autre à votre place.

— Il faut d'abord que j'aille voir Henry, dit P.C. en passant la troisième. Il doit parler à Bailey et j'ai bien l'intention d'être là. Ensuite, je m'occuperai de toi. Tu m'attends à la maison.

Il lui sourit et elle le trouva tellement sexy qu'elle se mordit la lèvre.

— Je laisserai la voiture devant le commissariat. Comme ça, personne n'en saura rien.

Maddie éclata de rire.

— P.C., toute la ville est au courant. Tu la laisseras dans mon allée.

— Pas question.

Il jeta un coup d'œil au compteur et ralentit.

La partie n'est pas gagnée, songea Maddie. Puis elle observa P.C. à la dérobée. Erreur. Quelle que soit la contenance qu'il essayait d'adopter, P.C. resterait toujours P.C...

Elle mit la cassette de Bruce Springsteen dans le lecteuret monta le son. *Born To Run* retentit dans l'air matinal.

P.C. baissa le volume.

— À cette époque de l'année, des fermiers travaillent encore dans les champs. Inutile d'attirer l'attention sur nous.

Génial. Elle était tombée amoureuse d'un homme rangé. S'il croyait qu'elle allait passer le restant de ses jours avec un type qui concourait pour la médaille du citoyen modèle, il se fourrait le doigt dans l'œil. Elle attendit qu'ils arrivent à la route de Porch. P.C. se contrôlait pour ne pas dépasser le soixante-dix à l'heure.

— Plus vite, lança-t-elle.

— Il y a une limitation de vitesse, protesta P.C.

Elle leva les yeux au ciel et l'aiguille monta à quatre-vingts au compteur. Les premiers accords de *Thunder Road* résonnèrent. C'était une chanson fabuleuse. En son honneur, Maddie monta sur le siège et s'assit sur le dossier, une main accrochée à la vitre.

— Qu'est-ce que tu fiches ? demanda P.C.

Debout contre le vent, elle avait envie de crier, d'enlever ses vêtements et d'entraîner P.C. sur le siège arrière. Elle ôta son écharpe, qui flotta comme une bannière..., et la lâcha.

— Non mais ça va pas ! dit P.C. en lui attrapant le mollet.

Maddie secoua ses cheveux, le vent s'y engouffra. Elle sentit les doigts de P.C. s'agripper à sa jambe. Tous ses souvenirs érotiques affluèrent à sa mémoire. Elle lâcha la vitre et écarta les bras pour mieux sentir le vent sur sa peau.

— Mais elle est cinglée !

P.C. la tirait par la jambe. Elle baissa les bras mais ne bougea pas du dossier. Il était vraiment long à la détente. Elle allait devoir sévir.

— Tu sais quoi ? Je pense que c'est notre chanson, hurla-t-elle pour couvrir le bruit. Surtout quand ça dit « cette ville pleine de perdants ». Arrête-toi et fais-moi l'amour.

— Maddie...

Elle ôta son tee-shirt, qui s'envola. La voiture fit une embardée.

— Maddie !

Elle éclata de rire et, en apercevant la ferme des Drake à droite, elle hurla :

— Tourne dans ce chemin, P.C.

Le tracteur d'un fermier arrivait en face.

P.C. tira brusquement sur sa jambe et Maddie rebondit sur le siège. Trop tard. Le fermier écarquilla les yeux en arrivant à leur hauteur.

— C'était le vieux Todd Overton, dit P.C. d'un ton faussement détaché. Je n'ai pas fini d'en entendre parler par Henry. Fallait-il absolument que tu te conduises de cette façon ?

— Tourne, dit Maddie alors que le chemin se rapprochait. Tourne !

— Compte là-dessus.

Maddie ôta son soutien-gorge et le jeta sur les genoux de P.C., où il fut aussitôt emporté par le vent.

— C'est pas vrai ! murmura P.C. en braquant à droite dans un crissement de pneus avant d'immobiliser la Mustang dans le chemin.

Avant qu'il ait pu l'en empêcher, Maddie ouvrit la portière et courut s'allonger dans l'herbe.

Chapitre 19

— Maddie, arrête ! dit P.C. derrière le volant. C'est pas drôle. Il y a une maison juste un peu plus loin.

Elle ôta son short, son slip, et mit le préservatif bien en évidence.

— P.C., on est chez les Drake, cet endroit est désert.

Elle s'assit sur l'herbe.

— Fais-moi l'amour ici, au soleil. Devant Dieu et la terre entière. Je ne veux plus jamais me cacher.

— Je suis pleinement d'accord avec toi, jusqu'à « Devant Dieu et la terre entière ».

Il sortit de la voiture et la rejoignit.

— Nous sommes à un quart d'heure de chez toi. Pourquoi ne pas...

Elle l'attira à elle et il tomba. Elle sentit le coton de sa chemise tout en roulant dans l'herbe avec lui. Son corps était chaud et souple contre le sien. Elle l'embrassa et sentit ses mains sur son dos tandis que la brise soufflait sur sa peau. Elle s'allongea sur lui.

— Drôle d'idée, dit-il en la caressant.

Elle sentit son pouls s'accélérer quand il lui écarta les bras en croix. De la musique s'échappait de la radio.

— Maintenant, murmura-t-elle.

Il l'embrassa dans le cou, remonta jusqu'à son oreille et

revint à ses lèvres. Elle ondula contre lui et la bouche de P.C. glissa jusqu'à un sein.

— Fais-moi l'amour, murmura-t-elle d'une voix vibrante. Je ne pense qu'à ça depuis hier soir. Vite, prends-moi fort...

Il baissa la fermeture Éclair de son jean, s'empara du préservatif, et revint vers elle avec ce petit sourire sardonique et sensuel qu'elle aimait tant.

— Non, nous allons prendre notre temps pour que tout le monde nous voie bien.

En appui sur les bras, il descendit très lentement sur elle. Elle ferma les yeux et le soleil disparut mais elle le sentait sur sa peau, elle respirait l'odeur de l'herbe et gémissait sous les caresses.

— Je t'aime, dit-elle.

Et lui lui murmura les choses les plus délicieusement érotiques tout en se livrant aux explorations les plus osées.

Les voitures passaient, les oiseaux pépiaient, ils entendirent un tracteur au loin. Un bruit de fond rassurant à leurs rires et leurs ébats amoureux.

Elle soupira, gémit, cria tandis qu'il bougeait en elle, se remplit de son odeur, de sa force, de sa beauté. Il était d'une beauté à couper le souffle.

Elle se souda à lui et il lui dit tendrement :

— Tu es magnifique, tu es différente de toutes les autres femmes, et tu es à moi.

Elle sourit.

— Peut-être...

— Sûrement.

Elle voulut nier de la tête mais il la posséda avec tant de force qu'elle oublia cette feinte et s'accrocha à lui, attentive à son seul plaisir. Rien n'existait à part leur amour. Ils avaient enfin réussi à oublier le monde qui les entourait.

Quand ils reprirent leurs esprits, tous les doutes de Maddie s'étaient envolés avec sa réputation... Ils se

regardèrent et éclatèrent de rire. Elle songea : « L'ancienne Maddie n'est plus qu'un rêve. »
Mamie serait fière d'elle.

Quand ils retournèrent dans la Mustang, P.C. lui donna sa veste.

— Personnellement, je te préfère nue mais tu connais les voisins, dit-il en posant un baiser sur son nez.

Quand ils arrivèrent chez Maddie, un quart d'heure plus tard, Gloria les regarda par-dessus la haie. Elle était probablement en train de tondre sa pelouse.

— Difficile de prétendre qu'on ne connaît pas ses voisins, râla Maddie en sortant de la voiture. Finalement, je vais peut-être déménager. Quand j'y pense, cette vieille ferme a de bonnes vibrations.

— Excellente idée, répliqua P.C.

— Je vais y réfléchir.

Elle fit le tour de la voiture pour le rejoindre et l'embrassa à pleine bouche.

— Maddie, on est en public ! grommela P.C.

Et elle l'embrassa de plus belle.

— Dès que j'aurai vu Henry, dit-il, je reviendrai récupérer ma veste et alors je te promets de te l'arracher...

— Cette veste ?

Maddie l'ouvrit toute grande. P.C. ferma les yeux et elle en profita pour lui prendre les clefs de la voiture.

— Attends un peu ! s'écria-t-il.

— Vas-y à pied. Je trouve que cette Mustang rouge fait très bien dans mon allée.

— Très drôle. Rends-moi mes clefs.

Maddie s'en alla d'un pas tranquille, prenant grand plaisir à sentir le tissu soyeux de la doublure sur sa peau. S'il la suivait, parfait. Après les ébats passionnés, un peu de plaisir nonchalant lui conviendrait parfaitement. Il serait sûrement d'accord.

Il claqua la portière et elle se retourna.

— Un peu d'exercice ne me fera pas de mal, lança-t-il. Toi, tu restes ici et nous reprendrons notre discussion à mon retour.

Elle le regarda s'éloigner, puis rentra par le jardin de derrière et grimpa les marches de la véranda.

— Maddie ?

Elle se retourna, Gloria lui faisait face, louchant par-dessus la clôture.

— Qu'est-ce que c'est que cette veste ? demanda-t-elle.

Elle affichait un air choqué et secrètement ravi.

— Mais c'est un veston d'homme !

— Oui, et il appartient à P.C. Nous venons de faire l'amour du côté de la ferme des Drake et je n'ai rien dessous. Je peux faire quelque chose pour toi ?

Gloria releva le menton.

— Franchement, Maddie. Brent est mort il n'y a pas deux semaines.

— C'est long, pour une femme amoureuse. À ce propos, j'ai cru comprendre que tu couchais avec mon mari. Je n'étais plus très attachée à lui, mais enfin tout de même... À l'avenir, je te conseille de garder pour toi tes commentaires sur ma vie sexuelle et mon gazon.

Gloria s'empourpra.

— Je ne sais pas de quoi tu parles, je...

— Laisse tomber. Il m'a écrit une lettre, Gloria. Il t'a dénoncée. Je suppose que vous baisiez dans le garage, à deux pas des voisins... et de moi-même. Plutôt vulgaire, non ?

Gloria bougea les lèvres mais pas un son n'en sortit. La porte à claire-voie claqua derrière Maddie.

Quand Henry aurait découvert le meurtrier, peut-être lui ferait-elle une petite scène à lui aussi. La nouvelle Maddie prenait un immense plaisir à dire leurs quatre vérités aux gens de Frog Point. Et la nouvelle Maddie adorait faire l'amour. Ragaillardie, elle alla se mettre des cassettes de chanteuses country. Ce genre de journée ensoleillée vous poussait irrésistiblement à envoyer tout le monde sur les roses.

— Je croyais que tu voulais assister à l'interrogatoire de Bailey, dit Henry quand il vit arriver P.C. avec une heure de retard, la chemise froissée et sans sa veste.

— On a eu des problèmes sur la route, dit celui-ci en prenant un air innocent.

— En plein jour ?... P.C., tu n'as vraiment rien dans le crâne.

— Où est Bailey ? balbutia P.C. en remettant de l'ordre dans sa tenue. Qu'est-ce qu'il a dit ?

— Que Maddie avait tiré sur Brent.

P.C. sursauta.

— Calme-toi. Il est possible qu'il dise la vérité. Après vérification, nous avons constaté que le revolver était enregistré au nom de l'entreprise de construction. Maddie peut très bien l'avoir pris là-bas.

— Il va m'entendre, s'exclama P.C. en se dirigeant vers la porte.

Maddie enfila un tee-shirt et monta le volume de la cassette de Lorrie Morgan, juste pour embêter Gloria. Puis elle s'assit et ouvrit son courrier, qu'elle n'avait pas touché depuis une semaine. Elle rédigea des chèques pour régler des factures, qu'elle enverrait la semaine suivante, dès qu'elle aurait touché son salaire.

C'était particulièrement mesquin de la part de Brent d'avoir vidé leurs comptes en banque. Surtout quand on savait qu'il avait à sa disposition un quart de million de dollars pour régler ses dépenses. En fait, cela ne lui ressemblait pas. Il avait beaucoup de défauts mais il n'était pas radin. Il avait bien dû se douter que Maddie allait distribuer des chèques sans provision dans toute la ville.

Elle devait logiquement être à découvert. Car elle n'avait jamais effectué ce dépôt suggéré par Candace. Mais alors comment se faisait-il qu'elle n'en ait pas été avertie par courrier ? Ou bien, si Candace avait tout de même couvert les chèques, pourquoi ne l'avait-elle pas prévenue ?

Et si ces chèques en bois n'avaient jamais existé ?

Si Brent n'avait jamais vidé les comptes ?

Si quelqu'un à la banque l'avait fait à sa place, pour que Candace appelle Maddie et lui conseille d'ouvrir son coffre afin de la mouiller dans cette affaire ?

Harold Whitehead était incapable de monter un coup pareil. En revanche, les Webster... Ils auraient pu vider son compte, poussant Candace à la contacter afin qu'elle puisse ensuite leur servir de témoin.

Oui, mais alors pourquoi n'avaient-ils pas téléphoné eux-mêmes ?

C'est Candace qui avait suggéré d'ouvrir le coffre.

Candace ?

Maddie essaya de l'imaginer comme complice possible des Webster, mais ça détonnait un peu. D'accord, elle était blonde... mais c'était une femme solide, intelligente, avec une excellente situation. La pensée de Candace portant un slip sans fond sous son tailleur beige semblait absurde.

Mais peut-être n'en avait-elle *jamais* porté. Peut-être s'en était-elle servie comme d'un piège. Une provocation, pour obliger Maddie à réagir et à parler à Brent... La femme qui avait glissé ce sous-vêtement sous le siège était sans aucun doute remarquablement intelligente.

Or c'était le cas de Candace.

Elle s'était hissée au poste de directrice de la banque, et aurait certainement adoré être la femme du maire. Pour effacer le nom de Lowery, il lui suffisait de se débarrasser de Maddie.

Tu deviens paranoïaque, se dit Maddie. Oui, mais alors où étaient passés les relevés des découverts ? Sa mère disait que Candace avait supplanté Harold à la banque. Elle aurait très bien pu ouvrir le coffre avec la clef de Brent.

Réflexion faite, cela semblait évident. Candace était un as sur le plan financier. Elle avait tous les éléments en main pour aider Brent à escroquer l'entreprise. C'était même elle qui s'occupait des dépôts et des comptes de la société.

La voix du kidnappeur était cependant celle d'un homme.

Candace était sortie avec Harold Whitehead... Mais Maddie ne pouvait imaginer Harold mêlé à un kidnapping, même si Candace lui avait dansé la danse du ventre et celle des sept voiles.

Mais Candace fréquentait également Bailey. Bailey n'aurait jamais été capable de kidnapper quiconque, car c'était interdit par la loi, comme le chantage... Mais, dans l'éventualité d'un faux kidnapping, il pourrait bien avoir accepté de passer un petit coup de fil. Les subtilités de la loi dépassaient Bailey. Sa voix d'ailleurs était rauque, comme celle de l'homme qui avait téléphoné à Maddie. Mais Bailey était incapable de tuer quelqu'un.

Candace, si.

Maddie fronça les sourcils. Elle connaissait Candace depuis toujours, cela remontait aux chaussures vernies et aux sandales éculées. Ces soupçons étaient ridicules.

Pas tant que ça. Si Candace avait été la complice de Brent, s'il avait décidé de quitter la ville en lui laissant porter le chapeau, si elle avait réalisé qu'il allait la plaquer et qu'elle risquait de se retrouver en prison...

... Alors Candace pouvait très bien l'avoir tué. Elle avait travaillé trop dur pour laisser quelqu'un réduire à néant les efforts de toute une vie. Ou, pis, la placer au centre d'un scandale à Frog Point. « Avec une Lowery, il fallait s'y attendre », auraient dit les gens, et, pour la première fois, Maddie se demanda quel effet cela faisait de se retrouver du mauvais côté de la barrière. Elle-même avait détesté jouer le rôle de la bonne petite fille. Mais comment Candace avait-elle vécu sa condamnation à un destin de perdante ?

Maddie venait de faire l'amour pratiquement en public, dans le seul but de se débarrasser de cette identité qui l'entravait comme une camisole de force.

Alors de quoi Candace pouvait-elle être capable, pour éviter d'être rejetée dans la classe sociale dont elle était sortie à la force du poignet ?

L'enjeu était terrible pour elle. Elle avait très bien pu tirer sur Brent.

Il n'existait qu'un seul moyen de s'en assurer.

Maddie prit les clefs de la voiture de P.C. Elle allait affronter Candace.

— C'est Maddie la coupable, affirma Bailey.

P.C. le regarda droit dans les yeux et il sut qu'il disait la vérité. Bailey était incapable de mentir. Il croyait vraiment qu'elle était la meurtrière.

— Reprenons, dit P.C., et Bailey poussa un profond soupir.

— Elle est allée à la Pointe, elle a vu Brent qui dormait et elle lui a tiré dessus, répéta Bailey pour la énième fois.

— Il dormait souvent à la Pointe ?

— Ça lui arrivait. Je ne posais pas de question. Ça marchait pas très fort chez lui.

Bailey jeta un regard appuyé à P.C.

— Mais je suppose que tu es au courant, poursuivit-il.

— Ce qui me rappelle que tu as essayé de faire chanter

Maddie. Si tu recommences, tu te baisseras pour ramasser tes dents dans la rue.

— Ce n'était pas du chantage ! s'exclama Bailey d'un air outragé. Je pensais que puisqu'elle avait plus d'argent que moi elle pouvait bien m'en donner un peu, puisque je lui rendais service.

P.C. lui jeta un regard méprisant, puis l'observa avec un brusque regain d'intérêt. Bailey disait la vérité. Du moins la vérité selon Bailey. Les yeux d'Henry se rétrécirent.

— Redis-moi ce que tu as vu à la Pointe, dit P.C.

L'autre croisa les jambes d'un air embarrassé, puis il répondit, aussi sérieux qu'un juge :

— Maddie est montée sur la colline...

— Tu l'as vue grimper la colline, Bailey ? demanda Henry d'une voix douce.

— Non, j'ai vu l'empreinte de ses chaussures. Et puis elle s'est avancée vers la voiture et elle lui a tiré dessus.

Il hocha la tête, sûr de sa vertu et de son bon droit.

— Tu l'as vue viser et appuyer sur la détente ? demanda P.C.

— Ouais.

— Bailey, espèce de fils de pute, tu mens comme tu respires.

Bailey adressa un regard inquiet à Henry.

— Il a le droit de me parler comme ça ?

— Pas vraiment. Mais d'un autre côté il a mis le doigt sur un détail intéressant. Reprenons. Qu'as-tu vu exactement, Bailey ?

— Elle l'a fait, s'énerva Bailey. Je ne l'ai pas vue mais c'est elle.

— Qui te l'a raconté ? demanda Henry.

Bailey se tortilla sur sa chaise.

— Bailey, intervint P.C. en se penchant sur lui. Tu viens de calomnier la femme que j'aime. Tu n'as pas idée à quel point cela me contrarie.

— Brutalité policière, répliqua Bailey.

— Je n'appartiens pas à la police. Mais je te promets une raclée à titre privé.

— Henry ! s'exclama Bailey qui devenait de plus en plus nerveux.

— Ne t'inquiète pas, il ne te touchera pas, le rassura Henry. Du moins tant que tu resteras dans cette pièce. Dès que tu auras quitté le commissariat, je serai dans l'impossibilité de te protéger. Mais s'il t'envoie à l'hôpital je te promets de le mettre en prison.

Le regard de Bailey alla de P.C. à Henry.

— La personne ne peut pas vous le dire elle-même parce que ça provoquerait un sacré scandale. Vous connaissez cette ville.

P.C. faillit bondir mais Henry le calma d'un regard. Celle qui avait utilisé Bailey avait fait du bon boulot. Pourquoi ne pas la battre sur son propre terrain ?

— Cette ville est un enfer, dit-il à Bailey. Et maintenant raconte-moi tout.

Vers midi, Maddie s'arrêta au feu rouge devant la banque. Harold Whitehead s'apprêtait à fermer les portes, ce qui semblait étrange pour un président. Il s'effaça devant une femme... qui n'était autre que Candace. Elle était vêtue de son habituel tailleur crème et portait un sac en cuir beige, son sac à main et une valise.

— Candace ! cria Maddie depuis la Mustang. Attends une minute.

Candace se retourna, la vit, agita la main qui tenait le sac et poursuivit son chemin.

— Candace ! hurla Maddie tandis que le feu rouge n'en finissait pas de passer au vert.

Candace s'avançait du pas léger et assuré de la femme d'affaires dont la vie était réglée comme du papier à musique, mais qui en l'occurrence souffrait d'un brusque accès de surdité.

— Rien à foutre ! grommela Maddie.

Elle sortit de la Mustang, qu'elle abandonna au beau milieu du carrefour. Le feu passa au vert et les voitures commencèrent à klaxonner.

Qu'ils aillent au diable !

Elle se mit à courir.

— Candace !

L'autre s'arrêta quelques secondes et cria par-dessus son épaule :

— Je suis pressée, Maddie, je pars en week-end. Trois jours de vacances. J'ai un avion à prendre. On se voit mardi.

— Ce sera trop tard.

Maddie attrapa la poignée de sa valise.

— On a quelques problèmes à régler.

Plusieurs personnes s'attardèrent devant la vitrine où se reflétait la scène.

— Franchement ! Maddie, s'exclama Candace en tirant sur sa valise.

— Il faut que nous parlions, dit Maddie en se cramponnant à la poignée.

— Maddie, je sais que dernièrement tu as traversé une passe difficile mais il faut vraiment que je prenne cet avion.

— Avec tout cet argent ? répliqua Maddie en défaisant la fermeture Éclair de son sac d'un geste vengeur.

De la lingerie en soie glissa sur le trottoir, suivie par les vêtements beiges et dorés hors de prix qu'affectionnait Candace, qui se baissa pour les ramasser.

Pas trace de l'argent.

Candace posa sa valise et regarda Maddie comme si elle était devenue folle. Plusieurs personnes l'aidèrent à rassembler ses affaires, dont une amie de la mère de Maddie.

— Maddie, mon petit, peut-être devrais-tu rentrer chez toi t'étendre un moment.

— Ça suffit ! hurla Maddie, les yeux fixés sur Candace. Où l'as-tu planqué ? Dans ta jarretière ?

— Maddie, mais qu'est-ce que tu as ? soupira Candace en posant un genou à terre pour ranger ses affaires sous les regards compatissants des badauds.

Ceux-ci toisaient Maddie d'un air indigné et lançaient des commentaires désobligeants.

Puis un homme au visage cramoisi s'avança.

— Dites donc, ma petite dame, ça vous ferait rien de dégager votre voiture du carrefour ?

— Je suis très contrariée par mes comptes bancaires, lança Maddie à Candace.

— Non mais tu plaisantes ? C'est pour ton compte en banque que tu me fais ce numéro ? Maddie, tu n'es pas dans ton état normal. Rentre chez toi et nous éclaircirons tout ça mardi.

— Votre voiture ! dit l'homme.

— Il n'y a jamais eu de chèques en bois, insista Maddie.

Le regard de Candace vacilla une fraction de seconde.

— C'est toi, avoue-le, renchérit Maddie.

— Madame...

— Je ne vois pas de quoi tu parles.

Candace épousseta sa jupe du plat de la main.

— Et je n'ai pas le temps de me prêter à tes caprices.

Elle prit son sac et sa valise, et s'apprêta à partir, tellement sûre d'elle-même que Maddie faillit la laisser s'échapper. Puis elle se reprit.

— Pas question. J'ignore où tu vas, mais je suis sûre que c'est un endroit d'où tu n'as pas l'intention de revenir. Pas question que tu me laisses dans ce merdier.

Candace tirait sur son bras tout en essayant de rester digne mais Maddie refusait de lâcher prise. Les gens qui observaient la scène dans la vitrine s'étaient carrément retournés. Même l'homme qui voulait que Maddie dégage le carrefour était pris par le spectacle.

— C'est un scandale public, siffla Candace entre les dents. Tu te ridiculises. Tu pourrais au moins penser à ta mère.

— Je n'en ai rien à foutre, de ma mère ! s'exclama Maddie. Et puisque tu parles de scandale je t'assure que tu n'as encore rien vu. Tu vas venir avec moi voir Henry ou je te joue une superproduction.

Candace parvint à se libérer. Mais Maddie la rattrapa et la bouscula en s'accrochant à elle.

— Cette femme est devenue folle, lança Candace en traînant Maddie derrière elle. Faites quelque chose.

Dans les films, se dit Maddie, il n'y avait jamais de temps mort où vous aviez l'air d'une idiote. Pas étonnant que les bagarres soient aussi vite expédiées.

— Aidez-moi, insista Candace d'un ton irrité, mais toujours parfaitement maîtresse d'elle-même.

Harold hésita et fit un pas en avant.

— Restez où vous êtes, Harold, s'écria Maddie. Vous vous rendriez complice d'un meurtre.

— C'est ridicule, rétorqua Harold. Candace dirige une banque.

— Elle a détruit ma voiture, assassiné mon mari et menacé ma fille, lança Maddie d'une voix forte, et les gens commencèrent à regarder Candace d'un autre œil.

— Voilà la personne que vous avez engagée, Harold.

Candace tira violemment sur sa valise et Maddie lui lança une réplique qui fit mouche :

— Rien ne peut surprendre de la part d'une Lowery.

— Espèce de salope, vociféra Candace. Sainte-nitouche ! Garce !

Et elle décocha un coup de pied dans le genou de

Maddie, qui hurla de douleur. Henry choisit cet instant pour arriver.

— On nous a rapporté des désordres sur la voie publique, annonça-t-il en descendant de voiture. Je suppose que vous en êtes la cause, Maddie. Que vont penser les gens ?

— Ce qu'ils veulent, Henry, je m'en tamponne. Je refuse d'aller en prison car je n'ai pas tué mon mari. Soyez assez aimable pour arrêter cette femme.

— Elle est devenue folle, lança Candace à l'assistance. Elle a assassiné Brent Faraday et maintenant elle veut me mettre son crime sur le dos. Dites-lui de me lâcher, Henry.

— Maddie, faites ce qu'elle vous dit.

— Henry, ce n'est pas...

— Lâchez-la !

À ce ton, Maddie comprit pourquoi P.C. craignait tellement son oncle. Elle obéit et se frotta le genou.

— Vous avez raison, Candace, dit gentiment Henry. Maddie a quelques problèmes...

Maddie poussa une exclamation indignée.

— ... On va tous aller au commissariat, comme ça vous pourrez déposer plainte contre elle.

Maddie se tut. Amener Candace au commissariat était un pas dans la bonne direction.

— Je n'ai pas le temps, répliqua Candace.

Elle remit de l'ordre dans sa tenue.

— J'ai un avion à prendre.

Elle prit son sac, se retourna et Maddie la rattrapa à l'instant où Henry s'avançait.

— Vous ne sortirez pas de Frog Point, vous m'entendez ?

Candace lui fit face. La rage et la panique se lisaient sur son visage.

Elle donna brusquement un grand coup sur la tête de

Maddie avec son sac à main. Des billets de cent dollars flottèrent devant les yeux de celle-ci, et elle perdit connaissance.

— Tu ne pouvais pas attendre l'arrivée d'Henry ? dit P.C. quand elle revint à elle.

Elle était allongée sur un lit d'hôpital.

— Où est Candace ? furent ses premières paroles.

— En tôle. Henry allait l'arrêter en douceur quand tu t'es lancée dans la grande scène du deux. Bien sûr, maintenant nous ne pouvons plus nous marier. Ta réputation est ruinée et ma famille m'a coupé les vivres.

Maddie se redressa.

— Quelles sont les charges ?

P.C. l'obligea à se recoucher.

— Le médecin va vérifier que tu n'as pas de traumatisme crânien. Puis il te fera une radio pour constater que tu as toujours un cerveau. Mais enfin, bon Dieu, pourquoi as-tu attaqué cette femme ?

— Elle quittait la ville, elle a tué Brent et elle prenait un long week-end.

— Exact.

Maddie le fusilla du regard.

— Ne me dis pas que tu le savais déjà.

— On l'a compris juste avant toi. L'histoire du coffre intriguait Henry depuis longtemps, parce que si tu ne mentais pas un employé de la banque était forcément impliqué dans l'affaire. Il avait déjà établi que les rumeurs d'un rôdeur remontaient à Candace, mais il ne comprenait pas quel était son mobile.

— Elle voulait que Brent lui donne le revolver, tiens, dit Maddie en se rappelant le coup de téléphone. Il s'agit d'un meurtre prémédité.

— Chez Candace, la préméditation est une seconde nature. Nous avions affaire à une jeune personne très déterminée. Tu étais toujours considérée comme le suspect numéro un jusqu'à ce qu'on fasse parler Bailey. Il a avoué que Candace était venue à la Pointe ce soir-là et lui avait affirmé que tu avais tué Brent. Alors il l'a crue. Surtout quand ils ont commencé à sortir ensemble.

Il lui sourit.

— Cette fille te hait. Quand elle est passée aux aveux, elle ne parvenait toujours pas à comprendre comment tu t'étais débrouillée pour tout fiche en l'air. Le vendredi, elle a utilisé la clef du domicile de Brent pour laisser la clef du coffre dans le bureau du secrétaire afin que tu ailles récupérer l'argent au coffre le lendemain. Mais tu n'y as pas touché, grande bête, parce que tu es honnête. Elle est donc venue récupérer la clef pendant que tu étais à la ferme afin d'empocher l'argent.

— Donc les Webster n'y étaient pour rien ? Et moi qui les accusais du pire !

— Le plus jeune était tout de même impliqué dans l'affaire. Candace lui avait anonymement posté cinquante dollars en lui demandant de détruire ta voiture s'il voulait toucher la même somme. Elle pensait qu'il rentrerait dans la Civic tranquillement garée quelque part, mais cet imbécile l'a emboutie avec toi et Em à l'intérieur. Il était tellement terrifié qu'il n'a pas osé parler. Il est numéro deux sur la liste de ceux qui ont tout fait foirer.

Il secoua la tête.

— Elle ne comprend pas pourquoi tu n'as pas laissé la ville régler les problèmes à ta place. Elle n'aurait jamais cru que tu te défendrais.

— Et moi, je n'aurais jamais cru qu'elle avouerait. Je pensais qu'elle jouerait à la blonde glaciale et sûre d'elle.

— Le laboratoire a découvert une empreinte sur le chargeur du revolver. Il fallait qu'Henry amène Candace au commissariat pour vérifier si c'était la sienne, et il voulait opérer en douceur quand tu as décidé de lui voler la vedette.

— Mais j'avais effacé les empreintes, s'étonna Maddie.

— Bravo ! Heureusement que le chargeur est à l'intérieur. Elle avait vérifié qu'il fonctionnait avant de tirer.

— Ah !

Maddie avala sa salive.

— C'est une dure à cuire.

— Pas autant que toi. Tu réalises que tu as agressé quelqu'un en plein jour et que tu as envoyé se faire foutre la ville, ses habitants, ta mère et Henry ?

— J'étais à bout de nerfs. Je ne pouvais pas la laisser s'échapper et, en même temps, je ne pouvais pas croire qu'elle ait fait ça. Je n'y arrive toujours pas. Je connais Candace. Je suis allée au lycée avec elle. Elle a vécu dans cette ville toute sa vie.

— Ce qui explique les raisons de son geste. Elle en a eu assez de travailler comme une damnée pour s'en sortir et elle a décidé de tuer quelqu'un à la place.

Maddie changea précautionneusement de position sur son lit.

— Candace pouvait partir quand ça lui chantait. Elle avait fait des études et elle était reconnue sur le plan professionnel. Elle désirait autre chose. Si elle a laissé ce slip dans la Cadillac, c'est qu'elle voulait Brent.

— Elle aurait dû te demander la permission. Tu t'en serais débarrassée avec plaisir. Et moi je le lui aurais enveloppé dans du papier cadeau.

— Attends une minute.

Maddie se redressa avec difficulté.

— Maintenant Em est en sécurité et moi aussi, d'accord ?

— Enfin pas tout à fait, avec moi dans le paysage...

Il l'examina attentivement.

— Tes pupilles sont normales. Si tu n'as pas de traumatisme, on peut peut-être retourner à la ferme des Drake un peu plus tard ? De toute façon, ta réputation ne vaut plus un clou.

— Dieu merci, à partir de maintenant, ma vie va reprendre un cours normal !

— Compte là-dessus, dit P.C. avec une lueur machiavélique dans le regard.

Le lendemain matin, Maddie alla à Revco pour acheter un collier à sa grand-mère. Les gens qu'elle croisa la regardaient avec de grands yeux. Certains tendaient le cou par-dessus les rayons pour contempler le nouveau sujet de scandale de la ville. Ils ne montraient aucune hostilité mais ils se tenaient à distance. Comme s'ils craignaient qu'elle ne se comporte à nouveau de façon excentrique. Tout en le souhaitant secrètement. Maddie avait envie de leur crier *Réveillez-vous pendant qu'il en est encore temps. Faites comme moi.*

Un chat doré avec des yeux très verts attira son attention. Elle le prit et quelqu'un lui posa la main sur le bras.

— J'ai entendu dire qu'on allait poser une plaque en souvenir de la bataille, claironna Treva dans son dos. Ton nom y sera inscrit en grosses lettres.

Maddie se retourna.

— Dieu que ce collier est laid ! Je veux bien que tu ruines ta réputation, mais tu n'es pas obligée de tomber dans la vulgarité.

— C'est pour Mamie.

Maddie s'assit sur le rebord du comptoir, si heureuse de rencontrer Treva qu'elle ne prêta pas attention aux regards réprobateurs de Susan derrière la caisse.

— Et oublie la scène d'hier. Ma mère a déjà organisé un colloque pour commenter ma déchéance. Le gagnant du cent mètres aux jeux Olympiques n'a pas connu à la télévision plus de retours en arrière et de ralentis que moi à Frog Point.

— Et cette fois-ci le commentateur sportif était hautement qualifié. Je suppose que tu as supporté stoïquement ses commentaires.

— Pas du tout. Je lui ai dit que jouer le rôle principal dans un scandale était beaucoup plus rigolo que de rester éternellement spectateur. Je lui ai conseillé d'essayer.

— Et elle l'a fait. Génial.

— On peut toujours rêver. J'ai eu droit à un sermon sur ce que cela signifiait d'être une Martindale. En résumé, les Martindale à Frog Point sont les Kennedy de Washington, la morale en plus. Et maintenant la réputation de la famille repose sur les seules épaules de ma mère et d'Em.

— À mon avis, Em est la dernière sur les rangs pour assumer cette lourde charge. Ma mère et la tienne se sont rencontrées hier soir au bowling. Martha prenait le café avec Sam Scott. Maman l'a répété à Esther. Et voilà, c'est reparti pour un tour.

— Sans blague ?

Maddie éclata de rire. Elle était aux anges.

— Incroyable ! Attends que je raconte ça à Mamie. La voix du sang a fini par parler.

— Et c'est pas fini. J'ai tout déballé à Howie au sujet de Three.

Le sourire de Maddie s'effaça. Puis elle constata que Treva était plus gaie et détendue qu'elle ne l'avait vue depuis des mois.

— Figure-toi qu'il l'a toujours su.

Treva s'assit à côté de Maddie.

— Un test sanguin à l'hôpital lui avait révélé qu'il n'était pas le père de Three. J'ai traîné ce secret pendant vingt ans, et il était au courant !

Treva leva les yeux au plafond.

— Il s'en fiche et a toujours considéré Three comme son fils. Je n'en croyais pas mes oreilles. Il m'a dit qu'il avait reçu un choc. Sa colère avait duré vingt-quatre heures, puis il avait pris Three dans ses bras et s'était dit « J'en ai rien à foutre », et n'y avait plus accordé d'attention. Sa blessure s'est réveillée il y a deux semaines parce qu'il croyait que je couchais à nouveau avec Brent !

Elle secoua la tête.

— Comme si j'étais capable de m'abaisser aussi bas une deuxième fois.

Elle réalisa ce qu'elle venait de dire et ajouta très vite :

— Je ne parle pas de toi, évidemment. Vous étiez mariés, c'est différent.

— Mon Dieu, toute cette culpabilité pour rien, soupira Maddie.

— Je sais. J'avais envie de le tuer, mais je l'aime. Que faire ?

— Crier « je vous emmerde » devant la banque. Rendez-vous sur le trottoir.

— Ma mère m'a raconté qu'une dame à la banque avait tué ton papa, dit Mel à Em alors qu'elles pêchaient à la ferme, assises sur le ponton.

— Oui, Candace.

Em balança les jambes au-dessus de l'eau.

— J'ai pas envie d'en parler.

— D'accord, dit Mel, mais c'est quand même horrible.

— Ouais.

Em agita nerveusement les jambes.

— Où est Phébé ?

Mel regarda autour d'elle.

— Dans le jardin.

Em sortit sa canne à pêche de l'eau.

— Tu es sûre que ça va, Em ?

— Oui, dit-elle d'une voix forte, comme P.C. quand il

parlait sérieusement. J'ai parlé à ma mère et à P.C. Tout est fini. Je voudrais juste que mon père soit pas mort.

Elle s'agrippa à sa canne à pêche.

— Mais personne ne nous veut plus de mal, alors ça va.

— Très bien.

Mel fouilla dans son sac à dos et en sortit des biscuits au chocolat au lait frais avec des pépites.

— Tiens. C'est les meilleurs.

Em en prit un et le mangea tout en regardant le ciel bleu de septembre. Elle aurait bien aimé que Mel arrête de lui parler de son père mais les gens ne pouvaient pas s'en empêcher.

— Alors, ta mère va épouser P.C. ? T'en parles jamais et je meurs d'envie de savoir.

Em poussa un soupir.

— Je pense que oui. Ma mère dit que non, et c'est la vérité parce que maintenant elle a arrêté de mentir. Mais je crois que P.C. finira par la persuader. Probablement l'été prochain, quand la maison sera finie de construire, et alors on va tous vivre à la campagne, avec Phébé qui sera bien plus heureux ici, et je pourrai voir Anna tous les jours. Maman prétend que non mais P.C. dit le contraire et il ment jamais.

Mel redressa la tête.

— Attends, si tu vis ici, on se verra plus.

— Mais si, dit Em, qui avait la bouche pleine, P.C. ira te chercher ou il m'emmènera chez toi. Je lui ai déjà demandé et il m'a répondu qu'il y aurait pas de problème parce qu'il a trouvé du boulot en ville. Je crois qu'il va travailler avec ton père dans l'entreprise. Tout est arrangé.

Sauf que mon papa est mort, ajouta-t-elle en silence, mais elle n'en souffrait plus autant. Elle ferma les yeux et revit son père qui riait avec sa casquette de base-ball et son cornet de glace. Elle s'en souvenait parfaitement.

— On va s'en tirer, dit-elle à Mel en finissant son gâteau.

— Tant mieux, je me sens soulagée, soupira Mel. Je t'ai raconté ce que Cindy Snopes m'avait dit sur Jason Norris ?

Em dressa l'oreille.

— Non, quoi donc ?

— Tiens, prends un autre gâteau. C'est un peu long, mais tu vas pas être déçue.

Cet après-midi-là, Mamie accueillit Maddie par un :

— Tu as tout fichu en l'air. Il a fallu que tu fasses ton intéressante, et maintenant tu es au cœur d'un nouveau scandale. Adultère. Escroquerie. Meurtre. Et désordres sur la voie publique. Tu n'as pas pu te tenir tranquille.

— J'ai décidé de te prendre comme modèle.

Maddie tendit une boîte de deux kilos et demi de chocolats à sa grand-mère, qui en resta muette de plaisir.

— Ça fait un paquet... dit-elle enfin. Formidable.

Elle ôta le papier, le ruban rouge, et contempla avec ravissement les friandises.

Maddie fut plus rapide qu'elle et s'empara de la tortue en chocolat au lait.

— Hé ! Celui que je préfère ! protesta la vieille dame.

— Tu craches toujours les noisettes. C'est dégoûtant. Et puis il te reste une tortue au chocolat noir.

Mamie se renversa sur ses oreillers et fit la moue.

— Je n'aime pas le chocolat noir. Je ne vais pas être avec vous...

— Très bien. Puisque tu n'en veux pas...

Maddie se saisit de la deuxième tortue. Le caramel lui envahit le palais et les noisettes craquèrent sous les dents.

— Tu manges tous mes chocolats !

Mamie semblait sérieusement contrariée.

— Tu es quand même terrible !

Elle baissa la tête.

— Tu sais, j'approche de la fin.

— Tu nous enterreras tous. Tu es comme cette ville. Il faudra t'enfoncer un pieu dans le cœur pour qu'il s'arrête de battre.

— Tu as parfaitement raison, gloussa la vieille dame. Il n'empêche. Tu es stupide d'avoir provoqué ce scandale. Sans parler de ta mère qui s'exhibe au bowling avec Sam Scott. Je suis atterrée.

— Tu t'en remettras. Je ne parviens pas à croire que tu sois déjà au courant. Je l'ai appris il y a une heure.

Mamie renifla.

— Moi, je parle aux gens. Toi, tu passes probablement tout ton temps au lit avec cet homme. Traînée, va ! Tu ne parviendras jamais à faire oublier de pareils écarts de conduite.

— Je n'en ai pas l'intention... Tu sais que ce chocolat est excellent. J'aurais dû y goûter plus tôt.

La vieille dame prit un praliné et l'engloutit. Maddie attendit qu'elle ait craché la noisette du dessus.

— C'est franchement dégoûtant, Mamie.

— C'est pour ça que je le fais. Raconte-moi tout sur ton amant.

— Au lit, il est formidable. Et Em l'adore. Il lui a acheté un chien. Je crois que je vais l'épouser.

— Attends un peu. Pense à ta réputation.

— Tu devrais être fière de moi.

— Je le suis. Tu n'imagines pas l'attention qu'on me porte. Je suis devenue une vedette. Oh, tu as un très joli collier !

— Un cadeau. De mon nouveau jules. Je ne peux pas te le donner.

— Je n'en ai plus pour longtemps, Maddie. Le cœur...

— C'est un symbole de son amour. Je dors avec.

Ces dernières paroles déclenchèrent une crise de toux qui ne se calma qu'avec un verre d'eau et l'arrivée de l'infirmière, se demandant tout haut s'il ne faudrait pas prendre des mesures plus sérieuses.

— Ne recommence pas, dit Maddie à sa grand-mère. Tu m'as fait trop peur. Maintenant que je commence à t'apprécier, tu ne vas tout de même pas nous quitter.

— Je me sens tellement mieux avec un bel objet pour me tenir compagnie... Par exemple ce collier au chat.

— Tu as gagné.

Maddie le retira et le lui tendit.

— Quelles sont les nouvelles de Mickey ?

Mamie poussa la boîte de chocolats hors de portée de Maddie et accrocha le collier autour de son cou.

— Qu'il aille au diable, celui-là ! Parle-moi plutôt de ta nouvelle conquête. Je tiens absolument à le rencontrer. Il est vraiment doué ?

— Il me fait crier à chaque fois.

— Surtout garde ça pour toi, chuchota la vieille dame. Il nous faut continuer à vivre dans cette ville.

En rentrant, Maddie mit un disque de Bonnie Raitt. Mais, avant qu'elle ait pu monter le volume sur *Something to Talk About*, le téléphone sonna. Elle décida de ne pas répondre, puis se ravisa. Et si c'était une bonne nouvelle ?

— Ceci est un coup de fil obscène, dit la voix de P.C. quand elle eut décroché... Qu'est-ce que tu portes ?

— Un sourire, et la même tenue qu'à la ferme des Drake. Qu'est-ce que tu attends pour venir ?

— Mmm... Prépare-toi, j'arrive.

— Une minute, dit Maddie. Et Em ? Sans compter qu'Henry passera peut-être me rendre visite.

— Anna est d'accord pour garder les filles, quant à Henry il a emmené au commissariat les livres comptables et tous les doubles des factures de Brent prélevés dans sa boîte en métal. Et moi, j'ai dans l'idée de te faire perdre la tête.

Maddie se mordit la lèvre et s'appuya au mur. Préludes téléphoniques. Pour la première fois depuis des semaines, elle eut une pensée émue pour les PTT.

— Tu n'as vraiment rien d'autre à faire ?

— Je pensais vérifier la pression de mes pneus. Mais tu es toi aussi assez pneumatique, et je crois que je préfère m'occuper de toi... J'ai des outils et je sais comment m'en servir.

— Tu vas beaucoup plaire à ma grand-mère, P.C.

— Et à toi aussi, baby, je te le garantis.

Elle éclata de rire.

— Je suis déjà conquise. Je t'aime à la folie, passionnément, désespérément, bruyamment. Oublie les limitations de vitesse et viens te garer devant chez moi. Nous laisserons les fenêtres ouvertes.

P.C. raccrocha sans rien ajouter. Maddie l'imagina sautant dans sa Mustang et fonçant jusque chez elle en prenant tous les risques. Bien sûr, ce n'était que le scénario de son imagination. P.C. était maintenant un citoyen responsable. Mais cette idée à elle seule l'enchantait.

Il lui faudrait quand même une bonne vingtaine de minutes avant d'arriver chez elle. Elle se retint d'appeler sa mère pour lui demander des détails sur Sam Scott. Elle craignait de l'embarrasser, ou de la décourager de faire des folies de son corps à soixante-trois ans. Elle pouvait appeler Treva, mais elle en aurait pour une heure au moins. Elle pouvait s'asseoir sur le sofa et penser à P.C. mais elle était déjà suffisamment excitée comme ça. Il restait vingt minutes...

Et il restait des gâteaux au chocolat dans le congélateur. Grâce à son amant très fonctionnel, elle disposait d'un four à micro-ondes. En trente secondes, le paradis serait à portée de main.

Ce qui la ramena à P.C. Elle ôta son slip bleu et le laissa traîner sur le plancher à son intention. Puis elle se ravisa et alla le suspendre à la poignée de la porte d'entrée, saluant au passage Mme Crosby, debout sur sa véranda et toujours aux aguets. Puis elle revint à l'intérieur. Le slip aurait certainement un effet électrisant sur un P.C. déjà nerveux, et elle finirait la journée en beauté.

Entre-temps, il y avait toujours le chocolat.

Jennifer Crusie, de son vrai nom Jennifer Smith (Crusie est le nom de sa grand-mère maternelle), est née en 1949. Elle a grandi et a vécu la plus grande partie de sa vie dans l'Ohio, y a fait ses études supérieures et s'y est mariée. Lorsqu'elle est retournée à sa carrière d'enseignante après la naissance de sa fille, elle a également repris ses études universitaires, pour préparer une maîtrise sur la littérature féminine. En rédigeant un mémoire dans le cadre de ces études, elle a été amenée à lire un grand nombre de romans dits sentimentaux. « À cette époque, raconte-t-elle dans une interview, j'étais très déprimée. Mais après avoir lu une centaine de ces romans, toute trace de dépression s'était envolée, avec tous les préjugés que je pouvais nourrir à l'encontre de cette catégorie de livres. Je me suis sentie optimiste, contente de moi et de ma condition de femme, et je me suis dit que si on éprouvait un tel bien-être à la lecture de ce type de romans, c'est que leurs auteurs devaient avoir aussi énormément de plaisir à les écrire. J'ai eu envie d'essayer et c'est devenu une passion. » Ainsi, depuis 1992, Jennifer Crusie a signé une dizaine de romans.

Voici ce que dit Jennifer Crusie :

De l'amour : « Je déteste les gens qui qualifient avec condescendance un roman ou un film d'"histoire d'amour". Si l'amour n'était pas essentiel, nous ne ferions des enfants que pour les abandonner. »

Des relations de couple : « Il est important de montrer un homme et une femme confrontés à leurs difficultés quotidiennes. Il y a des jours où elle a l'air épouvantable et il l'aime quand même ; il y a des moments où il est incapable de donner le moindre coup de main, mais elle l'aime toujours autant. »

Des personnages de ses romans : « Ils ne sont jamais inspirés de gens que je connais. La fiction est à la fois beaucoup plus riche et beaucoup plus organisée que la vie réelle. Si vous y mettez quelqu'un de réel, sa présence serait aussi incongrue que celle d'un extra-terrestre. »

Des « happy ends » : « Il n'y a rien de mal à ce qu'une histoire se termine bien. Nous vivons à une époque de paix et de prospérité. Pourquoi ne pouvons-nous pas être heureux ? Je ne veux pas dire par là que mes personnages doivent nager dans le bonheur jusqu'à la fin de leurs jours, comme dans les contes de fées. Je suis moi-même divorcée et j'ai élevé ma fille toute seule. J'ai simplement envie de donner à mes personnages une bonne chance de réussir leur couple. »

Cet ouvrage a été imprimé
sur du papier bouffant Zéphir sans acide et sans bois
des papeteries de Vizille
par Aubin Imprimeur (Ligugé)
et relié par la Nouvelle Reliure Industrielle (Auxerre)

N° d'édition 30576 / N° d'impression L 57226

Dépôt légal novembre 1998

Imprimé en France

Cet ouvrage a été imprimé
sur du papier bouffant [illegible]
[illegible]
[illegible]
[illegible]

[illegible]

Dépôt légal novembre 1998

Imprimé en France